ブルーガイド
てくてく歩き 13

奈良
大和路

目次　てくてく歩き —— 奈良・大和路

Page　Contents

4　目的地さくいん地図
6　ベストシーズンカレンダー
8　時を超えた世界遺産の宝庫
10　案内人と歩く仏像さんぽ
14　いにしえの奈良大和路を歩く
18　奈良 四季の花を訪ねて
22　プチ贅沢な宿＆料亭

奈良市
佐保・佐紀路　西ノ京

26　エリアの概略
32　バス路線早見MAP

37　**奈良公園**
40　奈良の鹿にも注目！
41　奈良の仏像
42　東大寺
47　興福寺
50　春日大社
53　奈良国立博物館
56　高畑・白毫寺
58　奈良町
60　[てくさんぽ]奈良町
63　奈良市の[買う]
72　奈良市の[食べる]

78　**佐保・佐紀路**
83　**西ノ京**
88　**柳生**

斑鳩・大和郡山・矢田

92　エリアの概略
93　**斑鳩**
102　**大和郡山**

本書のご利用にあたって

新型コロナウイルス（COVID-19）感染症への対応のため、本書の調査・刊行後に、予告なく各宿泊施設・店舗・観光スポット・交通機関等の営業形態や対応が大きく変わる可能性があります。必ず事前にご確認の上、ご利用くださいますようお願いいたします。

104 **矢田**
106 仏像の造り方

飛鳥・山の辺の道 長谷寺・室生寺

108 エリアの概略
109 **飛鳥**
124 **橿原**
127 ［てくさんぽ］今井町
130 **桜井・多武峰**
133 ［てくさんぽ］山の辺の道
137 **長谷寺・宇陀**
141 **室生寺**
144 古墳・遺跡を探訪する

當麻・葛城・吉野

146 エリアの概略
147 **當麻**
150 **御所・葛城**
154 奈良の歴史の街
156 **吉野**

旅の準備のアドバイス

162 奈良への行き方
164 奈良エリア内の交通
166 奈良のおトクなきっぷ
170 関西主要鉄道路線図
172 宿泊ガイド

174 奈良の歴史・日本の歴史
176 奈良の祭り・行事
178 ＭＡＰ奈良広域図
180 ＭＡＰ奈良・大和路
182 ＭＡＰ奈良・平城宮跡・西ノ京
184 ＭＡＰ奈良駅〜興福寺
186 ＭＡＰ東大寺・春日大社
188 ＭＡＰ奈良町
190 さくいん

てくちゃん
てくてく歩きシリーズの案内役を務めるシロアヒル。趣味は旅行。旅先でおいしいものを食べすぎてほぼ飛ぶことができなくなり、徒歩と公共交通機関を駆使して日本全国を気ままに旅している。

●宿泊施設の料金は、おもなタイプの部屋の１名あたりの料金（税・サービス料込み）です。食事付きの旅館などの場合は、平日１室２名利用で１名あたりの最低料金を表示しています。
Ⓢはシングルルーム、Ⓣはツインルーム、Ⓦはダブルベッドルームで、ともに１名あたりの料金を示します。
●各種料金については、税込みのおとな料金を載せています。
●店などの休みについては、原則として定休日を載せ、年末年始、お盆休みなどは省略してありますのでご注意ください。LOと表示されている時間は、ラストオーダーの時間です。
●この本の各種データは2022年2月現在のものです。これらのデータは変動する可能性がありますので、お出かけ前にご確認ください。

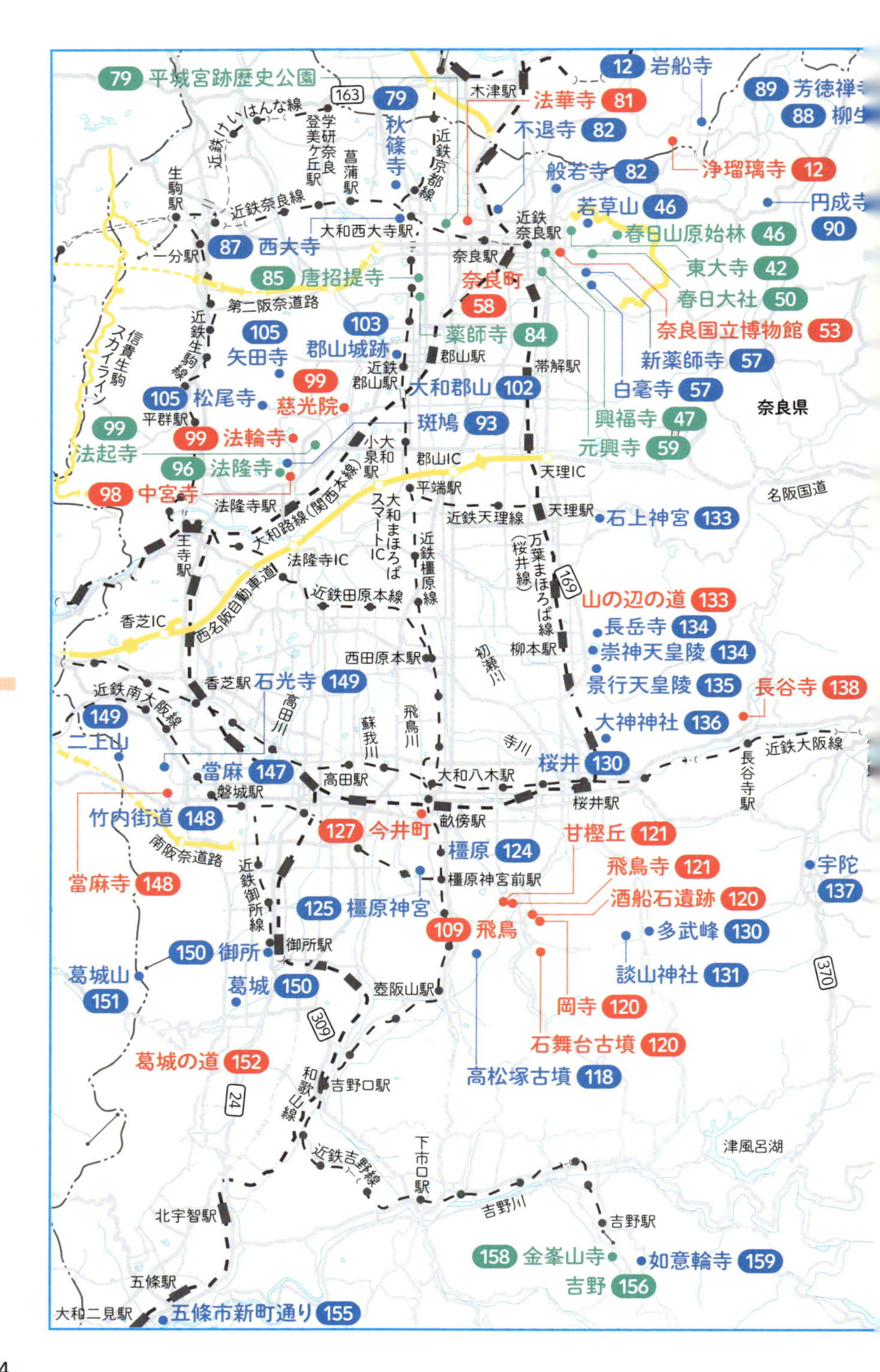
79 平城宮跡歴史公園
79 秋篠寺
12 岩船寺
89 芳徳禅寺
88 柳生
法華寺 81
不退寺 82
般若寺 82
浄瑠璃寺 12
若草山 46
円成寺 90
春日山原始林 46
東大寺 42
春日大社 50
奈良国立博物館 53
新薬師寺 57
白毫寺 57
興福寺 47
元興寺 59
奈良町 58
87 西大寺
85 唐招提寺
薬師寺 84
103 郡山城跡
105 矢田寺
99 慈光院
105 松尾寺
大和郡山 102
斑鳩 93
99 法起寺
99 法輪寺
96 法隆寺
98 中宮寺
石上神宮 133
山の辺の道 133
長岳寺 134
崇神天皇陵 134
景行天皇陵 135
長谷寺 138
大神神社 136
桜井 130
149 二上山
石光寺 149
當麻 147
竹内街道 148
當麻寺 148
127 今井町
橿原 124
125 橿原神宮
109 飛鳥
甘樫丘 121
飛鳥寺 121
酒船石遺跡 120
多武峰 130
談山神社 131
宇陀 137
岡寺 120
石舞台古墳 120
高松塚古墳 118
150 御所
葛城山 151
葛城 150
葛城の道 152
158 金峯山寺
如意輪寺 159
吉野 156
五條市新町通り 155
奈良県
木津駅
近鉄京都線
近鉄けいはんな線
登美ヶ丘駅
学研奈良
菖蒲駅
生駒駅
近鉄奈良線
大和西大寺駅
近鉄奈良駅
奈良駅
一分駅
第二阪奈道路
近鉄生駒線
信貴生駒スカイライン
郡山駅
近鉄郡山駅
帯解駅
平群駅
大和小泉駅
郡山IC
天理IC
名阪国道
平端駅
大和まほろばスマートIC
法隆寺駅
大和路線(関西本線)
近鉄天理線
天理駅
万葉まほろば線(桜井線)
王寺駅
法隆寺IC
近鉄橿原線
近鉄田原本線
香芝IC
西名阪自動車道
西田原本駅
初瀬川
柳本駅
香芝駅
近鉄南大阪線
高田川
蘇我川
飛鳥川
寺川
近鉄大阪線
長谷寺駅
高田駅
大和八木駅
磐城駅
桜井駅
畝傍駅
南阪奈道路
橿原神宮前駅
近鉄御所線
御所駅
壺阪山駅
吉野口駅
和歌山線
近鉄吉野線
下市口駅
吉野川
吉野駅
津風呂湖
北宇智駅
五條駅
大和二見駅
163
169
309
24
370

目的地さくいん地図

奈良を旅する前に、大まかなエリアと注目の観光スポットがどこにあるのか、この地図で全体をつかんでおきましょう。

[東大寺]

観光客が最も訪れる
奈良観光の定番コース

P.42

[春日大社]

朱色の社殿が印象的な
奈良を代表する神社

P.50

[薬師寺]

田園風景の中で
天平の祈りを伝える寺

P.84

[法隆寺]

千年の時を超えた
世界遺産の名刹

P.96

[飛鳥]

日本の原風景の中に
古代のロマンが宿る

P.109

[山の辺の道]

「日本最古の道」は
ハイキングが最適

P.133

[室生寺]

幽寂の静けさが漂う
「女人高野」の古刹

P.142

[吉野]

桜の名所として名高い
歴史ある奥深い山里

P.156

ベストシーズンカレンダー

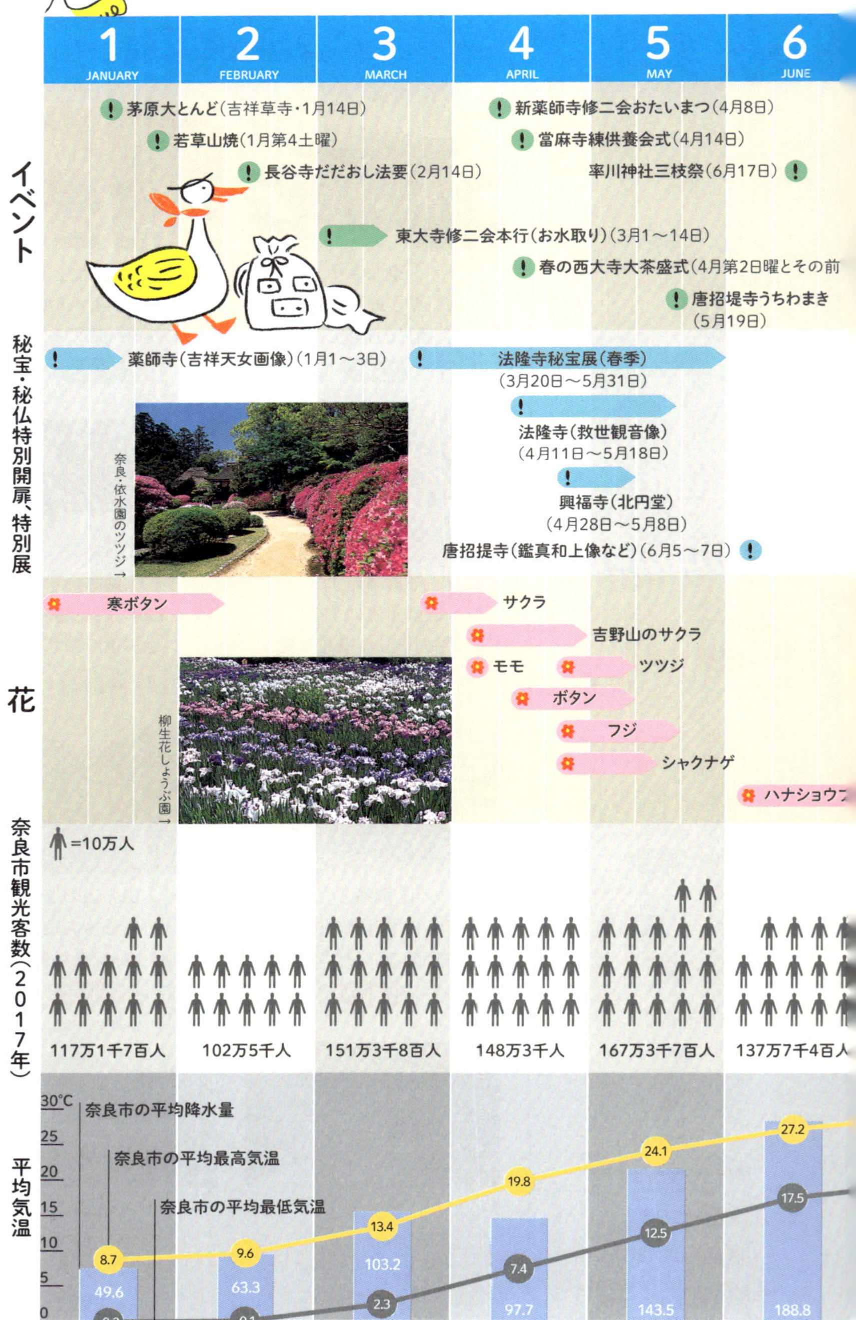

※イベント等の開催月日は変更になる場合があるので各HPなどで事前にご確認ください。気温・降水量の数値は1981～2010年間の平均値です。

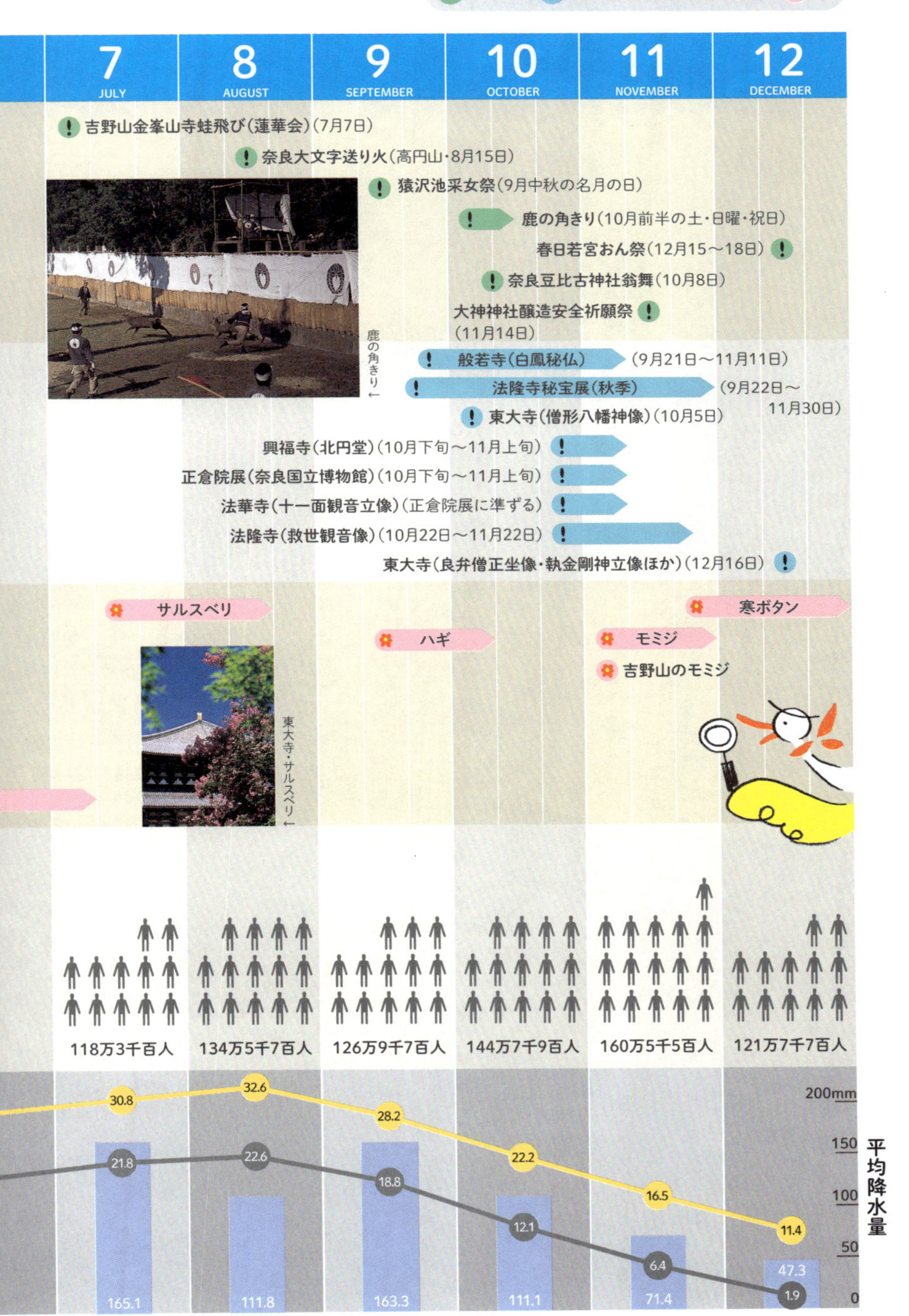

イベント
秘宝・秘仏特別開扉、特別展
花
7 JULY
8 AUGUST
9 SEPTEMBER
10 OCTOBER
11 NOVEMBER
12 DECEMBER
吉野山金峯山寺蛙飛び（蓮華会）（7月7日）
奈良大文字送り火（高円山・8月15日）
猿沢池采女祭（9月中秋の名月の日）
鹿の角きり（10月前半の土・日曜・祝日）
春日若宮おん祭（12月15～18日）
奈良豆比古神社翁舞（10月8日）
大神神社醸造安全祈願祭
（11月14日）
鹿の角きり←
般若寺（白鳳秘仏）（9月21日～11月11日）
法隆寺秘宝展（秋季）（9月22日～11月30日）
東大寺（僧形八幡神像）（10月5日）
興福寺（北円堂）（10月下旬～11月上旬）
正倉院展（奈良国立博物館）（10月下旬～11月上旬）
法華寺（十一面観音立像）（正倉院展に準ずる）
法隆寺（救世観音像）（10月22日～11月22日）
東大寺（良弁僧正坐像・執金剛神立像ほか）（12月16日）
サルスベリ
寒ボタン
ハギ
モミジ
吉野山のモミジ
東大寺・サルスベリ←
118万3千百人
134万5千7百人
126万9千7百人
144万7千9百人
160万5千5百人
121万7千7百人
30.8
32.6
28.2
22.2
16.5
11.4
21.8
22.6
18.8
12.1
6.4
1.9
165.1
111.8
163.3
111.1
71.4
47.3
200mm
150
100
50
0
平均降水量

時を超えた世界遺産の宝庫
日本の原風景に触れる旅

東大寺：大仏が鎮座する大伽藍が有名。世界遺産

奈良県庁

奈良国立博物館：興福寺と並ぶ仏教美術の宝庫

興福寺：仏教美術を収蔵する国宝館は必見。世界遺産

猿沢池：興福寺五重塔を池に映すフォトスポット

三条通り

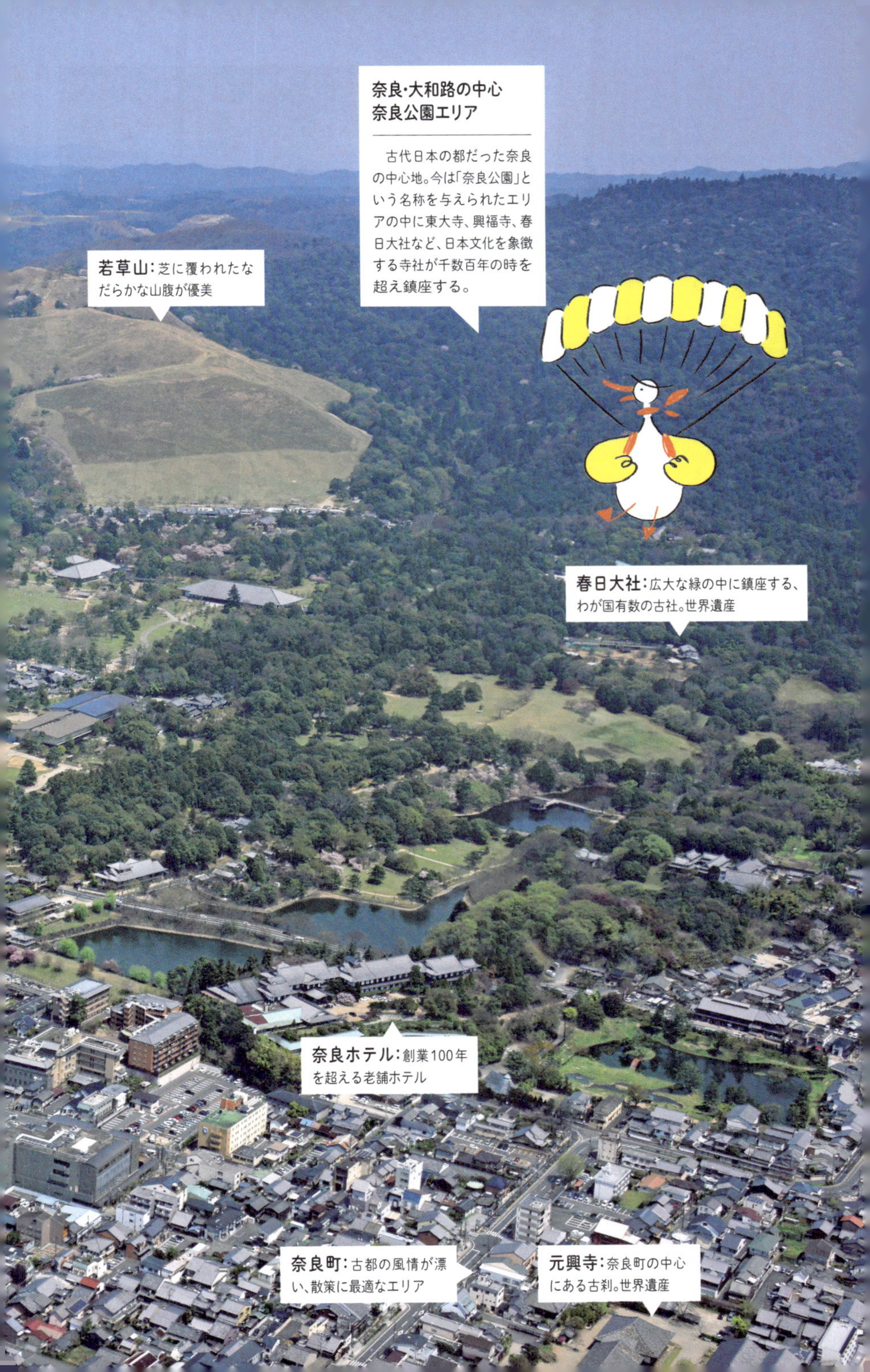
奈良・大和路の中心
奈良公園エリア
古代日本の都だった奈良の中心地。今は「奈良公園」という名称を与えられたエリアの中に東大寺、興福寺、春日大社など、日本文化を象徴する寺社が千数百年の時を超え鎮座する。
若草山：芝に覆われたなだらかな山腹が優美
春日大社：広大な緑の中に鎮座する、わが国有数の古社。世界遺産
奈良ホテル：創業100年を超える老舗ホテル
奈良町：古都の風情が漂い、散策に最適なエリア
元興寺：奈良町の中心にある古刹。世界遺産

仏像さんぽ
案内人と歩く

奈良にある国宝仏の数は日本でいちばん多い。美しい仏さまを訪ねるさんぽ道を歩こう。

新薬師寺　伐折羅（バサラ）像（国宝）
（国指定名は迷企羅）　写真：矢野建彦

おすすめの道　その1

風情ある散歩道
高畑（たかばたけ）

約3.5km・2時間30分
●地図 p.183-L

コース

◎高畑の入口となる破石町バス停にはJR奈良駅や近鉄奈良駅から2系統市内循環外回りバスなどで5〜10分。エリアガイドはp.56を参照。

文人ゆかりの住宅街を抜け古寺へ

　奈良市東部の高畑は、多くの文化人に愛されてきた閑静な住宅街。奈良公園や春日大社から少し足を延ばしただけで、観光地のにぎわいから離れ、趣ある細道が続く。昭和初期に建てられた志賀直哉（しがなおや）旧居（きゅうきょ）など、文人たちが集ったサロンの趣は今もそのままだ。

　高畑の住宅街に溶け込むように建つ新薬師寺（しんやくしじ）は、奈良時代、光明皇后（こうみょうこうごう）が聖武天皇（しょうむてんのう）の病気平癒を願って建立したといわれる古刹。今は小ぢんまりとした境内だが、創建当初は東大寺に次ぐ規模の大寺院だったという。当時の食堂（じきどう）が、本堂（国宝）として残る。

案内するのは 中島久美さん

出身地・奈良とその仏像に傾倒し、奈良の仏像をテーマにした著書（p.13参照）も上梓。仏像との出会いをよりいっそう印象深くする「さんぽ道」を紹介します。

新薬師寺　薬師如来坐像（国宝）　写真：矢野建彦

本堂に足を踏み入れると、12体の大将が陣を組んで迎えてくれる。奈良時代につくられた塑造、十二神将像だ。それぞれ甲冑を身にまとい、剣や槍を持ち、目をむきながら睨みをきかせている。色褪せながらもいきいきと、躍動感あふれる姿は、かつて極彩色に彩られた猛者たちが魔法にかけられ、息を止めたまま1300年の時を経てきたかのようだ。

そして十二神将がお守りしているのが、ご本尊の薬師如来さま。新薬師寺の薬師如来さまは平安時代前期の一木造りの仏さまで、目鼻立ちがはっきりしているのが特徴的だ。こんなにパッチリした目の仏さまも珍しい。左手には病苦を救ってくださる薬師如来のシンボル薬壺を載せ、安心してよいという印の

白毫寺　閻魔王坐像（重文）

「施無畏印」を表している右手も分厚く、頼もしい仏さまだ。

山上の境内はビューポイント

新薬師寺からは、道標に従って白毫寺を目指す。白毫寺は、大文字の送り火が行われる高円山の麓にある。集落の中のくねくね道を曲がりながら歩き、最後は萩に覆われた石段を上り、山門に到着。境内は奈良のおすすめビューポイントだ。奈良や大和郡山の町が180度の展望で見渡すことができる。

お目当ての仏像は、宝蔵にお祀りされている閻魔さま。鎌倉時代の作で、大きな玉眼が飛び出しそうな怒りの表情、盛り上がった肩が、迫力満点。

帰りは少しだけ回り道をして白毫寺町の細い坂道を上ると、春日山と高円山が間近に迫り、悠々とした景色が広がる。

萩の花が咲きこぼれる白毫寺の石段

おすすめの道　その2

浄瑠璃寺から石仏めぐりの道へ

約2km・2時間
●地図 p.180-C

コース

浄瑠璃寺口バス停 →20分→ 浄瑠璃寺 →30分→ わらい仏 →10分→ 岩船寺 →5分→ 岩船寺バス停

◎浄瑠璃寺、岩船寺のある当尾にはJR奈良駅、近鉄奈良駅から208系統加茂駅行きバスで21分、浄瑠璃寺口下車、徒歩20分。岩船寺バス停からは木津川市コミュニティバス当尾線でJR加茂駅まで15分。

奈良市街にほど近い当尾の里は、なだらかな山並みに石仏や石塔が数多く残る地域。興福寺の別当が設けられ、平安末期には修行僧の庵や行場がたくさんあったという。鎌倉時代から室町時代にかけて多くの磨崖仏がつくられ、今も竹藪の横や畑の脇道などで、自然の岩石に刻まれた仏さまや石塔に出会う。

陽だまりの中でほほ笑む「わらい仏」

野菜の無人販売もあるのんびりコース

当尾には浄土式庭園の浄瑠璃寺、密教修行で栄えた岩船寺があり、石仏をめぐりながら2つのお寺を訪ねると、適度な散策コースになる。道の途中には無人の吊り店が並び、とれたての野菜や漬物などを買うのも楽しみだ。

浄瑠璃寺の境内に入ると、正面に大きな苑池が広がる。池をはさんで東に三重塔、西に九体阿弥陀堂、どちらも国宝の建物が建つ。東には薬師如来さまがおられる浄瑠璃浄土があるとされ、三重塔には秘仏の薬師如来坐像がお祀りされている。西の九体阿弥陀堂には九体の阿弥陀如来さまが安置されている。三重塔をお参りしてから振り返ると、池の向こうの極楽浄土の方角に横長の阿弥陀堂を拝むことができるという優雅な趣向だ。

お堂の中に入ると、2mを超える高さの丈六像の中尊を中心に、阿弥陀さまが横一列に座しておられる姿はなかなかの圧巻。9という数は、人間の努力や心がけによって往生には九つの段階があると述べられた経典に基づくもので、平安末期、極楽往生を願う貴族たちによって九体阿弥陀堂が競うように建てられたという。現存しているのは浄瑠璃寺のものだけだ。

阿弥陀如来さまが並ぶ須弥壇の上には小さな厨子が安置され、鎌倉時代の吉祥天女像が収められていて毎年春と秋、お正月に開扉される。深紅の衣装の艶やかな姿は本当に美しい。宝珠を携えた白い手首も、

浄瑠璃寺
吉祥天女像(国宝)
写真：奈良国立博物館

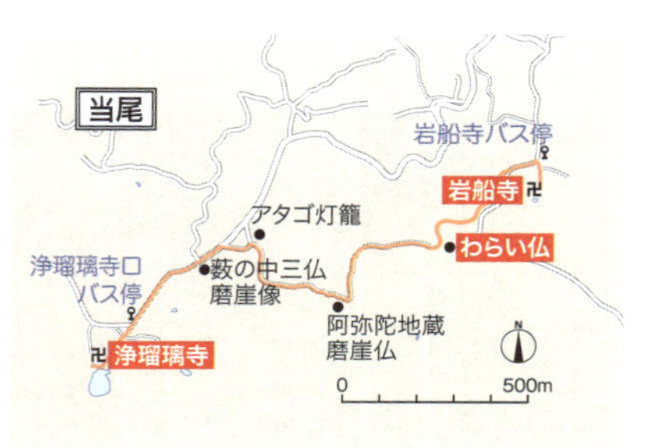

頬から顎にかけてのラインもまるまるとし、若さとエネルギーの塊に見える。さすがは五穀豊穣、天下泰平を授けてくださる幸福の女神さま。未来を信じる力が湧いてくる。

浄瑠璃寺　九体阿弥陀如来像（国宝）

道端の石仏に会うのも楽しみ

浄瑠璃寺から岩船寺までの細道の途中には、当尾の石仏の中でも、もっとも有名な「わらい仏」がある。左右に観音・勢至の両菩薩を従えた阿弥陀仏の阿弥陀三尊だ。大きな岩肌に彫られており、中央の阿弥陀如来さまがにっこりほほ笑んでいる。道行く人も、この笑顔にどんなに励まされてきたことだろう。

山道に入って竹林の崖下を降りると、大きな岩に彫り込まれた不動明王が。一心に願えば思いを受け止めてくれそうな、険しいお姿だ。普賢菩薩騎象像の岩船寺までは、すぐ。

おすすめの道　その3

中将姫（ちゅうじょうひめ）伝説の里 當麻（たいま）

約1km・1時間

●地図p.148

コース：当麻寺駅 →（15分）→ 當麻寺山門 →（5分）→ 當麻寺奥院 →（20分）→ 当麻寺駅

◎近鉄当麻寺駅には橿原神宮前駅から南大阪線で14～23分。エリアガイドはp.147を参照。

山門へとまっすぐ延びる當麻寺参道

奈良盆地の西端、西方浄土と拝まれることもあった二上山の山裾に、當麻寺がある。

祭を支え続ける参道を歩けば

當麻寺では奈良時代、當麻寺で仏門に入った中将姫が、一夜にして蓮糸で曼荼羅を織り上げたと伝えられている中将姫の伝説が有名だ。姫の往生を再現する儀式として毎年5月14日に行われる練供養は、千年続いている當麻最大の行事。地元の講の人たちが二十五菩薩に扮して境内に設けられた来迎橋を練り歩き、中将姫をお迎えして極楽へと導く。この日は境内や参道にも出店が並び、町中がおおいに賑わう。

エネルギッシュな仏さまの群像

當麻寺奥院には、小さな踊る二十五菩薩さまの群像が安置されている。笛や琴、太鼓を持ち、腰をひねりステップを踏む菩薩さまたち。今にもダンサブルな音楽が聞こえてきそう。袈裟の裳裾を翻して踊るお地蔵さまに、仏像のイメージも変わるかも。

當麻寺奥院二十五菩薩来迎像（部分）

さらに詳しく

中島さんの著書『カラー版奈良の仏像さんぽ』（写真：宮田清彦、実業之日本社じっぴコンパクト新書）では、多種多彩な仏像と奈良の魅力が満喫できる15のさんぽ道を紹介している。

いにしえの奈良 大和路を歩く

古事記編纂1300年
日本最古の歴史書・文学書で
古代日本の原点をめぐる

「山の辺の道」沿い、檜原神社近くにある井寺池

古代の日本を知るには欠かせない『古事記』と『日本書紀』。この2冊が編纂されてから1300年となる2012年から2020年にかけて、奈良では「記紀万葉プロジェクト」が展開された。

たとえば『古事記』には奈良にかかわる地名や人名が随所に登場する。それら、ゆかりの地を訪ねれば、麗しき古代の人々と時を超え、語りあう気分になれるかも知れない。

奈良公園の東に位置する若草山（p.46）から望む奈良盆地。この土地は『古事記』発祥の地。日本の原点を作った古代の英雄たちがここを故郷にしている

山の辺の道

飛鳥と平城京を結ぶ道として古代から通じていたのが、日本最古の官線道路といわれる「山の辺の道」。奈良盆地の東に位置する三輪山などの麓を南北に通る。倭健命が偲んだ当時と変わらぬであろう風景が続く。大神神社、石上神宮、景行天皇陵など、『古事記』にちなむ場所が随所にある。現在は、東海自然歩道として整備され、田園や深閑とした杉木立などを通るハイキングコースとして人気が高い。

参照ページ→p.133

写真を詠む

「倭は国の中でもっともすばらしい土地だ。青々とした垣根のように重なりあった山々が取り囲む、麗しい我が故郷よ」倭健命が東国遠征の途中で、故郷を偲んだ歌。

天武天皇の宮と推測される飛鳥浄御原宮（現地では伝・飛鳥板蓋宮跡と呼ばれている／p.120参照）。正面奥の木が茂った丘が甘樫丘

奈良盆地の南に位置する甘樫丘からは大和三山（天香久山、耳成山、畝傍山）を望める

飛鳥（あすか）

現在の明日香村（あすかむら）は、かつて日本の原点となった古代国家の中心地であり、飛鳥京として繁栄した。後に遷都する藤原京、平城京につらなる飛鳥時代の都だ。天武天皇はこの地で天皇中心の国家体制の建設に着手し、その一環として「正しい歴史」を知らしめるために『古事記』編纂を命じたといわれる。飛鳥浄御原宮（あすかきよみがはらのみや）がその場所ではないかと想像が膨らむ。

参照ページ→P.109

写真を詠む

「偽りをなくし、正しいものを定めて、後世に伝えようと思う」と古事記の序文にある一文。天武天皇が『古事記』編纂の意思を示したもの。これに従い、太安万侶（おおのやすまろ）や稗田阿礼（ひえだのあれ）らが『古事記』編纂の任に就いた。

葛城の道

奈良盆地の西、葛城山系の麓には精強を誇った豪族・葛城氏の本拠地があった。石之日売命が育った葛城では古くから葛城山を神が棲まう山として崇め、現在でも『古事記』に登場する古社が鎮座している。葛城氏の氏神が祀られている高天彦神社、雄略天皇との伝説が語られる一言主神社など、「葛城の道」には神話時代を語る名所・旧跡が集中する。

参照ページ→P.150

写真を詠む

「山代河を遡ってゆけば、奈良を過ぎ、山が連なる倭も過ぎた先、私が見たいと願う国は、葛城の高宮。私が生まれた家のあたりです」。石之日売命（磐之媛命）は仁徳天皇の皇后。非常に情熱的で、それゆえ嫉妬深い人物として有名。

『古事記』では神々の居所された高天原。その名をとる最高の格式を誇る高天彦神社

願い事を一言のみ叶えてくれるという一言主神社

奈良 四季の花を訪ねて

由緒ある社寺の庭や、豊かな自然の中に咲く彩り豊かな花々も、奈良に欠かせない魅力だ

境内に3000本のシャクナゲが群生する室生寺

春

◆**サクラ**「いにしえの奈良の都の八重桜けふここのへに匂いぬるかな」と百人一首にも歌われた奈良八重桜をはじめ、奈良公園では彼岸桜、染井吉野、九重桜などさまざまな桜が咲き競う。大野寺や長谷寺の枝垂桜の絢爛たる姿も見ごたえがある。忘れてはならないのは、一目千本といわれる吉野山の桜。◆**モモ** 山の辺の道の南部、檜原神社のあたりや、石舞台古墳の周辺は3月下旬にかけて、愛らしいモモの花があたりを文字どおり桃色に染める。◆**レンゲ** 赤紫の可憐な花畑越しに、法隆寺の五重塔や法起寺の三重塔が望める斑鳩の里の春は、初めて訪れる人にも懐かしさを感じさせてくれる。◆**ボタン** 當麻寺、長谷寺、石光寺などが有名。◆**ツバキ** 1本の木に五色の花が咲く、白毫寺の五色椿が有名。◆**シャクナゲ** 晩春、薄桃色の清楚な花が咲く。室生寺参道脇の群生が有名。ほかに長谷寺、岡寺など。

夏

◆**ハナショウブ** 約80万本の花が咲き乱れる柳生花しょうぶ園や、1万坪もの園内に100万本が咲く花の郷滝谷花しょうぶ園などが見応えがある。◆**アジサイ** 大和路では別名アジサイ寺と呼ばれる矢田寺（金剛山寺）が有名。そのほか、久米仙人ゆかりの古刹、久米寺もおすすめ。◆**ハス** 仏像のほとんどはハスの花の台座に立ったり座ったりし、ハスの花を手に持つ仏像も多く、仏教とハスの花のゆかりは深い。寺の池にハスが多いのも偶然ではない。西ノ京にある唐招提寺のハスが名高い。◆**サルスベリ** 7～8月の暑い盛りに、あざやかな赤い花をつけるサルスベリ。石光寺山門脇の樹齢300年の古木は風格がある。ほかに、東大寺や元興寺極楽坊などが見どころ。

矢田寺のアジサイ

法起寺と春の花々。日本最古の三重塔を可憐な花が彩る斑鳩の里の春は、大和路ならではの風景

秋

◆ヒガンバナ 別名を曼珠沙華ともいうヒガンバナは、仏花として伝来し、墓地に植えられたせいか死人花、幽霊花など不吉な別名もある。燃え上がる炎のように朱い花が群れたさまは、確かに凶々しいほどに美しい。葛城の道沿いに咲き乱れるヒガンバナは、田んぼの稲穂との対比も鮮やか。**◆キキョウ**「萩の花尾花葛花瞿麦の花女郎花また藤袴朝貌の花」という、山上憶良が万葉集に秋の七草を詠んだ歌がある。この中の「朝貌」が、今のキキョウではないかという説が有力である。柳生街道沿いの名刹、円成寺の境内に咲くキキョウがことに美しい。**◆ハギ** 万葉集の中に歌われた花の中で最も多いのが萩の花。細くしなやかな茎にピンクや白の小さな花を咲かせ、決して派手ではないが風情あるその姿が、万葉人の好みに叶ったのかもしれない。新薬師寺、白毫寺、元興寺、秋篠寺など萩の名所が大和路には数多い。**◆コスモス** 般若寺はコスモスで有名な寺。また、法起寺周辺など斑鳩の里では、秋には風に揺れるコスモス越しに塔を望める。**◆紅葉** 奈良各地で美しい紅葉を見ることができる。談山神社では、本殿と木造十三重塔が赤や黄色の葉に照りはえてこのうえなく美しい。燃えるような紅葉となる室生寺も見事。

新薬師寺の秋を彩る萩

大仏池畔の紅葉

冬

◆寒ボタン 中将姫伝説で知られる石光寺は、花の寺としても有名。1年を通じて四季の花が咲き乱れる。冬は40種300株の寒ボタンが寒さに負けずに、白や赤の愛らしい花を咲かせる。11月中旬から1月下旬まで、とくに雪をかぶった藁づとの中で咲く寒ボタンのけなげな美しさは格別で、遠くから訪れる愛好家の姿も多い。花期を遅らせ冬に咲かせるよう特別な処理をするところも多いが、石光寺の寒ボタンは自然に咲くという。ほかに、長谷寺や當麻寺でも見ることができる。**◆サザンカ** 奈良市街の西のはずれにある平城宮跡の周囲には、サザンカの生垣がめぐらされている。冬の寒々とした風景に明るい色彩を加え、見ている人の気持ちまでほんのりと温かくしてくれる。また、在原業平(ありわらのなりひら)ゆかりの不退寺の境内には500種以上の花木があり、四季折々に咲く美しい花々を見ることができる。不退寺でとくに有名なのはレンギョウだが、1～2月に花を咲かせるサザンカも見事。このほか、新薬師寺のサザンカも愛らしい。

雪の中、けなげに咲く石光寺の寒ボタン

1月 2月 3月 4月 5月 6月 7月 8月 9月 10月 11月 12月	
サザンカ	新薬師寺 p.57、平城宮跡 p.79、不退寺 p.82
ツバキ	東大寺 p.42、白毫寺 p.57、法華寺 p.81
レンギョウ	不退寺 p.82
サクラ	奈良公園 p.37、郡山城跡 p.103、談山神社 p.131、長谷寺 p.138
吉野山のサクラ	吉野山 p.157
アシビ	奈良公園 p.37、春日大社 p.50
シダレザクラ	法隆寺夢殿 p.98、大野寺 p.143、長谷寺 p.138
モモ	石舞台古墳周辺 p.120、山の辺の道 p.133
モクレン	秋篠寺 p.79、法華寺 p.81
ヤマブキ	般若寺 p.82、中宮寺 p.98
レンゲ	斑鳩 p.93、飛鳥 p.109
ボタン	長谷寺 p.138、當麻寺 p.148、石光寺 p.149
シャクナゲ	岡寺 p.120、長谷寺 p.138、室生寺 p.142
フジ	奈良公園 p.37、春日大社 p.50
ツツジ	長岳寺 p.134、船宿寺 p.152 依水園 p.46、矢田寺 p.105、橿原神宮 p.125
カキツバタ	依水園 p.46、法華寺 p.81
サツキ	依水園 p.46、慈光院 p.99
アジサイ	矢田寺 p.105 久米寺 p.125、長谷寺 p.138
ハナショウブ	柳生花しょうぶ園 p.89 花の郷・滝谷花しょうぶ園 p.143
ハス	唐招提寺 p.85、喜光寺 p.87
サルスベリ	東大寺 p.42、元興寺 p.59、石光寺 p.149
ヒガンバナ	飛鳥 p.109、葛城の道 p.152
キキョウ	元興寺 p.59、円成寺 p.90
ハギ	新薬師寺 p.57、白毫寺 p.57、元興寺 p.59、秋篠寺 p.79、唐招提寺 p.85 藤原宮跡 p.126
コスモス	般若寺 p.82、喜光寺 p.87、柳生 p.88、法起寺周辺 p.99
紅葉	奈良公園 p.37、談山神社 p.131、長谷寺 p.138、室生寺 p.142
寒ボタン	長谷寺 p.138、當麻寺 p.148、石光寺 p.149

奈良らしさにあふれる空間を味わう

プチ贅沢な宿&料亭

歴史と文化に培われた奈良の宿や料亭は、その年月の長さだけドラマがある。皇族や文人墨客を迎えた老舗で、建物や調度品に秘められたエピソードを知り、贅沢にくつろごう

江戸三 えどさん

料理旅館

文豪志賀直哉など文化人が集いこよなく愛した奈良公園内の宿

春日大社そば　地図p.186-J

志賀直哉や小林秀雄、『大和古寺風物誌』の亀井勝一郎をはじめ、志賀と親しかった洋画家の九里四郎、藤田嗣治ら、多くの文人墨客に愛されてきた宿。奈良公園の公園そのものの敷地内にあり、客室はすべて離れ形式の10棟で、部屋の趣もそれぞれに違う。鹿が部屋の窓の下まで来るのも珍しくない。風呂は離れにはなく、風呂専用の建物を利用する。近代的な設備や都会的な快適さを求める人には不向きだが、情緒を好む人には愛されている。10～3月に出される名物の若草鍋は、志賀直哉が命名したもの。

☎ 0742-26-2662　📍 奈良市高畑町1167
近鉄奈良駅から徒歩15分
¥ 1泊2食付2万2000円～
＊ 開業：1907年／全10棟

1907（明治40）年に料亭として開業した。写真は「八方亭」。丸窓から見えるのはソメイヨシノ

奈良ホテル ならほてる　ホテル

創業100余年の歴史を刻む美術館のようなクラシックホテル

奈良町そば　地図p.189-C

玄関ホールから続く本館階段の手すりは開業当初の姿をとどめる。戦時中のエピソードを秘めた赤膚焼の擬宝珠に注目したい

外国からの賓客を迎えるために明治末期に建てられた奈良ホテルは、時代の移り変わりを見つめてきた歴史の証人でもある。本館の建築は東京駅を設計した辰野金吾らによる和洋折衷様式で、玄関ホールに入ると、正面階段の手すりの擬宝珠をあしらった和風デザインが目を引く。この擬宝珠は珍しい陶器製。開業当時は金属製だったが戦時中に供出させられ、代替品として奈良名産の赤膚焼で作られた。奈良ホテルはまた、多数の美術品を収蔵していることでも知られていて、メインダイニングルームの横山大観の名画や玄関ホールの上村松園の「花嫁」は見落とせない。1935（昭和10）年頃に外国向けの日本観光誘致ポスターにも使用された名品だ。ほかにも、大正天皇を迎えるため1914（大正３）年に本館全館に導入されたスチームヒーターなど、随所に歴史の証がある。

ベッドやテーブルを置いた洋室に、日本画や御簾で和風の趣を添えた本館の客室

玄関ホールに掲げられた上村松園の「花嫁」

スチームヒーター

桃山御殿風檜造りの本館

☎ 0742-26-3300　📍奈良市高畑町1096
🚏奈良ホテルから 👟1分
¥ Ⓣ1万3000円～（シングルユース）
＊ 開業：1909年／全127室

観鹿荘 かんかそう　旅館

天平時代の柱が残る
時空を超えた客室

東大寺そば　地図p.186-F

元東大寺の塔頭惣持院を移築した格調ある落ち着いた造り。東大寺南大門前の賑やかな通りに面しているが、重厚な門を一歩くぐると、美しい日本庭園など静寂の別世界が広がる。櫛目が美しい豆砂利の前庭、飛鳥時代の遺物といわれる石棺、醍醐の間の国宝・醍醐棚の写し、虎が描かれた江戸時代の杉戸、古美術品など、味わい深いものばかり。庭園を望む高野槇の浴室も快適。

☎0742-26-1128　📍奈良市春日野町10
🚏東大寺大仏殿・春日大社前、🚏東大寺大仏殿から👟2分　¥1泊2食付2万3000円～
＊ 開業:1954年／全9室

「天平の間」（写真、食事のみ利用可）の床柱は1200年前の東大寺塔頭の丸柱であったと伝えられる古美術の逸品

菊水楼 きくすいろう　料亭

老舗料亭らしく調度品から
建物まで雅な風情が漂う

興福寺そば　地図p.189-C

趣向を凝らした会席料理で有名な菊水楼は、建築も重厚で贅沢。表門は円成寺塔頭から移築したと伝えられ、堂々とした木造3階建ての和風建築が迎える。客室は床柱から欄間までそれぞれ非常に凝った意匠で、たとえば客間の「楓」の床柱は円成寺の漆塗りの柱が使われている。

料理はその年その季節にもっともおいしい食材を厳選し、五感で楽しめるように細やかな飾りつけや漂う香りにまで心を配っている。さすがに名士や文豪などに愛されてきた老舗料亭の、もてなしの伝統である。

本館の建物や表門は、登録有形文化財に指定されている。明治24年に創業し、歴史と格式の高さを誇り、特別な会食などに利用されている

玄関の天井。細工を見るだけでも一見の価値あり

☎0742-23-2001　📍奈良市高畑町1130
近鉄奈良駅👟15分
¥和の夕食会席料理1万4000円～（税・サ込）
＊ 開業:1891年

奈良市
佐保・佐紀路
西ノ京

エリアをつかむヒント・特別編

奈良中心部＆奈良郊外エリア

●どんな場所？･･･ 大和盆地の北部に位置している。若草山や春日山に続く低い台地上に奈良公園があり、そこが中心部。東へ進めば山地となり、柳生街道の先に柳生の里がある。西側には京都方面や橿原方面へ南北に広がる盆地状の平地があり、そこに佐保路や佐紀路、西ノ京がある。

●自然や風景は？･･･ 近鉄奈良駅やJR奈良駅を中心とする一帯は奈良市の中核をなす市街地。ビルが並び、街区は整備されて車の往来も激しい。古都の風情とはいいかねるが、その反面、食べる・買う・泊まるといった観光の要素には不自由しない。

一方、市街地の周縁部や郊外には、豊かな自然が残されている。

●歴史は？･･･ 奈良時代に都が置かれていた由緒ある土地。8世紀の日本においては、政治・宗教・経済・文化などの中心地として栄えていた。奈良市西部の平坦部にある平城宮跡では、近年の発掘調査の結果、大極殿や朱雀門が復元され、注目を集めている。

●見る歩くポイントは？･･･ 奈良観光の中心エリアであり、東大寺、興福寺、春日大社、唐招提寺、薬師寺といった、そうそうたる観光スポットが並ぶ。ふだんでも観光客や修学旅行生で賑わうが、春・秋の観光シーズンの人出はいっそう多い。また有名な祭りや行事も多く、その時期には特別に賑わう。

Ⓐ奈良公園

東大寺、興福寺、春日大社、奈良国立博物館がある。

Ⓑ柳生の里

剣豪ゆかりの里と、国宝の円成寺などがある。

Ⓒ佐保・佐紀路

平城宮跡や伎芸天で知られる秋篠寺などがある。

Ⓓ西ノ京

薬師寺と唐招提寺、少し離れて西大寺がある。

このエリアへの行き方

奈良市の中心部にあたるエリアだけに、近郊のみならず遠方からも、鉄道やバスなどさまざまな交通機関でアクセスできる。

鉄道の場合、東京方面からは新幹線を利用し、京都経由で近鉄線を利用して近鉄奈良駅へアクセスする方法が一般的。大阪方面からは近鉄線やJR大和路線（関西本線）を利用する。名古屋方面か

観光の問い合わせ先

奈良市観光協会
☎0742-27-2223
奈良市観光センター
☎0742-22-3900
奈良市観光戦略課
☎0742-34-4739
柳生観光協会
☎0742-94-0002

回り方のヒント

柳生を除けば各エリアとも比較的狭い範囲内にある。しかし、見どころが多いことに加え、食事や買い物にもある程度の時間を費やす場所なので、最低1～2泊はしたい。東大寺のように、1つの境内を巡るだけで半日がかりという名所もある。

日数が限られる場合、ポイントを絞ってじっくり見るか、軽く流して数を稼ぐか、あらかじめ考えておかないと、すべて中途半端になってしまう難しさがある。

不退寺

宿泊のヒント

奈良市内であれば旅館、ビジネスホテル、高級ホテルなど多様な選択肢があり、それぞれ数も多い。交通の便もよいので、近鉄奈良駅周辺を宿泊地とすれば、西ノ京まで近鉄線で15分程度、柳生までバスで50分程度で行ける。ただし、観光のハイシーズンや著名な祭り・行事の時期には目当てのホテルが満室ということもありうるので、早めに予約をとる配慮も必要だ。

らは、東京方面と同じく新幹線を利用する方法のほか、JR関西本線や近鉄線を利用する方法がある。

バスの場合、全国の主要都市から夜行の高速バスが出ている（詳細はp.162参照）。

奈良市内交通ガイド

奈良市内の移動、とくにJR奈良駅や近鉄奈良駅から興福寺、東大寺、春日大社、奈良町、高畑への移動は徒歩かバス。薬師寺などの西ノ京へは近鉄線かバスでの移動となる。また、法隆寺、大和郡山、天理へもバスか近鉄、JRでの移動となる。市内中心部は、近鉄奈良駅前とJR奈良駅前が各地へのバスターミナルとなっている。世界遺産の旧跡や寺社を結ぶ路線として97・98系統、通称「奈良・西の京・斑鳩回遊ライン」(p.34参照)がある。

市内の移動は循環バスが便利

●市内循環線 & 中循環線

近鉄奈良駅やJR奈良駅から東大寺南大門や春日大社はじめ市内の主な見どころは、市内循環線の利用が便利。近鉄奈良駅から北を向いて時計回り（春日大社方面）に循環しているバスを外回り、その逆に同じコースを反時計回りに走るバスを内回りと呼ぶ。日中は、それぞれ1時間に6本程度運行。

JR奈良駅に寄らずにショートカットで市内を循環している中循環線は、外回りのみの運行。近鉄奈良駅から東大寺、春日大社、高畑町へは中循環線、市内循環線のどちらに乗っても変わらない。循環バスは均一料金で1回220円。

その他の市の主な路線

●春日大社本殿行き

東大寺や春日大社へ行く時に利用できる。1時間に2～4本程度。

●高畑町行き

東大寺や春日神社、志賀直哉旧宅へ行く時に利用できる。市内循環、中循環線以外に56・57・61・62・160系統が、高畑町、志賀直哉旧宅方面へ行く時に利用できる。運行は頻発。

●青山住宅、洲見台八丁目行き

東大寺転害門などへ。♀手貝町下車。1時間に4～6本程度運行。
運行料金：上記の市内均一区間のバス運賃は210円

●平城宮跡行き

平城宮跡の北側にある平城宮跡資料館や遺構展示館方面へは大和西大寺駅行きバスを利用。近鉄奈良駅では13番乗り場からとなるが、この13番乗り場は、他と離れた所にあるので注意（p.28地図参照）。奈良交通HP　https://www.narakotsu.co.jp/

近鉄奈良駅はこの近鉄ビルの地下にホームがある

レンタサイクルを利用

奈良公園や奈良町などの観光エリアは一部を除けば平坦な土地で、自転車で走るのに快適な道も多い。天気のよい日ならレンタサイクルを利用して散策するのもおすすめだ。

◆駅リンくん
☎0742-26-3929
8:00～18:00
1日700円(当日限り)
地図p.184-I

◆奈良レンタサイクル
☎0742-24-8111
8:30～17:00
500円～、電動980円～
地図p.184-F

交通機関の問い合わせ先

◆バス時刻問い合わせ
☎0742-20-3100（奈良交通お客様サービスセンター）

◆フリー乗車券などの販売
☎0742-22-5267
（奈良交通近鉄奈良案内所）
平日8:30～19:00、土・日曜、祝日8:30～18:00

◆定期観光バス
☎0742-22-5110
（奈良交通総合予約センター）9:00～19:00

乗り場でバスの現在地がわかる

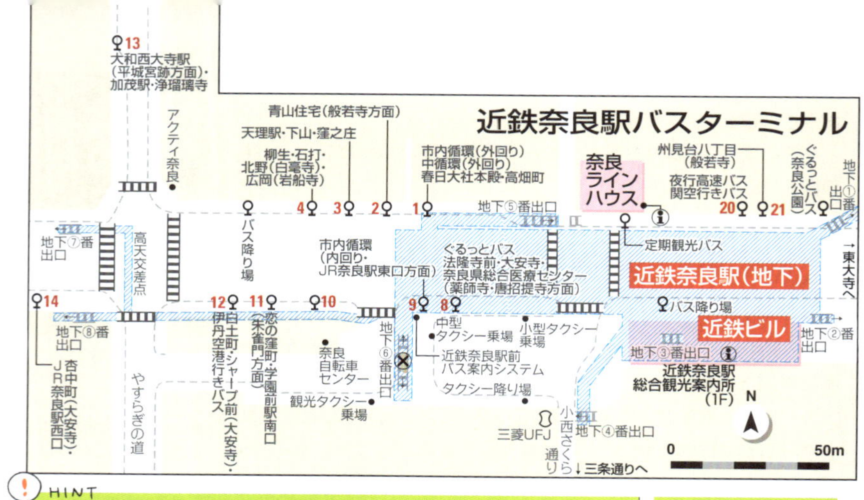

HINT

近鉄奈良駅・JR奈良駅からの主な見どころへのバス

見どころ	乗場 近鉄奈良駅	乗場 JR奈良駅	バスの行き先	下車バス停
依水園	1	東2	市内循環外回り	県庁東
円成寺	4	西16	柳生・石打	忍辱山
春日大社	1	東2	春日大社本殿	終点
春日大社万葉植物園	1	東2	春日大社本殿	終点
元興寺	3	東1	天理駅・下山・窪之庄	福智院町
岩船寺	4	西16	広岡・下狭川	岩船寺口
近鉄奈良駅	―	東3・西12	市内循環外回りほか	近鉄奈良駅
興福寺	1	東2	市内循環外回り	県庁前
西大寺	13	西15	大和西大寺駅	終点
猿沢池	1	東2	市内循環外回り	県庁前
JR奈良駅	9・14	―	市内循環内回りほか	JR奈良駅
志賀直哉旧宅	1	東2	市内循環外回り	破石町
正倉院	2/21	西11	青山住宅／州見台八丁目	今小路／手貝町
浄瑠璃寺	13	西15	加茂駅	浄瑠璃寺口
新薬師寺	1	東2	市内循環外回り	破石町
朱雀門	11	西13	学園前駅南口	朱雀門ひろば前
朱雀門	8	東6	奈良県総合医療センター・学園前駅南口	三条大路四丁目
大安寺	12	東7	白土町・シャープ前	大安寺
大乗院庭園	3	東1	天理駅・下山・窪之庄	福智院町
東院庭園	13	西15	大和西大寺駅	平城宮跡・遺構展示館
唐招提寺	8	東6	奈良県総合医療センター	唐招提寺
東大寺・大仏殿	1	東2	市内循環外回り	東大寺大仏殿・春日大社前
奈良県立美術館	1	東2	市内循環外回り	県庁前
奈良公園	1	東2	市内循環外回り	東大寺大仏殿・春日大社前
奈良国立博物館	1	東2	市内循環外回り	氷室神社・国立博物館
奈良市写真美術館	1	東2	市内循環外回り	破石町
般若寺	2/21	西11	青山住宅／州見台八丁目	般若寺
白毫寺	4	東1	北野・奈良春日病院	白毫寺
不退寺	13	西15	大和西大寺駅	一条高校前
平城宮跡	13	西15	大和西大寺駅	平城宮跡・遺構展示館
法隆寺	8	東6	法隆寺前	終点
法華寺	13	西15	大和西大寺駅	法華寺
柳生の里	4	西16	柳生・石打	柳生
薬師寺	8	東6	奈良県総合医療センター	唐招提寺

※JR奈良駅のバス乗場は、東口（東）と西口（西）に分かれています

近鉄奈良駅 バス乗場

【乗場番号と行先】

1 市内循環外回り／中循環外回り／春日大社本殿／高畑町

2 青山住宅(般若寺)

3 天理駅／下山・窪之庄

4 柳生・石打／北野(白毫寺)／広岡・下狭川(岩船寺)／山村町／藤原台

8 法隆寺前／奈良県総合医療センター(唐招提寺・薬師寺)／大安寺／JR奈良駅西口

9 市内循環内回り／JR奈良駅東口

11 恋の窪町／学園前駅南口(朱雀門)

12 白土町・シャープ前(大安寺)／リムジンバス(伊丹空港)

13 浄瑠璃寺／大和西大寺駅(平城宮跡・法華寺)／加茂駅／高の原駅

14 杏中町(大安寺)／JR奈良駅西口

20 夜行高速バス(新宿・横浜)／リムジンバス(関西空港)／高速バス

21 州見台八丁目(般若寺)

近鉄奈良駅地上出口

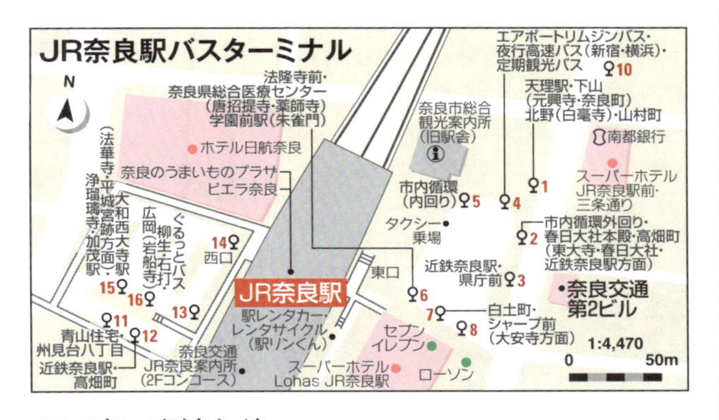

西ノ京、斑鳩などへ

近鉄奈良駅からJR奈良駅経由で、薬師寺や法隆寺へのバスも運行。バス利用だと乗り換えがなく便利だが、電車を利用したほうが早い場合が多い。各見どころの行き方ガイドや、p.32-33のバス路線早見MAP参照。

HINT

はじめの一歩近鉄奈良駅

●近鉄奈良駅…奈良への多くの旅行者が、まず最初に降り立つのが近鉄奈良駅。地下が鉄道駅、地上は市内バスのターミナルやタクシー乗場がある。

●荷物を預ける…近鉄奈良駅の改札を出たところ、地階コンコース周辺に多数のコインロッカーが設置されている。

●観光情報を集める…近鉄奈良駅総合観光案内所が、近鉄奈良駅ビル1階の東出口付近にある。ここでは奈良市内をはじめ、県内の各種マップ、イベント情報、観光タクシーなど、各種パンフレットが入手できる。具体的な質問にも詳しく答えてもらえるので、観光に出かける前にまず立ち寄りたい。

●バスの割引乗車券を買う…奈良公園エリアから平城宮跡までをカバーし、1日何度でも乗り降り自由な「奈良公園・西の京 世界遺産1-DayPass」500円など、便利でお得な奈良大和路フリー乗車券各種は、奈良ラインハウス1階の奈良交通バスの案内所やJR奈良駅の案内所で購入できる。ここには主要な観光地へのバス時刻表も用意されているので便利だ。定期観光バスも、奈良ラインハウス前から出ている。

中循環バスは近鉄奈良駅を経由するが、JR奈良駅は通らない

JR奈良駅 バス乗場

【乗場番号と行先】

●東口

1 天理駅・下山・窪之庄(元興寺・奈良町)/山村町/藤原台/下水間・北野(白毫寺)

2 市内循環外回り/春日大社本殿/高畑町

3 近鉄奈良駅・県庁前

4 定期観光バス/夜行高速バス(新宿・横浜)/リムジンバス(関西空港・伊丹空港)/高速バス

5 市内循環内回り

6 法隆寺前(奈良・西の京・斑鳩回遊ライン)/奈良県総合医療センター(薬師寺・唐招提寺)/学園前駅(尼ヶ辻駅)

7 白土町・シャープ前・イオンモール大和郡山・杏中町(大安寺)

●西口

11 青山住宅・州見台八丁目(般若寺)

12 近鉄奈良駅/高畑町

13 学園前駅南口(朱雀門)/恋の窪町/大安寺

15 浄瑠璃寺/大和西大寺駅(平城宮跡・法華寺)/加茂駅/高の原駅

16/柳生・石打(柳生の里・円成寺)/広岡・下狭川(岩船寺)

奈良交通バスのフリー乗車券

●奈良公園・西の京 世界遺産 1-DAY Pass/500円

●奈良公園・西の京・法隆寺 世界遺産 1-DAY Pass Wide/1000円

●奈良・大和路 2-DAY Pass/1500円

◆路線バスを利用する…近鉄奈良駅前のバス乗場は、行き先別に細かく分かれていて複雑なので注意したい。東大寺・春日大社・奈良国立博物館など、奈良公園エリアへ向かうなら、市内循環外回り・中循環外回り・高畑町・春日大社本殿行きに乗車する。この路線は、日中は1～10分間隔で運行されているので利用しやすい。

◆徒歩で奈良公園へ向かう…近鉄奈良駅からメインストリートの登大路を東へ向かうと、徒歩5分で興福寺の境内に到着する。

◆タクシーを利用する…近鉄奈良駅が便利。中型タクシー乗場は、ロータリーの西側。なお、奈良市内では流しのタクシーが少ない。奈良公園周辺のタクシー乗場は、近鉄奈良駅前・JR奈良駅前・奈良国立博物館新館前・奈良県文化会館前の4ヵ所のみ。

近鉄奈良駅前のタクシー乗場

◆観光タクシーを利用する…観光タクシーは駅前のタクシー乗場に常駐していることはほとんどないので、電話で呼ぶことになる。観光タクシーにはルート別運賃が設定されている。p.36参照。ルートや料金のパンフレットは、近鉄奈良駅総合観光案内所などでもらえる。

◆当日の宿泊が決まってない場合は…各観光案内所や観光センターでは、希望の場所や金額にあう宿泊施設を紹介してもらえるが、斡旋はしていない。空室があるかどうかなどの問い合わせは自分で電話しなくてはならない。

　近鉄奈良駅ビル内の近畿日本ツーリスト、JR奈良駅構内の日本旅行Tisなどの旅行会社では提携している宿泊施設の当日宿泊の斡旋をしている。

安くて便利なぐるっとバスを利用

　奈良市内には「ぐるっとバス」という名称の循環バスも走っていて、市内中心部を移動するに便利な路線。奈良国立博物館、東大寺、春日大社、奈良町など、歩くにはちょっと遠く、タクシーには近い観光ポイントにアクセスするにも利用価値が高い。

　運行は、奈良公園と奈良町を周遊する「奈良公園ルート」と平城宮跡と奈良町を周遊する「平城宮跡ルート」の2コースがあり、1回乗車100円。運行は、土・日曜、祝日と大きなイベント期間や観光シーズンに限られる、また、年度末ごとに運行の継続・中止が発表されるので、利用時は要確認。詳細は以下サイトで。

http://www.nara-access-navi.com/

興福寺の最寄りバス停「県庁前」

コインロッカー

◆近鉄奈良駅構内
小型300円
中型400円
大型600円

問い合わせ先

◆近鉄奈良駅
☎0742-26-6355
◆JR西日本お客様センター
☎0570-00-2486

奈良観光案内所

◆近鉄奈良駅総合観光案内所
9:00～21:00
☎0742-24-4858
◆奈良市総合観光案内所（奈良駅旧駅舎）
9:00～21:00
☎0742-27-2223
◆奈良市観光センター
9:00～21:00
☎0742-22-3900
◆奈良市きたまち転害門観光案内所
10:00～16:00
☎0742-24-1940
◆奈良市奈良町南観光案内所「鹿の舟」
9:00～17:00
☎0742-94-3500

春日大社前のバス案内所

定期観光バスを利用する

短時間でたくさんの観光ポイントを効率的に回れるのが定期観光バス。奈良交通の観光バスは近鉄の主要駅、全国の主要な旅行代理店で予約でき、当日券は近鉄奈良駅・JR奈良駅前の案内所で販売。以下の各コースとも予約制で、拝観料、消費税も含んでいる。

定期観光バスの問い合わせ先

奈良交通
総合予約センター
☎0742-22-5110

定期観光バスで観光名所を訪ねる

	主なコース名／所要時間	見学コース	料金	発車時刻 上段JR奈良駅 下段近鉄奈良駅	運行期間
世界遺産コース	Q1 **奈良公園3名所** 約3時間15分	東大寺（大仏殿）～春日大社（国宝殿）～興福寺（国宝館）～現地解散	おとな3800円 子ども2130円	9:20 9:25	2021年10月1日～2022年3月31日毎日
世界遺産コース	R1 **奈良公園3名所と若草山** 約4時間10分	東大寺（大仏殿）～春日大社（国宝殿）～興福寺（国宝館）～若草山山頂	おとな4800円 子ども2650円	9:20 9:25	2021年10月1日～2022年3月31日毎日
世界遺産コース	R2 **法隆寺・西の京** 約7時間	法隆寺～中宮寺～富之里（昼食）～慈光院（抹茶）～薬師寺～唐招提寺～平城宮跡・朱雀門（車窓）	おとな7700円～9000円 子ども3720円	9:55 10:00	2021年10月1日～2022年3月31日毎日
古都奈良ゆうゆうバスラインコース	Q2 **斑鳩ゆうゆうバスライン** 約2時間50分	法隆寺～中宮寺～現地解散	おとな3800円 子ども2020円	9:55 10:00	2021年10月1日～2022年3月31日毎日
古都奈良ゆうゆうバスラインコース	R3 **大神神社・明日香** 7時間30分	大神神社～石舞台古墳～夢宗庵（昼食）～キトラ古墳壁画体験館「四神の館」～橘寺～飛鳥寺	おとな7300円 子ども4500円	9:10 9:15	2021年10月2日～11月28日毎日
古都奈良ゆうゆうバスラインコース	Q3 **山の辺 明日香ゆうゆうバスライン** 約3時間	大神神社～石舞台（現地解散）	おとな3300円 子ども2100円	9:10 9:15	2021年10月2日～11月の毎日
季節のコース（秋限定）	S2 **岩船寺・浄瑠璃寺** 約2時間55分	岩船寺～浄瑠璃寺（10・11月はともに秋の特別公開中）	おとな2800円 子ども1320円	9:35 9:40	2021年11月6日～12月5日毎日
季節のコース（秋限定）	S4 **正暦寺・弘仁寺** 約3時間	正暦寺～弘仁寺	おとな3100円 子ども1400円	13:55 14:00	2021年11月6日～12月5日毎日

※2021年秋から2022年春にかけての定期観光バスのコースを紹介してあります。催行期間が過ぎたコースも、翌年催行される場合があります。
※新型コロナウイルス感染拡大に伴い、定期観光バスが運休となる場合もありますので、予約センターやウェブサイトでご確認ください。https://www.narakotsu.co.jp/teikan/

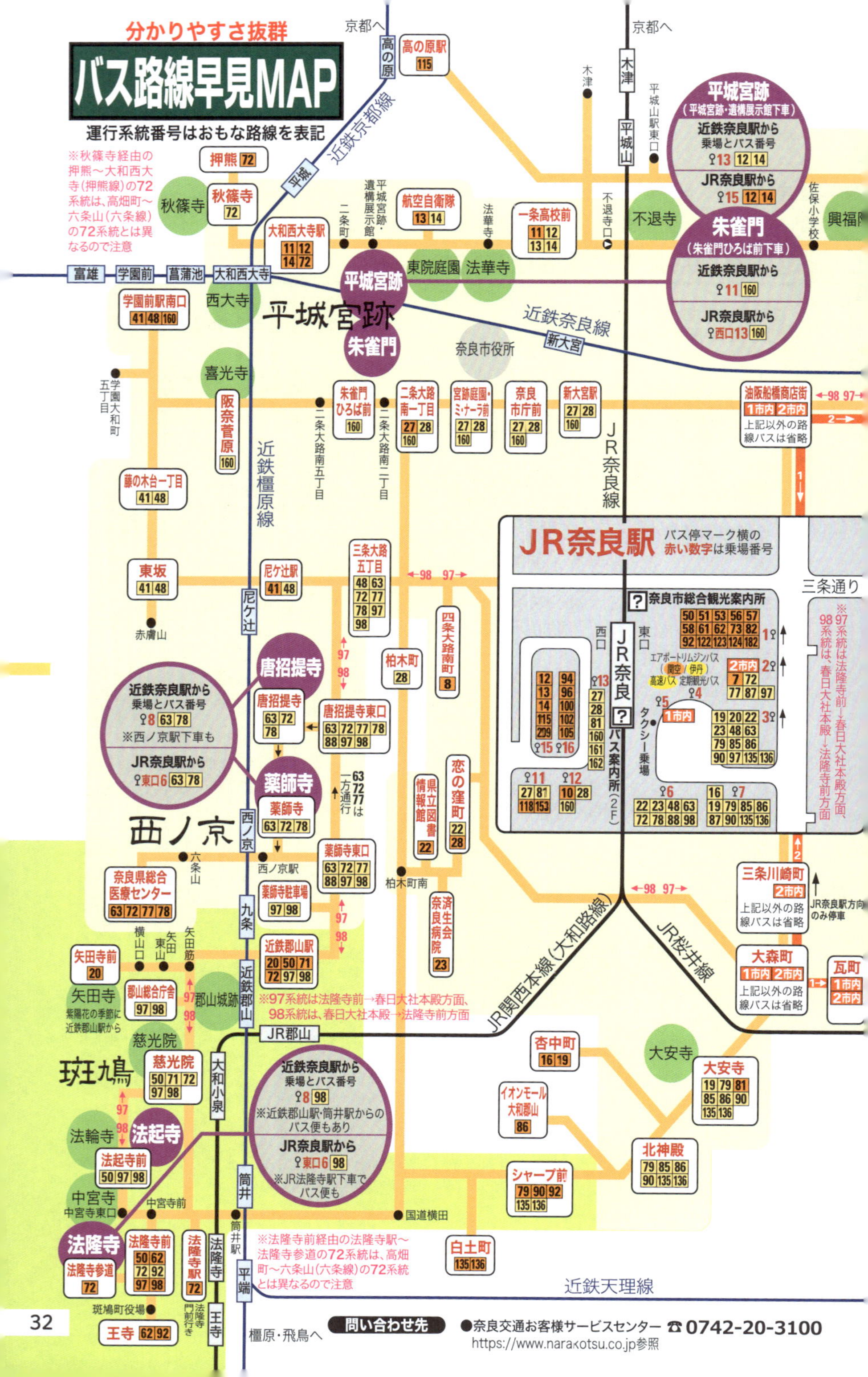

分かりやすさ抜群
バス路線早見MAP
運行系統番号はおもな路線を表記
※秋篠寺経由の押熊～大和西大寺（押熊線）の72系統は、高畑町～六条山（六条線）の72系統とは異なるので注意
京都へ
高の原
高の原駅 115
近鉄京都線
平城
押熊 72
秋篠寺 72
秋篠寺
大和西大寺駅 11 12 14 72
二条町
平城宮跡・遺構展示館
航空自衛隊 13 14
法華寺
一条高校前 11 12 13 14
不退寺口
木津
平城山駅東口
木津
平城山
京都へ
平城宮跡
（平城宮跡・遺構展示館下車）
近鉄奈良駅から
乗場とバス番号
13 12 14
JR奈良駅から
15 12 14
不退寺
佐保小学校
興福
朱雀門
（朱雀門ひろば前下車）
近鉄奈良駅から
11 160
JR奈良駅から
西口13 160
富雄
学園前
菖蒲池
大和西大寺
学園前駅南口 41 48 160
西大寺
平城宮跡
東院庭園
法華寺
平城宮跡
朱雀門
近鉄奈良線
新大宮
奈良市役所
喜光寺
学園大和町五丁目
阪奈菅原 160
朱雀門ひろば前 160
二条大路南五丁目
二条大路南一丁目 27 28 160
二条大路南二丁目
宮跡庭園・ミ・ナーラ前 27 28 160
奈良市庁前 27 28 160
新大宮駅 27 28 160
油阪船橋商店街 1市内 2市内
上記以外の路線バスは省略
98 97
2
1
近鉄橿原線
JR奈良線
藤の木台一丁目 41 48
JR奈良駅
バス停マーク横の赤い数字は乗場番号
三条通り
東坂 41 48
尼ケ辻駅 41 48
尼ケ辻
三条大路五丁目 48 63 72 77 78 97 98
98 97
四条大路南町 8
赤膚山
奈良市総合観光案内所
50 51 53 56 57 58 61 62 73 82 92 122 123 124 182
1
西口
東口
JR奈良
エアポートリムジンバス（関空 伊丹）
高速バス 定期観光バス
2市内 7 72 77 87 97
2
4
5 1市内
19 20 22 23 48 63 79 85 86 90 97 135 136
3
12 13 14 115 239
94 96 100 102 105
15 16
13 27 28 81 160 161 162
タクシー乗場
バス案内所（2F）
11 27 81 118 153
12 10 28 160
6 22 23 48 63 72 78 88 98
7 16 19 79 85 86 87 90 135 136
※97系統は法隆寺前→春日大社本殿方面、98系統は、春日大社本殿→法隆寺前方面
唐招提寺
近鉄奈良駅から
乗場とバス番号
8 63 78
※西ノ京駅下車も
JR奈良駅から
東口6 63 78
唐招提寺 63 72 78
唐招提寺東口 63 72 77 78 88 97 98
97 98
柏木町 28
薬師寺
薬師寺 63 72 78
63 72 77は一方通行
県立図書情報館 22
恋の窪町 22 28
西ノ京
西ノ京
六条山
西ノ京駅
薬師寺東口 63 72 77 88 97 98
柏木町南
奈良県総合医療センター 63 72 77 78
薬師寺駐車場 97 98
97 98
済生会奈良病院 23
98 97
三条川崎町 2市内
上記以外の路線バスは省略
JR奈良駅方向のみ停車
横山口
東山
矢田筋
九条
矢田寺前 20
近鉄郡山駅 20 50 71 72 97 98
JR関西本線（大和路線）
JR桜井線
大森町 1市内 2市内
上記以外の路線バスは省略
瓦町 1市内 2市内
矢田寺
紫陽花の季節に近鉄郡山駅から
郡山総合庁舎 97 98
97 98
郡山城跡
近鉄郡山
※97系統は法隆寺前→春日大社本殿方面、98系統は、春日大社本殿→法隆寺前方面
JR郡山
慈光院
慈光院 50 71 72 97 98
斑鳩
大和小泉
近鉄奈良駅から
乗場とバス番号
8 98
※近鉄郡山駅・筒井駅からのバス便もあり
JR奈良駅から
東口6 98
※JR法隆寺駅下車でバス便も
杏中町 16 19
大安寺
大安寺 19 79 81 85 86 90 135 136
イオンモール大和郡山 86
北神殿 79 85 86 90 135 136
97 98
法輪寺
法起寺
法起寺前 50 97 98
中宮寺
中宮寺東口
中宮寺前
筒井
筒井駅
国道横田
シャープ前 79 90 92 135 136
法隆寺
法隆寺参道 72
法隆寺前 50 62 72 92 97 98
法隆寺駅 72
法隆寺
法隆寺門前行き
平端
白土町 135 136
※法隆寺前経由の法隆寺駅～法隆寺参道の72系統は、高畑町～六条山（六条線）の72系統とは異なるので注意
近鉄天理線
斑鳩町役場
王寺 62 92
王寺
橿原・飛鳥へ
問い合わせ先
●奈良交通お客様サービスセンター ☎0742-20-3100
https://www.narakotsu.co.jp参照

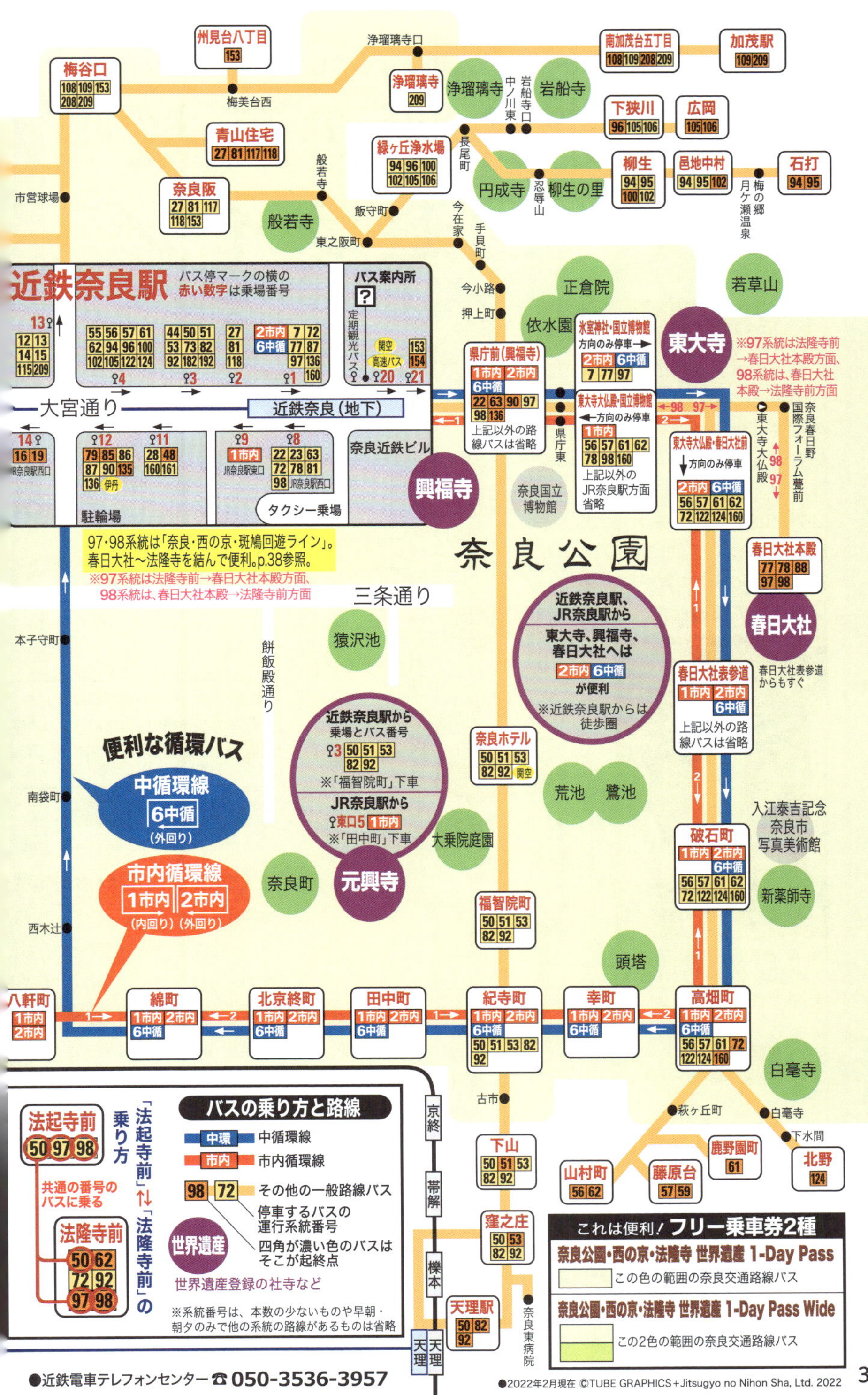

●近鉄電車テレフォンセンター ☎050-3536-3957

奈良公園や西ノ京、斑鳩などの世界遺産を回るなら便利なバス

奈良・西の京・斑鳩回遊ライン

運行ルートや料金

奈良の世界遺産はおもに奈良市内の各所に点在しているが、それらの主要な世界遺産をめぐるのに便利なのが「奈良・西の京・斑鳩回遊ライン」と名付けられた路線バス(97・98系統)で、春日大社本殿と法隆寺前を結ぶ。区間により異なるが運賃は190円～770円。赤色のバス停は世界遺産などへの最寄りバス停。

「奈良・西の京・斑鳩回遊ライン」の主要バス停には目印の看板が置かれている

主要区間所要時間

	中宮寺前	中宮寺東口	法起寺前	慈光院	近鉄郡山駅	薬師寺駐車場	薬師寺東口	唐招提寺東口	JR奈良駅	近鉄奈良駅	県庁前	県庁東	氷室神社・国立博物館	東大寺大仏殿・国立博物館	春日大社本殿
東大寺大仏殿・国立博物館															西2~3
氷室神社・国立博物館														−	東4~5
県庁東													東0~1	西0~1	3~5
県庁前												1~2	東1~2	西1~2	4~7
近鉄奈良駅											1~3	2~6	東2~4	西3~6	7~9
JR奈良駅										3~7	5~9	6~10	東6~9	西8~12	11~13
唐招提寺東口									15~17	18~21	20~23	21~24	東22~25	西24~25	26~29
薬師寺東口								1~2	17	20~22	22~25	23~25	東24~26	西26	28~30
薬師寺駐車場							4	6	21	24~25	26~29	27~29	東28	西30	32~33
近鉄郡山駅						9~11	13~15	11~17	26~32	29~36	31~39	32~40	東33~37	西36~41	38~43
慈光院					12~16	24~29	24~33	26~35	41~50	44~54	46~58	47~58	東48~56	西50~59	52~61
法起寺前				3~5	15~23	28~34	29~38	29~40	44~55	48~59	51~63	52~61	東53~61	西53~62	57~66
中宮寺東口			1~2	5~6	17~24	30~35	29~39	31~41	46~56	50~60	52~64	53~63	東54~62	西55~64	62~67
中宮寺前		2	3~4	7~8	19~26	32~37	31~41	33~43	48~58	52~62	54~66	55~65	東56~64	西57~66	60~69
法隆寺前	1~5	3~8	4~10	9~13	23~28	34~41	33~45	35~47	50~62	53~66	55~69	56~70	東57~65	西62~71	61~73

※数字は分数、西・東はその方向のみ停車。分数は97・98系統以外のバス時間も含む。時間帯により混雑状況も変わるのであくまで目安

利用のアドバイス

基本は路線バスなので、乗車時は車両前面の上部に表示された系統番号をまずチェックしよう。系統番号は97・98。行き先は、斑鳩方面が98系統の「法隆寺前」行き、奈良公園方面が97系統の「春日大社本殿」行きとなる。1日7便、ほぼ1時間毎の運行。ルート図、運賃表などは2022年2月現在。

問い合わせ先

奈良交通テレフォンセンター
☎0742-20-3100
☎03-5846-0717
（東京支社）

朱色が鮮やかな春日大社

主要区間運賃

	中宮寺前	中宮寺東口	法起寺前	慈光院	近鉄郡山駅	薬師寺駐車場	薬師寺東口	唐招提寺東口	JR奈良駅	近鉄奈良駅	県庁前	県庁東	氷室神社・国立博物館	東大寺大仏殿・国立博物館	春日大社本殿
東大寺大仏殿・国立博物館															ー
氷室神社・国立博物館														ー	ー
県庁東													220	220	220
県庁前												220	220	220	220
近鉄奈良駅											220	220	220	220	220
JR奈良駅										220	220	220	220	220	220
唐招提寺東口									270	270	270	270	270	270	270
薬師寺東口								190	270	270	270	270	270	270	270
薬師寺駐車場							190	190	360	360	360	360	360	360	360
近鉄郡山駅						260	260	310	470	470	470	470	470	470	470
慈光院					390	450	450	500	650	650	650	650	650	650	650
法起寺前				190	410	510	510	520	700	700	700	700	700	700	700
中宮寺東口			190	340	500	570	570	610	770	770	770	770	770	770	770
中宮寺前		190	190	340	500	570	570	610	770	770	770	770	770	770	770
法隆寺前	190	190	190	340	500	570	570	610	770	770	770	770	770	770	770

※数字は円

タクシーを利用して観光名所めぐり

■タクシー・観光タクシー利用のポイント

快適さや身軽さなどの利点を考えれば、普通のタクシーの場合、人数さえ集まれば、奈良市郊外くらいまでの距離なら極端な割高感はない。また観光タクシーの場合、運転手が観光案内をしてくれるなどのメリットもある。9人乗りのジャンボタクシーのみが予約制だが、春や秋の混雑期には車種に関係なく予約を入れておいたほうがよい。当日は指定の場所まで迎えに来てくれるので、宿泊先のホテル前などから乗ることができる。

■タクシーの賢い利用の仕方

市内から遠い飛鳥や長谷寺、吉野山などへ行く場合、タクシー料金はかなり割高になる。荷物を持ったまま移動するなど特別な事情がない限り、鉄道でスムーズに移動できる場所まで行き、そこからタクシーを利用しよう。ただし、観光地であっても流しのタクシーが頻繁に通るとは限らないことに注意が必要。各エリアの「タクシーを拾いやすい場所」参照。

観光タクシーのコースは多彩

■観光タクシーのモデルコース(奈良近鉄タクシーのコースの一例)

奈良市内発着のフリーコース	時間	料金(概算)
F-1　フリーコース3時間プラン	3時間	1万6870円
F-2　フリーコース6時間プラン	6時間	3万4710円
奈良市内からのルート別観光コース	**時間**	**料金(概算)**
A-1　興福寺→猿沢池→浮見堂→飛火野→春日大社→東大寺（大仏殿）→奈良市内	3時間	1万4460円
A-2　法隆寺→中宮寺→法輪寺（車窓）→法起寺（車窓）→薬師寺→唐招提寺→奈良市内	5時間	2万4100円
A-3　法隆寺→中宮寺→法輪寺（車窓）→法起寺（車窓）→薬師寺→唐招提寺→興福寺→春日大社→東大寺（大仏殿）→奈良市内	8時間	3万8560円
橿原市内からの観光モデルコース	**時間**	**料金(概算)**
C-1　新元号「令和」の出典元『万葉集』に関係場所を巡る。飛鳥宮跡→飛鳥寺→石舞台→犬養万葉記念館→万葉文化館	4時間	2万1360円
C-2　橿原市内発、古き良き飛鳥の地を巡る観光コース。飛鳥観光→談山神社→聖林寺→安倍文殊院	5時間	2万6700円
C-3　橿原市内発、室生寺→大野寺→長谷寺	6時間	3万2040円

コース名はA-1奈良公園コース、A-2法隆寺・西の京コース、A-3法隆寺・西の京・奈良公園コース 、C-1元号の旅コース、C-2飛鳥・談山神社コース、C-3長谷寺・室生寺コース
※料金は小型車（4人乗り）の場合で、消費税込み、駐車料・拝観料・通行料別。橿原市内発のコースは、中型車のみの設定。

タクシー 問い合わせ・予約先

●奈良近鉄タクシー
☎0742-61-5501
☎0742-61-1181
(観光タクシー)
●服部タクシー
☎0742-50-5521
●カイナラタクシー
☎0742-22-7171

近鉄奈良駅から各観光名所への目安料金

※中型車(5人乗り)利用の場合。道路の混雑状況により変動がある。

春日大社	950円
元興寺	780円
新薬師寺	1320円
平城宮跡・朱雀門	1850円
西大寺	1860円
柳生の里	6530円
唐招提寺	2030円
薬師寺	2300円
法隆寺	5730円

タクシーに乗る判断基準

タクシーを利用した場合、近鉄奈良駅から東大寺大仏殿まで750～860円、春日大社まで950円前後(中型車)。3～4人で利用すればバスと同程度の金額になる。

観光タクシーのモデルコース

左表のような観光タクシープランは、上記のタクシー会社がそれぞれに実施している。料金はどこも同程度。詳しくは問い合わせを。

奈良公園

東大寺、興福寺、春日大社が園内に広がる国の名勝

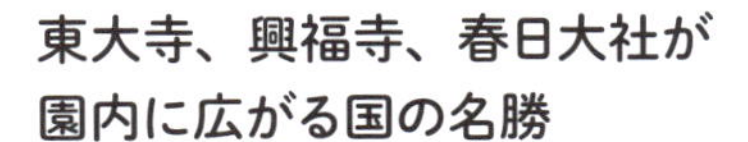

市の中心部東側に隣接する広大な奈良公園は、奈良観光の中心スポット。東西4㎞、南北2㎞におよぶ公園内には、東大寺、興福寺、春日大社、奈良国立博物館など、奈良を代表する見どころが点在している。なだらかな若草山や、神秘的な春日山原始林の豊かな自然を背景とする寺社のたたずまいに、古都ならではの風情が漂う。広々とした芝生で草をはむ鹿を眺めながら、ゆったりと散策を楽しみたいところだ。起点の近鉄奈良駅から東へ向かって徒歩5分ほどで、興福寺の境内に入れる。

まわる順のヒント

世界遺産の東大寺・興福寺・春日大社をめぐり、奈良国立博物館で歴史に触れ、奈良公園の自然を満喫するには、最低でも1日は必要。奈良公園エリアは、見どころが歩いて回れる範囲に集中しているが、それぞれの境内が非常に広く、また拝観中も立ちっぱなしのため、想像以上に足が疲れる。そんな場合は、♀春日大社本殿や♀春日大社表参道からバスで近鉄奈良駅へ戻るといい。

食事処…奈良ホテルや猿沢池周辺を過ぎれば、奈良公園の中では、東大寺南大門周辺、国立博物館の前、東大寺法華堂から春日大社にかけての道沿いくらいしか食事ができる所はない。

モデルコース

1日ゆったり健脚コース

近鉄奈良駅～興福寺～奈良国立博物館～東大寺～春日大社～奈良公園飛火野～浮見堂～猿沢池～三条通り～東向通り～近鉄奈良駅
（徒歩距離は約7.5㎞）

1日早回り徒歩コース

近鉄奈良駅～興福寺（国宝館）～東大寺（南大門・大仏殿・戒壇院・三月堂）～春日大社国宝殿～春日大社本殿～♀春日大社本殿→🚌→近鉄奈良駅
（徒歩距離は約5㎞）

観光シーズンの路線バスの運行に注意

春秋の行楽シーズンに奈良公園周辺では、渋滞による大幅な遅延が発生する。このため「春日大社本殿」行きの77・97系統のバスは、県庁前を9:30以降に通過するバス便が、「東大寺大仏殿・春日大社前」止まりに、また「春日大社本殿」発78・98系統のバスは10:00以降、「東大寺大仏殿・国立博物館」が始発となるので、注意。

奈良公園の鹿

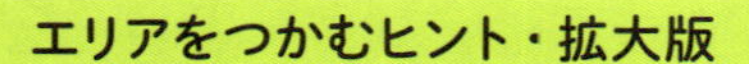

ＪＲ奈良駅〜奈良公園

駅を起点としてまわる順を考える

徒歩ならJRや近鉄の奈良駅に近い興福寺から、東大寺、春日大社へと行き、帰りにバスを使うといい。逆に、バスで春日大社へ向かい、駅の方向へと戻りながら回る方法もある。

Ⓐ近鉄奈良駅

奈良観光の起点となる駅。駅ビルの西にバスとタクシーの乗り場がある。駅の南側、東向通りと小西通り周辺は、食事処や喫茶店が集中する繁華街だ。三条通り沿いには、奈良漬や伝統工芸などの老舗が軒を連ね、みやげ探しも楽しめる。

Ⓑ ＪＲ奈良駅

周辺は観光拠点にも便利なホテルが多い。奈良公園へは、駅前からバスに乗車するか、三条通りをまっすぐ東へ歩く。興福寺まで徒歩10分ほど。

Ⓒ奈良市観光センター

近鉄奈良駅・JR奈良駅いずれからも徒歩5分と便利な立地。奈良の観光情報や各種パンフレットの入手、観光の相談はもちろん、奈良に関する疑問にもていねいに対応してもらえる。

Ⓓ興福寺

近鉄奈良駅から近いためか、東金堂と五重塔の前は、朝から夕方まで賑わっていることが多い。阿修羅像など、国宝が目白押しの国宝館には時間をたっぷりとりたい。

Ⓔ東大寺大仏殿

南大門前から大仏殿までは、修学旅行生や観光客が必ず立ち寄るスポットなので、日中は非常に賑わっている。世界各国からの観光客も訪れ、大仏殿は常に国際色豊か。人出のピークは昼前後。開門から10時頃までは、比較的静かだ。

Ⓕ正倉院・転害門(てがいもん)周辺

大仏殿の裏は、講堂の巨大な礎石が残るだけで緑が豊か。鹿の群れがのんびりくつろいでいる。正倉院・転害門といった国宝の建造物があるわりには、人影がほとんどない。

Ⓖ東大寺二月堂

「お水取り」で有名な二月堂は、奈良市街の眺めが最高。夕景が特に美しいが、帰りは暗い道を歩くことになる。日没後、女性のひとり歩きは避けたい。二月堂裏参道は風情のある道だ。

Ⓗ東大寺法華堂〜若草山

二月堂と並んでいる法華堂(三月堂)は訪れる人は少ないが、堂内に安置された仏像は見逃せない貴重なものばかり。

法華堂から南へ歩くと、手向山八幡宮境内を抜けて、若草山麓に出る。山麓に沿って立ち並ぶみやげ物店・食事処・旅館は、どちらかというと団体客向き。若草山へは入山料150円が必要だ。若草山頂までは30〜40分。山頂からの眺めはすばらしいが、意外に急坂で登りはきつい。若草山の麓から南へ進めば、自然あふれる道が春日大社まで続いている。

Ⓘ春日大社

2015〜16年に20年毎の式年造替を迎えたばかり。木々が生い茂る境内は、荘厳な雰囲気に包まれている。長い参道の果てに、朱塗りの回廊に囲まれた本殿がある。広い境内は東大寺ほどの賑わいはなく、高畑へは「ささやきの小径」が近道だ。

Ⓙ飛火野・浅茅ヶ原

若草山や春日山原始林を背景に、一面の芝生が広がる飛火野(とびひの)。その西、春日大社一之鳥居から、参道の南側一帯は浅茅ヶ原(あさじがはら)。あちこちにベンチがあり、木陰での休憩が心地いい。

奈良公園を悠然と闊歩する、春日大社の神の使い

奈良の鹿にも注目！

奈良公園のいたるところで愛らしい鹿の姿に出会い、ふれあうことができる。古くから大切に保護されてきた人懐っこい鹿たちだが、実は野生動物なのだ！

春日大社の社伝では、768年に平城京鎮護のため鹿島神宮（茨城県）の武甕槌命が、白鹿に乗って御蓋山に鎮座したという。以来、奈良の鹿は神鹿として手厚く守られてきた。年によって変動するが、鹿は約1200頭が奈良公園に生息している。人のそばに寄ってきて鹿せんべいをねだるなど、かなりの人懐っこさ。しかし飼育されている動物ではない。国の天然記念物として指定された野生動物で、奈良の鹿愛護会が保護活動などを行っている。

おっとり見える鹿だが、接するときは十分注意を。出産期は５月中旬～６月中旬がピークで出産後の母鹿が子鹿を守るため、秋はオス鹿が発情期で気が荒く、人に襲いかかることも。鹿の多い東大寺境内などには注意をうながす看板がある。また朝はお腹をすかせている鹿が多く、鹿せんべいを買ったとたん鹿たちに囲まれることもある。

オス鹿の角による人の危害防止などのため、毎年秋に「鹿の角きり」を開催。これは江戸時代から300年も続く伝統行事だ。また、2月から３月にかけて奈良公園の飛火野ではホルンを吹いて鹿を集める「鹿寄せ」があり、冬の風物詩となっている。

TEKU TEKU COLUMN

この場所で鹿とふれあおう

奈良公園の随所に鹿せんべいの露店が点在。鹿せんべいは、米ぬかなどで作られ、砂糖や刺激物は一切入っていない"エサ"で10枚150円。鹿せんべい以外のおやつは与えないなど、マナーを守ってふれ合いたい。子鹿などは、保護施設の鹿苑で見られる。

鹿の角きり

神鹿として崇める春日大社では、おみやげにもなる一刀彫の鹿みくじ、陶製の白鹿みくじ、白鹿のお守りが人気。

鹿苑 ろくえん

地図p.187-K 春日大社表参道から徒歩７分

0742-22-2388　奈良市春日野町160-1

10:00～16:00　休 月曜、鹿の角きり行事日、年末年始　¥ 無料（鹿苑公開協力金100円・任意）

仏像鑑賞のポイント その1

奈良の仏像

インドで誕生した仏教は、6世紀半ばに日本に伝来する。当時の政治の中心は現在の奈良にあり、仏教を手厚く保護した聖徳太子などの活躍により仏教文化興隆の基礎が築かれた。仏像も多数造られ、その多くが現在でも奈良の各寺院に残っている。仏像の種類には大きく分けて、如来・菩薩・明王・天部の4種類がある。仏像鑑賞の基礎的な知識だが、これを知っているだけでも、有意義。

如 来【にょらい】

悟りを得た釈迦の姿がモデルだ。この像は原則的に一枚の衣以外は装身具を付けていない。また、三十二の特徴的な外見を持っている。よく知られているのが頂髻相（ちょうけいそう）で、頭の頂部が盛り上がり、お椀を伏せたような形状。如来は、密教において宇宙の根元とされる大日（だいにち）如来のほか、薬師（やくし）如来、釈迦（しゃか）如来、阿弥陀（あみだ）如来などがある。仏教美術品としては、薬師寺、唐招提寺の金堂の薬師如来が有名。

阿弥陀如来

明 王【みょうおう】

生やさしいことでは救済できない衆生を救う仏の使者。ほとんどの明王の外見は恐ろしい姿をしている。悪を懲らす道具を持ち、不動明王を除いては多面、多足、多眼などの異形が特徴。不動明王、降（ごう）三世（ざんぜ）明王、軍荼利（ぐんだり）明王、大（だい）威徳（いとく）明王、金剛夜叉（こんごうやしゃ）明王を五大明王と呼ぶ。不退寺の五大明王は京都東寺の像に次ぐ古い像といわれる。

不動明王

菩 薩【ぼさつ】

如来になるために修行し、人々を救済してくれる、仏に次ぐ存在。観音（かんのん）、弥勒（みろく）、文殊（もんじゅ）、日光（にっこう）、月光（がっこう）、地蔵（じぞう）などがある。着衣や髪型などは如来と異なり宝冠、天衣などの装飾を着けている。馬頭（ばとう）観音など一部を除けば温和で慈悲深い顔をしている。東大寺法華堂の不空羂索観音（ふくうけんさくかんのん）菩薩、日光・月光菩薩、興福寺国宝館の千手（せんじゅ）観音、法隆寺の救世（ぐぜ）観音が著名。

菩薩

天 部【てんぶ】

インド発祥の仏教は仏教以前のヒンズー教やバラモン教の神々をも吸収し、仏法の守護神としての役割を与えた。それらの神々を総称して天部と呼ぶ。神々の姿は多種多様で、多面などの異形、鳥獣の姿を取り入れたもの、筋骨隆々のもの、甲冑を着たものなどがある。天平彫刻の傑作といわれる東大寺戒壇院の四天王（してんのう）像も天部に属する、仏国土の四方を守護する神。四天王とは持国天（じこくてん）、増長天（ぞうちょうてん）、広目天（こうもくてん）、多聞天（たもんてん）を指す。そのほか、阿修羅（あしゅら）、十二神将（じゅうにしんしょう）、金剛（こんごう）力士、弁財天（べんざいてん）、毘沙門天（びしゃもんてん）なども天部になる。

毘沙門天

東大寺

エリアの魅力

観光客の人気度
★★★★★
町歩きの風情
★★★★
世界遺産
東大寺

標準散策時間：3時間
（南大門～大仏殿～法華堂～二月堂～正倉院～転害門～大仏池～戒壇院～依水園）

国宝：●南大門、金堂（大仏殿）、法華堂（三月堂）、二月堂、転害門、正倉院、鐘楼、金剛力士立像、盧舎那仏坐像、不空羂索観音立像、四天王像（戒壇院）ほか

壮大な伽藍は日本が世界に誇る文化遺産

南大門から大仏殿周辺は、国内外からの観光客で年間を通じて、たいへんな賑わいを見せている。広大な境内には、お水取りで有名な二月堂をはじめ、法華堂（三月堂）や正倉院など、国宝や重要文化財の伽藍（がらん）が数多く点在している。ゆっくり時間をとっておこう。

●東大寺 ☎0742-22-5511 奈良市雑司町406-1
大仏殿・法華堂（三月堂）・戒壇堂　4～10月は7:30～17:30、11～3月は8:00～17:00

行き方・帰り方のアドバイス

混雑する時期は、行きも帰りも徒歩と考えた方がいい。近鉄奈良駅から東大寺大仏殿へは徒歩で20分ほど。

このエリアへの行き方

目的地	出発点	おもなバス系統	下車バス停
東大寺 南大門・金堂・鐘楼・法華堂・二月堂・若草山	近鉄奈良駅①番	2・6・160（4分）	東大寺大仏殿・春日大社前
	近鉄奈良駅①番	77・97（4～5分）	東大寺大仏殿
	JR奈良駅東口②番	2・77（7～10分）	東大寺大仏殿・春日大社前
	JR奈良駅東口②番	77・97（8～10分）	東大寺大仏殿
東大寺 正倉院・転害門・戒壇院	近鉄奈良駅②、㉑番	27・81・118・153（3～4分）	今小路
	近鉄奈良駅②、㉑番	27・81・118・153（4分）	手貝町
	JR奈良駅西口⑪番	27・81・118・153（8～9分）	今小路
	JR奈良駅西口⑪番	27・81・118・153（9～10分）	手貝町
依水園・吉城園	近鉄奈良駅①番	2・6・77・97・160（2分）	県庁東
	JR奈良駅東口②番	2・77・87・97（6～8分）	県庁東

2：市内循環外回り　6：中循環外回り　27・81・118：青山住宅行き　153：州見台八丁目行き
87・160：高畑町行き　77・97：77春日大社本殿行き、97奈良・西の京・斑鳩回遊ライン（p.34参照）

まわる順のヒント

東大寺境内へは、奈良公園のさまざまな方向から入れる。日本有数の大寺院らしい雄大さを感じるためには、南大門をくぐり、大仏殿へと向かうのがおすすめ。大仏殿を拝観後、東の石段を上り、鐘楼を経て、奈良市内を一望する二月堂へ。二月堂から北西へと下りる道は、二月堂裏参道と呼ばれ、土塀が続いて情緒たっぷり。国宝や重要文化財の仏像が安置された法華堂と戒壇院も見逃せない。

他のエリアへの向かい方

奈良公園内は、徒歩での移動が一般的だ。シーズンの土・日曜、祝日の一方通行規制時にJR奈良駅へ戻る場合、最寄りの♀は県庁前になる。市内循環バスに乗っていれば、大回りして近鉄奈良駅へも行けるが、20分以上かかることもあり、歩いた方が早い。

◆近鉄奈良駅へ　♀東大寺大仏殿・国立博物館から、市内循環バス(内回り)などで3～5分。

◆JR奈良駅へ　♀東大寺大仏殿・国立博物館から、市内循環バス(内回り)などで8～12分。

◆春日大社へ　東大寺南大門から春日大社本殿まで20分。

◆興福寺へ　南大門から興福寺五重塔まで15分。春・秋の日曜・祝日以外なら、♀東大寺大仏殿・国立博物館から、市内循環(内回り)などで2分、♀県庁前下車。転害門からは、♀手貝町で27・81・100・118・153系統に乗車して3～6分、♀県庁前下車。

タクシーを拾いやすい場所

奈良公園内には流しのタクシーは走っていない。必要な時は電話で呼ぶ(p.36参照)。

イベント＆祭り

1月7日：修正会(しゅしょうえ)
3月1～14日：修二会(しゅにえ)本行／お水取り(12日深夜・二月堂)
8月7日：大仏さまお身拭い(大仏殿)
8月15日：万灯供養会(大仏殿)

花の見頃

3～4月：馬酔木(あしび)(東大寺)
3～4月：ツバキ(東大寺)
7～8月：サルスベリ(東大寺)
4～5月：ツツジ(依水園)

南大門
なんだいもん

地図p.187-G　♀東大寺大仏殿・春日大社前、♀東大寺大仏殿から3分

東大寺の正門にふさわしい豪壮な構えの南大門は、高さ25.46m。中国大陸から伝えられた大仏様式を今にとどめる貴重な建造物として、国宝に指定されている。左右に安置されている仁王像は、国宝の金剛力士立像。1203(建仁3)年、運慶(うんけい)・快慶(かいけい)一門によって製作された。写実的で躍動感があり、鎌倉時代の木造彫刻を代表する傑作として広く知られている。門前にはみやげ物屋が並び、観光客と餌をねだる鹿でいつも賑わっている。

8月に行われる大仏殿万燈供養会

金堂（大仏殿）

こんどう（だいぶつでん）

地図p.186-B
南大門から3分、♀東大寺大仏殿・春日大社前、♀東大寺大仏殿から6分

南大門を入ると正面に見えるのが、朱塗りの廻廊をめぐらした金堂。東大寺の本尊・盧舎那仏（るしゃなぶつ）を安置するために建てられた。一般には大仏殿と呼ばれている。大棟に黄金の鴟尾（しび）が輝く威風堂々とした建物は、江戸時代に再建されたもので国宝。天平時代の創建当時に比べると、これでも横幅が11間から7間に縮小されているというから驚きだ。木造建築としては世界最大規模。「奈良の大仏さん」として有名な本尊（国宝）は、像の高さ約15m。中指でも1.3mもある。見上げると、重厚感に圧倒される。752（天平勝宝4）年、インドからも僧を招いて催された盛大な開眼供養会は、国家をあげての一大イベントだった。大仏は、地震や戦火でたびたび破損し、何度も補鋳されている。金堂の真正面にある巨大な八角灯籠も、じっくり眺めたい。優美な天平文様が施されていて、これも国宝だ。

¥ 拝観600円

鐘楼

しょうろう

地図p.187-C
大仏殿から5分、♀東大寺大仏殿・春日大社前、♀東大寺大仏殿から11分

大仏殿の出口から東廻廊に沿って北へ歩き、石段を上がったところにある。大仏様式のどっしりとした構え。鐘楼は鎌倉時代に栄西（えいさい）が再建したといわれるが、巨大な梵鐘（ぼんしょう）は大仏開眼供養にあわせて造られたもの。鐘の余韻が美しいことで知られている。鐘楼、梵鐘ともに国宝。

＊ 見学自由

法華堂（三月堂）

ほっけどう（さんがつどう）

地図p.187-C
鐘楼から4分、大仏殿から9分、♀東大寺大仏殿・春日大社前、♀東大寺大仏殿から15分

鐘楼からゆるやかな石畳の道を上ると、正面に法華堂が見えてくる。東大寺の前身で、すでにこの地にあった金鐘寺（きんしょうじ）の建物で、東大寺最古の建造物といわれている。2棟をつないだ構造で、北側の本堂が天平時代の建築、これに鎌倉時代に付設された南側

の大仏様の礼堂が、美しく調和している。毎年旧暦3月に法華会が行われたことから、一般には三月堂という名で親しまれている。国宝。本尊の不空羂索観音像(ふくうけんさくかんのんぞう)、秘仏・執金剛神(しつこんごうしん)(特別開扉12月16日)ともに国宝。

¥ 拝観600円

東大寺ミュージアム
とうだいじみゅーじあむ

地図p.186-F　♀東大寺大仏殿・春日大社前、♀東大寺大仏殿から 徒歩3分

2011年に東大寺の歴史・文化などを発信するために造られた東大寺総合文化センター内の施設。法華堂から移された日光(にっこう)・月光(がっこう)菩薩像(国宝)などが安置されている。

🕘9:30～17:30
(11～3月は～17:00)
休 無休(臨時休あり)
¥ 入館600円、大仏殿との共通券1000円

二月堂
にがつどう

地図p.187-C
法華堂から 徒歩1分、♀東大寺大仏殿・春日大社前、♀東大寺大仏殿から 徒歩16分

奈良に春の到来を告げる「お水取り」(3月12日深夜)で広く知られている。「お水取り」は毎年3月1～14日に行われている修二会(しゅにえ)の行事の1つ。連夜、大松明(おおたいまつ)が二月堂の舞台をめぐり、火の粉を降らす。二月堂の石段下にある小屋は閼伽井屋(あかいや)といい、中に若狭井(わかさい)と呼ばれる井戸がある。お水取りの夜、若狭の国からここへ水が送られてくるといわれ、この井戸から汲み上げたお香水(こうずい)を本尊に供

える。舞台造りの現在の建物は、江戸時代に再建されたもので国宝。舞台から、大仏殿の大屋根の向こうに奈良の街を一望できる。

¥ 拝観無料

てくナビ／二月堂の北側の登廊を下りて、正面に見える二月堂湯屋の北側へ下る道は、土塀が続いて風情のある二月堂裏参道。石畳と土塀、二月堂の風景が美しい。

正倉院
しょうそういん

地図p.186-B
二月堂から 徒歩10分、大仏殿から 徒歩7分、♀今小路、手貝町から 徒歩10分

境内に残る正倉には、光明皇后(こうみょう)が奉納した聖武天皇の遺品をはじめ、約9000点の宝物が収蔵されていた。唐やペルシャから伝来した貴重な工芸品も多く、シルクロードの終着点ともいわれている。正倉は高床式の檜を使った校倉(あぜくら)造りで、1000年以上の時を経ても、宝物の保存状態は非常によかった。

通常の見学は正倉外構のみ。収蔵されていた宝物は、毎年秋に奈良国立博物館の「正倉院展」で一般に公開される。

☎0742-26-2811　🕘10:00～15:00
休 土・日曜、祝日
¥ 無料　※正倉外構のみ見学可

転害門
てがいもん

地図p.186-B
正倉院から 徒歩7分、大仏殿から 徒歩15分、♀手貝町から 徒歩1分

東大寺の北西の角にあり、ここまで足を運ぶ人はほとんどいないが、東大寺創建時の天平時代の姿をとどめる、数少ない貴重な建造物の1つ。数度の兵火にも焼け残った切妻造り、本瓦葺きの重厚かつ優美な八脚門(はっきゃくもん)で、国宝に指定。10月5日の転害会にここで手向山(たむけやま)八幡宮の祭礼が行われる。

＊ 外観のみ見学自由

戒壇院
かいだんいん

地図 p.186-B
転害門から 10分、バス停 押上町から 5分

戒壇とは、僧侶が戒律を守ることを仏前に誓う儀式が行われる場所。本堂の戒壇堂は江戸時代の再建で、数々の伽藍を構えた創建時の面影はないが、厳粛な静けさに包まれているのは、やはり戒壇院という場所柄だろう。754（天平勝宝6）年に唐から来日した僧・鑑真和上(がんじんわじょう)が、東大寺大仏殿の前で、日本に初めて戒律を伝えたことが建立の由来。

¥ 拝観600円

てくナビ／正倉院から戒壇院へ向かうなら、少し遠回りになるが大仏池の西側を歩いてみたい。大仏殿を映す池の畔は、人影もなく静かだ。大仏殿から戒壇院へは、木立と築地塀の趣のある道。

名勝依水園・寧楽美術館
めいしょういすいえん・ねいらくびじゅつかん

地図 p.186-F
戒壇院から 5分、バス停 県庁東から 3分

奈良市内では珍しい池泉回遊式(ちせんかいゆうしき)の日本庭園。前園と後園、2つのまったく趣が違った庭園をつないで構成。前園は、江戸時代前期に奈良晒(さらし)の御用商人が、別邸の庭として造ったもの。後園は明治時代に実業家の関藤次郎が造った庭で、ツツジや紅葉の季節はとくに美しい。若草山・春日山を借景に、東大寺南大門の甍(いらか)を望む風情は満点。園内には東洋古美術を展示する寧楽美術館や食事処三秀がある。

てくナビ／東大寺戒壇院の石段を下り、依水園へと向かう道は、落ち着いた邸宅のたたずまいと緑陰が美しい。

☎ 0742-25-0781　所 奈良市水門町74
時 9:30～16:30（最終入園16:00）
休 火曜（祝日の場合は翌日、4・5・10・11月は無休）、年末年始
¥ 1200円（寧楽美術館共通）

吉城園
よしきえん

地図 p.186-F
依水園から 1分、バス停 県庁東から 4分

吉城園があるのは、もと興福寺子院の摩尼珠院(まにしゅいん)のあった場所。明治に民間の邸宅となり、1919（大正8）年に現在の庭と、後に奈良県指定文化財に登録された建物が造られた。園内は起伏のある地形を活かし、池の庭、苔の庭、茶花の庭で構成される。庭はとくに新緑や紅葉の頃が美しい。

☎ 0742-22-5911
所 奈良市登大路町60-1
時 9:00～17:00（最終入園16:30）
休 2月24日～2月末日（茶室も同様）　¥ 無料

若草山
わかくさやま

地図 p.187-H　バス停 東大寺大仏殿・春日大社前、バス停 東大寺大仏殿から入山口まで 15分

奈良公園の東、お椀を伏せたような形の標高342mの山。三つの山が重なったような山容から、三笠山ともいう。入山口から山頂（三重目）までは徒歩で往復約1時間。若草山の奥に広がる春日山原始林は、世界遺産にも登録された自然豊かなエリアだ。

☎ 0742-22-0375（奈良公園事務所）
時 9:00～17:00
休 開山期間は3月第3土曜～12月第2日曜
¥ 150円

興福寺

五重塔や仏像に平城京の貴族文化をしのぶ

猿沢池から望む五重塔は、古都・奈良を代表する風景。東大寺の重厚さに対して、興福寺の五重塔や東金堂は繊細で優美な印象を受ける。興福寺が貴族仏教を背景としているためだ。起源は藤原鎌足の私邸内に建てられた山階寺。710（和銅3）年、平城京遷都にともない藤原不比等が現在の場所へ移し、寺名を興福寺と改めた。

興福寺は、たびたび兵火や天災に遭って堂宇を焼失し、さらに戦国時代以降は寺領を削減されて衰退した。東金堂、五重塔、北円堂、三重塔など、現存する国宝の建造物は1717（享保2）年の大火で類焼を免れたもの。壮麗な伽藍の面影は、今も東金堂と五重塔周辺に見られる。国宝館には、阿修羅像をはじめ多数の国宝の仏像彫刻を展示する。2018（平成30）年には、301年ぶりに中金堂が創建時の姿に再建された。木造の建物としては、大仏殿に次ぐ高さを誇る。

●興福寺 0742-22-7755　奈良市登大路町48　境内自由

エリアの魅力

観光客の人気度
★★★★★
町歩きの風情
★★★
世界遺産
興福寺

標準散策時間：1時間30分（北円堂～南円堂～三重塔～猿沢池～東金堂～五重塔～国宝館）

国宝：●東金堂、五重塔、三重塔、北円堂、仏頭・阿修羅像・千手観音像（国宝館）、文殊菩薩像・維摩居士坐像（東金堂）、無著・世親立像ほか多数

行き方・帰り方のアドバイス

近鉄奈良駅からは徒歩圏内。JR奈良駅からは三条通りを東へ10分、バス利用の場合は県庁前下車。

奈良公園あたりの散策を考える場合は、興福寺をルートの最初または最後に持ってくるのが自然だ。この寺は東西南北どの方向からでも境内に入れるので、行きに寄るにも帰りに寄るにも都合がいい。

HINT

このエリアの行き方

目的地	出発点	おもなバス系統など	下車バス停
五重塔・東金堂・国宝館	近鉄奈良駅	（5分）	
	JR奈良駅東口①、②番	2·77·97·92ほか（4～7分）	県庁前
	薬師寺（薬師寺東口）	77・97（22～25分）	県庁前

2：市内循環外回り　77・97：春日大社本殿行き　92：天理行き
97：奈良・西の京・斑鳩回遊ライン（p.34参照）

まわる順のヒント

東大寺や春日大社など、周辺の見どころとあわせて順番を考えよう。

まず初めに興福寺を訪ねるのなら、近鉄奈良駅からアーケードのある東向通り商店街を南下して、一筋目を東（左）へ曲がるコースをとろう。地味ながらも国宝建築である北円堂や三重塔を見落とさずにすむ。また、先に東大寺や春日大社を回った場合は、興福寺を見た後、猿沢池の畔を歩いて奈良町へ向かうのもおすすめ。

イベント&祭り

2月節分の日：追儺会
2月15日：涅槃会
4月8日：仏生会
4月17日：放生会
4月25日：文殊会
4月下旬～5月上旬・10月末～11月初旬：特別開扉（北円堂）
5月第3金・土曜：薪御能
11月13日：慈恩会（西暦奇数年に開催、薬師寺と隔年）

他のエリアへの向かい方

東大寺や春日大社へは♀県庁前からバスで。徒歩でも行ける距離なので奈良公園を散策しながら行くのもいい（🚶20～25分）。ほかのエリアへは近鉄奈良駅からバスや電車を利用する。

花の見頃

4月上旬～中旬：サクラ
5月上旬：フジ

北円堂

ほくえんどう

地図p.185-G
近鉄奈良駅から🚶5分

藤原不比等の一周忌に建立され、兵火で焼失後、1210（承元4）年に再建、国宝の貴重な建物だ。興福寺に現存する最古の建物。八角形のこぢんまりとしたお堂で、堂内には国宝の弥勒如来坐像、無著・世親像を安置。春と秋に特別開扉。

＊外観のみ拝観自由

南円堂

なんえんどう

地図p.185-K
北円堂から🚶1分、近鉄奈良駅から🚶5分

八角形の朱塗りの堂宇は、1789（寛政元）年に再建されたもの。創建は813（弘仁4）年、藤原冬嗣による。西国33カ所9番札所で参拝者が多く、興福寺の中で、ここだけ庶民的な雰囲気が漂っている。堂内には国宝の木造不空羂索観音菩薩坐像、木造四天王立像を安置。堂内の拝観は、主に10月17日の特別開扉など。

☎0742-24-4920 ＊外観拝観自由

三重塔

さんじゅうのとう

地図p.185-K
近鉄奈良駅から🚶5分

平安時代の優美な和様建築を伝える貴重な建造物で高さ19.1m、国宝だ。平安時代に創建され、平家の焼き討ちで焼失後、鎌倉初期に創建時の姿に再建された。

＊外観のみ拝観自由

五重塔
ごじゅうのとう

地図p.185-L
南円堂から 2分、近鉄奈良駅から 5分

猿沢池に優雅な姿を映す五重塔は、まさにいにしえの都・奈良の象徴。730（天平2）年、光明皇后によって建立された後、5回も焼失した。現存しているのは1426（応永33）年の再建ではあるが、奈良時代からの伝統的な和様の建築様式で復興されている。総高50.8m。京都の東寺五重塔についで、日本で2番目に高い。国宝。

＊外観のみ拝観自由

東金堂
とうこんどう

地図p.185-H
五重塔から 1分、近鉄奈良駅から 5分

五重塔と並び建ち、興福寺に現存する堂宇の中心となっている。726（神亀3）年、聖武天皇の発願（ほつがん）により、薬師三尊を安置するために建立されたが、6回焼失。現在のものは1415（応永22）年の再建。天平時代の和様建築が踏襲されていて、国宝に指定されている。堂内には、重要文化財の本尊・薬師如来坐像のほか、平安初期に作られた四天王立像や鎌倉初期の維摩居士（ゆいまこじ）坐像、十二神将（じゅうにしんしょう）立像など、国宝の仏像を須弥壇（しゅみだん）上に安置。

☎0742-22-7781 ◷9:00～17:00（最終入場16:45） ¥300円、国宝館との共通券900円

国宝館
こくほうかん

地図p.185-H
東金堂から 1分、近鉄奈良駅から 5分

仏教美術の粋を集めた必見のスポット。多数の寺宝の中でも、とくに乾漆八部衆（はちぶしゅう）立像と銅造仏頭は見どころ。いずれも歴史の教科書などで一度は目にしたことがある仏像だ。八部衆立像の1体、阿修羅像は少年のような若々しさと愁いを漂わせた表情が独特で、天平期を代表する彫刻として名高い。

白鳳期の傑作といわれる銅造仏頭（旧東金堂本尊）は、興福寺の僧兵が桜井市の山田寺から奪ったもので、室町時代に落雷で焼けて頭部だけが現存している。

ユーモラスな天燈鬼（てんとうき）・龍燈鬼（りゅうとうき）立像、崇高さをたたえた千手観音（せんじゅかんのん）菩薩立像、躍動感のある板彫十二神将立像といった仏像や、仏教関連の美術工芸品が所狭しと並んでいる。

☎0742-22-5370 ◷9:00～17:00（最終入館16:45） ¥700円、東金堂との共通券900円

かすがたいしゃ　地図 P.183-H

春日大社

エリアの魅力

観光客の人気度
★★★★
町歩きの風情
★★★
世界遺産
春日大社

標準散策時間：1時間
（春日大社一之鳥居～春日大社本殿～国宝殿～神苑～若宮神社）

国宝：本殿、宝物多数

式年造替を迎えた朱塗りの社殿

奈良を代表する神社の1つ、春日大社は、2015～2016年にかけて本殿を造り替える「式年造替」行事が終わって間もなく、建て替えられた神殿は清々しい。新たに国宝殿も整備された。

春日大社の創建は奈良時代。藤原氏の氏神で、藤原氏の隆盛とともに社殿の造営が進み、平安前期には現在の規模まで拡大した。中世以降は庶民の信仰を集める。国宝殿には美術工芸品としても貴重な宝物類が多数伝わっていて、まさに国宝の宝庫だ。また、参道沿いの森や草原には鹿の姿も多く、詩情豊かな風景が広がる。

●春日大社 ♪0742-22-7788 奈良市春日野町160
＊境内拝観自由

行き方・帰り方のアドバイス

春・秋の観光シーズンの週末は、奈良公園内の道路が渋滞する。行きも帰りも徒歩と考えておいた方がいい。

東大寺から春日大社へ向かう場合は、法華堂から手向山八幡宮境内を抜け、若草山山麓の旅館街、水谷神社横の小道を本堂へ歩くのがおすすめ。境内から高畑へ抜けるささやきの小道は、夕方は薄暗く人通りがほとんどない。女性の1人歩きは避けたい。

HINT

このエリアの行き方

目的地	出発点	おもなバス系統など	下車バス停
本殿・国宝殿・神苑・若宮神社	近鉄奈良駅①番	🚌77・97（8～9分）	春日大社本殿
	近鉄奈良駅①番	🚌2、6・160（5分）	春日大社表参道
	JR奈良駅東口②番	🚌77・97（11～13分）	春日大社本殿
	東大寺南大門	徒歩（20分）	
	興福寺五重塔	徒歩（25分）	
一之鳥居	近鉄奈良駅	徒歩（15分）	

🚌2：市内循環外回り 🚌6：中循環外回り 🚌160：高畑町行き 🚌77・97：77春日大社本殿行き、97奈良・西の京・斑鳩回遊ライン（p.34参照）

HINT

まわる順のヒント

春日大社のスケールの大きさ、そして神域特有のすがすがしい静寂を肌で感じるためには、やはり一之鳥居をくぐって、長い参道をたどるルートがいい。参道を歩いて本殿を先に見てから国宝殿、神苑萬葉植物園を訪ねるのが理想的だが、そのために同じ表参道を往復しなければならない。

他のエリアへの向かい方

奈良公園一帯のおもな見どころはおおむね徒歩圏内。

◆東大寺へ　春日大社本殿の回廊の西側に沿って北へ歩き、社務所横の分岐点で右の小道へ。水谷神社の境内を抜けて石段を上り、若草山山麓の道を北へ向かうと、やがて手向山(たむけやま)八幡宮の境内。この境内を北へ抜けると、東大寺法華堂(三月堂)が目の前。

◆高畑へ　「ささやきの小径」を利用。志賀直哉旧居まで徒歩10分ほど。

イベント&祭り

2月節分：節分万燈籠
3月13日：春日祭(申祭)
3月15日：御田植祭
5月第3金・土曜：薪御能
8月14・15日：中元万燈籠
12月15～18日：春日若宮おん祭

花の見頃

3月～4月：馬酔木(あしび)・ヤマザクラ(境内一円)
4月下旬～5月中旬：フジ(神苑・境内一円)

見る & 歩く

春日大社本殿

かすがたいしゃほんでん

地図 p.187-L
バス停 春日大社本殿から徒歩1分、一の鳥居から徒歩25分

朱塗りの南門をくぐると、周囲には重文の回廊がめぐらされ、正面は素木(しらき)造りの弊(へい)殿(でん)・舞殿(まいどの)。一般の参拝はこの前で行う。また、特別参拝の場合は中門の前まで入れる。朱塗りの回廊に釣燈籠が1000個以上も並んでいる。本殿は国宝。

時間 開門6:30～17:30(11～2月は7:00～17:00)
¥ 特別参拝(9:00～16:00)500円

国宝殿

こくほうでん

地図 p.187-L
春日大社本殿から徒歩4分、バス停 春日大社本殿から徒歩1分

春日大社に伝わる国宝の宝物を中心に展示。太刀や甲冑、鏡、繊細な銀細工など、平安～南北朝時代の多種多様な美術工芸品が並ぶ。

時間 10:00～17:00(最終入館16:30)
休 年4回展示替えのため休　¥ 500円

春日大社神苑萬葉植物園

かすがたいしゃしんえんまんようしょくぶつえん

地図 p.187-K
国宝殿から徒歩8分、バス停 春日大社表参道から徒歩5分

万葉集ゆかりの植物が約300種。春日大社の社紋が藤の花であることから、20品種、約200本を栽培する「藤の園」もあり、5月初旬には優美な姿が見られる。

時間 9:00～17:00(12～2月は～16:30、最終入園は各30分前)
休 無休
¥ 500円

若宮神社

わかみやじんじゃ

地図 p.187-L
春日大社本殿から👟3分

春日大社の神域には本社のほかに摂社・末社が61社祀られている。若宮神社は御間道と呼ばれる参道奥にある知恵と生命の神さまだ。1863(文久3)年に造営された本殿は春日造りで、春日大社の本殿よりも間近で春日造りの様式が見られる。また、人生において遭遇する、さまざまな難所を切り抜ける習わしとして、若宮十五社めぐりがある。

🕓外観のみ拝観自由

夫婦大國社

めおとだいこくしゃ

地図 p.187-L
春日大社本殿から👟3分

日本で唯一、夫婦の大國様を祀っている。十五社めぐりの最後に参拝する社で、夫婦円満、家内安全、縁結びの神様としても有名。昔から絵馬の代わりに杓子を奉納する習慣があり、多くの著名人が奉納した杓子も飾られている。近年は、縁結びのハート絵馬(800円)も人気が高い。

🕓9:00～16:30　拝観自由

浅茅ヶ原・飛火野

あさじがはら・とびひの

地図 p186-J・p187-K
📍春日大社表参道👟1分

春日大社一之鳥居からまっすぐに伸びる表参道の南側一帯は、奈良らしい雰囲気を楽しめる散策スポット。浅茅ヶ原は変化に富んだ地形にシイやヒノキ、春日杉などの巨木が点在し、丘の向うには鷺池と八角形の浮見堂、片岡梅林などがある。

広々とした野原のあたりが飛火野。御蓋山の絶景ポイントで、のんびりと憩う鹿の姿は奈良らしい眺め。古くは春日野とも呼ばれた古代祭祀の地だったという。

🕓見学自由

TEKU TEKU COLUMN

縁結びの神様「夫婦大國社」
恋愛運を占って、良縁を祈願！

夫婦大國社は水甕の水に紙を浸し、大吉や小吉の浮き出る文字で占う恋愛運の水占いが人気。初穂料300円。良縁祈願のハート型絵馬もたくさん奉納されている。近くには婦人病の治療にご利益があることで知られる赤乳神社と白乳神社の遥拝所がある。赤乳神社は腰から下、白乳神社は腰から上の婦人病の神様で、ユニークな絵馬がぎっしり。

奈良の仏教美術の宝庫

奈良国立博物館

秋の正倉院展が全国的に知られているが、数多くの国宝や重要文化財を展示する名品展も見応え十分。仏像を中心に、仏教美術を体系的にじっくり鑑賞できる。

館内の展示構成

毎年秋に開催される正倉院展が有名だが、わが国屈指の仏教美術の宝庫でもある。館内は、なら仏像館・西新館・東新館からなり、なら仏像館と新館は地下回廊で結ばれている。チケット売り場のある入口は新館正面と、なら仏像館の2カ所。

名品展は、なら仏像館で彫刻、西新館で絵画・書跡・工芸・考古をジャンル別に展示している。青銅器館は中国古代青銅器(坂本コレクション)を常に展示。東新館はおもに特別展用。

品揃え豊富なミュージアム・ショップとカフェがある地下回廊へは専用の入口があり、入場無料のスペースだ。

DATA

地図p.186-J
近鉄奈良駅から徒歩15分、バス2(市内循環外回り)・6(中循環外回り)・77系統などで2～4分のバス停氷室神社・国立博物館から徒歩1分
☎ 050-5542-8600(ハローダイヤル)
📍 奈良市登大路町50番地
🕘 9:30～17:00(名品展・特別陳列・特集展示は毎週金・土曜は～19:00)
いずれも最終入館は閉館30分前まで。またそのほかにも、開館時間の延長日あり
休 月曜(休日の場合は翌日、連休の場合は終了後の翌日)、12/28～1/1
¥ 名品展は一般700円、特別展は展覧会ごと別途設定

奈良国立博物館ホームページ
https://www.narahaku.go.jp

フレンチルネッサンス様式のなら仏像館

館内見学のポイント

名品展だけでも、じっくり見て回れば2～3時間は必要。時間がなくても、なら仏像館の仏教彫刻だけは必ず見ておきたいところだ。時間をたっぷりとって、地下回廊の仏像模型や解説パネルを見学したり、ボランティアガイド(無料)に解説してもらったりすれば、仏像についての知識が深められ、寺院での拝観がさらに有意義なものになる。

秋恒例の正倉院展は人気の展覧会で大混雑も珍しくない。比較的ゆっくり鑑賞できる日は開幕直後の平日、1日のなかでは閉館の2～3時間前だ。

近代的な新館の建物

奈良国立博物館

なら仏像館

一番の見どころは、やはり仏像。国内の博物館では最も充実した展示内容で、飛鳥時代から鎌倉時代までの仏像が展示されている。

重要文化財

愛染明王坐像（あいぜんみょうおうざぞう）

作者は仏師快成で、快尊・快弁が小仏師として参加。平重衡による東大寺大仏殿の兵火後の古材が使われたと推測される。

←鎌倉時代　13世紀

重要文化財

如意輪観音坐像（にょいりんかんのんざぞう）

腕が6本ある密教尊像。表情からは、厳しくも観音像らしい慈悲深い印象も受ける。江戸時代に丹後国の海中より発見されたとの伝承を持つ。

平安時代　9～10世紀↑

重要文化財

十一面観音立像（じゅういちめんかんのんりゅうぞう）

香木として有名な白檀から造られた、一本造の彫像。素材の緻密さを活かした豊かな表現と色彩の施しがほとんどない素地の木肌が気品を漂わせている。奈良時代　8世紀→

国　宝

薬師如来坐像（やくしにょらいざぞう）

伏し目の表情やなで肩の体つきなどが穏やかな印象を与えるが、目鼻立ちの彫が深く、衣文は鋭く力強い表現が施されている。一部を除きカヤの一材で彫られている。←平安時代　9世紀

※ここで紹介しているのは代表的な収蔵品。定期的に陳列替えをしているので、展示されていない場合もある。

奈良国立博物館併設ショップ 「ミュージアム・ショップ」

館内の地下に併設されているミュージアム・ショップにも、ぜひ立ち寄りたい。動きのある仏像をかわいらしくデザインした元気が出る仏像グッズ、正倉院模様のお香や手ぬぐいタオルなど、ひと味違うオリジナルグッズが揃っている。そのほか、収蔵品の図録、奈良や仏像、寺院に関する書類も充実。

◀てぬぐいたおる
ここだけのオリジナルタオル。しっかりした厚みでコットン100%。各880円

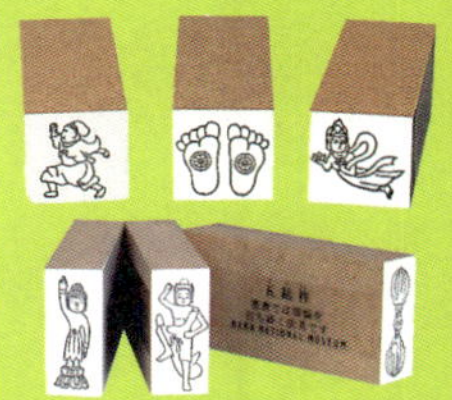

◀元気が出る仏像 スタンプ
動きがある仏像柄がとってもユニーク。お気に入りを探し出そう。各330円

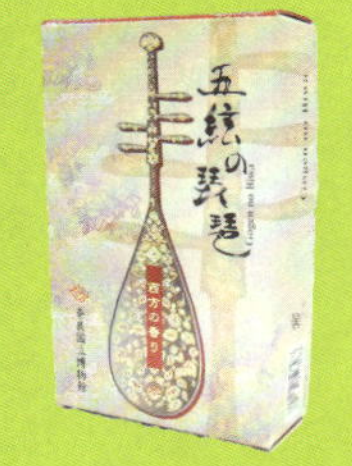

◀五弦の琵琶 お線香
世界にたった1つしかない正倉院の五弦の琵琶をモチーフにしたお線香。1650円

◀鹿ぼっくり
かわいらしい鹿のストラップ、松ぼっくりと間違えないでね！ 550円

◀御朱印帳
おしどり柄が人気。色は赤・紺・ベージュの3色。各1760円

ミュージアム・ショップは人気

カフェもある地下の休息スペース

仏像模型が展示された地下回廊

高畑・白毫寺

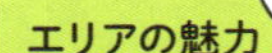

エリアの魅力

観光客の人気度
★★★
町歩きの風情
★★★★★

標準散策時間：3時間
（志賀直哉旧居～新薬師寺～奈良市写真美術館～白毫寺）

国宝：●新薬師寺／本堂、薬師如来坐像、十二神将立像

高畑の静かな住宅地を散策して趣のある古寺を訪ねる

志賀直哉旧居周辺は、春日社家の面影が残る閑静な住宅街。新薬師寺へ続く土塀の道は、風情がある。新薬師寺は、仏像が並ぶ本堂内の雰囲気がいい。時間がないときは、天気がよければ高台にある白毫寺、悪ければ奈良市写真美術館へ行くのがおすすめ。

まわる順のヒント

♀破石町から、志賀直哉旧居をへて新薬師寺へ行く道は、道標があるので迷わない。白毫寺は高台にあるため、回る順に関わらず坂を登る。春日大社から高畑へ向かう場合は、ささやきの小径が近道のうえ散策の道としてもおすすめ。馬酔木の森を抜ける、木漏れ日の心地よい道だ。ただし寂しい道なので、1人歩きには注意を。

行き方・帰り方のアドバイス

♀白毫寺を経由する路線バスは少ないため、♀高畑町を利用するといい。近鉄奈良駅と♀破石町・♀高畑町を結ぶ路線は、1時間に10本以上と頻繁にある。

イベント&祭り

4月8日：修二会おたいまつ（新薬師寺）

花の見頃

3月下旬～4月中旬：五色椿・ヤブ椿（白毫寺）
9月下旬～10月上旬：萩（白毫寺）

このエリアへの行き方

目的地	出発点	おもなバス系統	下車バス停
志賀直哉旧居・新薬師寺・入江泰吉記念奈良市写真美術館	近鉄奈良駅①番	🚌2・6・160（5～7分）	♀破石町
	春日大社本殿	👟（10～15分）	
	興福寺（♀県庁前）	🚌2・6・62・160（4～6分）	♀破石町
	朱雀門（♀朱雀門ひろば前）	🚌160（26～27分）	♀破石町
白毫寺	近鉄奈良駅①番	🚌2・6・160（6～9分）	♀高畑町

🚌2：市内循環外回り　🚌6：中循環外回り　🚌160：高畑町行き　🚌62：山村町行き

見る & 歩く

志賀直哉旧居
しがなおやきゅうきょ

地図 p.183-H
破石町から5分、春日大社二之鳥居から10分

志賀直哉が1929(昭和4)年から1938(昭和13)年まで住み、『暗夜行路』の後編を執筆した住宅。多くの作家や画家が出入りしたことから高畑サロンと呼ばれた。周辺は春日大社の社家が立ち並ぶ屋敷町で、志賀直哉自らがこの場所を選び、建物の細部まで設計したという。

0742-26-6490　奈良市高畑町1237-2
9:30～17:30
(12～2月は～16:30、入館は各30分前まで)
休 12/28～1/5と貸切日　¥ 350円

新薬師寺
しんやくしじ

地図 p.183-L
志賀直哉旧居から7分、破石町から10分

光明(こうみょう)皇后が聖武天皇の眼病平癒を祈願して、747(天平19)年に建立したといわれている。創建時は七堂伽藍を構える大寺だったが、現在は本堂が残るのみ。簡素ながらものびやかな本堂は、天平時代の建築で国宝。堂内には国宝の仏像12体が安置され、薬師如来坐像は平安初期、それを囲むように安置された十二神将(じゅうにしんしょう)立像は、昭和の補作の1体を除き天平時代の仏像だ。

0742-22-3736　奈良市高畑町1352
9:00～17:00　¥ 600円

POINT
志賀直哉旧居から新薬師寺への道は、白壁の土塀が両側に並び、しっとりと落ち着いている。

入江泰吉記念奈良市写真美術館
いりえたいきちきねんならししゃしんびじゅつかん

地図 p.183-L
新薬師寺から2分、破石町から10分

奈良・大和路の風景や仏像、行事を撮り続けた写真家・入江泰吉(たいきち)の作品を収蔵展示している写真美術館。写真集を揃えた資料閲覧室やミュージアムショップは、入館料なしで自由に利用できる。

0742-22-9811　奈良市高畑町600-1
9:30～17:00(最終入館16:30)
休 月曜(休日の場合は翌平日休)、年4回展示替え期間、12/27～1/3　¥ 500円

白毫寺
びゃくごうじ

地図 p.183-L
新薬師寺から15分、高畑町から20分、白毫寺から10分

白毫寺は、奈良三名椿の1つ、五色椿と萩が美しい花の寺。創建は奈良時代初期といわれ、現在の本堂、御影堂は江戸時代の再建。阿弥陀如来坐像など、藤原～室町時代の貴重な仏像がある。また、境内は春日山の南に続く高円山の山麓にあり、奈良盆地が望める景勝地だ。

0742-26-3392　奈良市白毫寺町392
9:00～17:00　¥ 500円

奈良町

エリアの魅力

観光客の人気度
★★★★
町歩きの風情
★★★★★
世界遺産
元興寺

標準散策時間:3時間
(元興寺〜名勝大乗院庭園文化館〜今西家書院〜十輪院〜ならまち格子の家〜庚申堂〜奈良町資料館〜奈良市立史料保存館〜奈良市杉岡華邨書道美術館)

国宝:●元興寺/極楽堂・禅室・五重小塔・薬師如来立像(奈良国立博物館に寄託)、十輪院/本堂

町家の風情を満喫・町歩きの楽しさ満載のエリア

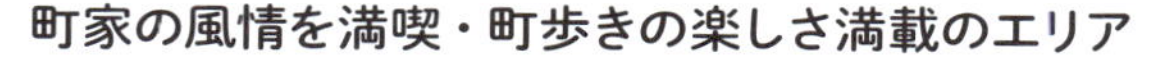

意外なことに、奈良町という行政上の地名はない。現在、呼ばれている奈良町とは、猿沢池の南側一帯、かつての元興寺の大伽藍跡に形成された地域を指している。とくに現在の元興寺の周囲には、格子の造りが美しい町家が今も残っている。町家の暮らしを伝える施設や今風に改造した食事処やギャラリーなどが点在する。

まわる順のヒント

奈良町は北端から南端まで歩いても10分ほど。もっとも奈良町らしい家並みは、庚申堂からならまち格子の家にかけてのあたり。

行き方・帰り方のアドバイス

近鉄奈良駅からは往復とも徒歩が基本。とくに観光シーズンの日曜・祝日は、バスのダイヤが乱れる場合がある。元興寺周辺は、市内循環バス(内回り)などでも行ける。

HINT

このエリアへの行き方

目的地	出発点	おもなバス系統など	下車バス停
元興寺・ならまち格子の家・庚申堂・奈良町資料館・奈良市立史料保存館・奈良市杉岡華邨書道美術館	近鉄奈良駅	徒歩(12〜20分)	
	近鉄奈良駅①番	バス2・6(11分)	田中町
	近鉄奈良駅⑨番	バス1(11分)	田中町
名勝大乗院庭園文化館・今西家書院・十輪院	近鉄奈良駅③番	バス50・51・82・92(4分)	福智院町

バス1:市内循環内回り　バス2:市内循環外回り　バス6:中循環外回り
バス51:下山行き　バス50・82・92:天理駅行き

HINT

他のエリアへの向かい方

奈良市内や近郊の主な見どころへは次のように行く。

◆東大寺へ　元興寺から徒歩5分の バス停田中町で、バス1(市内循環内回り)に乗車して7～8分、バス停東大寺大仏殿・国立博物館下車。

◆春日大社へ　バス停田中町からバス1(市内循環内回り)に乗車して6～7分、バス停春日大社表参道下車。

◆平城宮跡・西ノ京・法隆寺へ　バス停福智院町からバス50・51・82・92などで6～8分のバス停近鉄奈良駅へ。後は各エリアページ参照。

花の見頃

7月：キキョウ(元興寺)
9月初旬～10月中旬：ハギ(元興寺)

イベント&祭り

2月3日：節分会・柴燈護摩供(元興寺)
8月23・24日：地蔵会(元興寺)

見る & 歩く

元興寺(極楽坊)

がんごうじ

地図p.188-F
近鉄奈良駅から徒歩13分

かつては、現在の奈良町をほぼすべて含む広大な寺域を有し、南都七大寺に数えられて隆盛を極めたが、平安後期から次第に衰退。今に残る本堂の極楽堂は鎌倉時代に僧房を改築したもの。中世以降は庶民の信仰を集め、境内の浮図田には1500の石仏や石塔が並んでいる。本堂・禅堂の丸瓦は日本最古の瓦で、珍しい行基葺きで有名だ。国宝の五重小塔や仏像を収蔵庫に保存・展示している。

☎0742-23-1377　所在地 奈良市中院町11
営業時間 9:00～17:00(最終受付16:30)
料金 500円、特別展600円

今西家書院

いまにしけしょいん

地図p.189-G
近鉄奈良駅から徒歩20分、バス停福智院町から徒歩2分

室町時代の書院造り様式を伝える、端正な住宅。大乗院の坊官をつとめた福智院家の住居だったが、大正時代に今西家の所有となった。庭に下りると、唐破風の優雅なたたずまいが眺められる。抹茶と季節の和菓子などの喫茶(800～1200円、別途見学料)も味わえる。

☎0742-23-2256　所在地 奈良市福智院町24-3
営業時間 10:30～16:00(最終受付15:30)
休 月・火・水曜(夏期・冬期・イベント開催時休)
料金 400円

十輪院

じゅうりんいん

地図p.189-G
近鉄奈良駅から徒歩15分、バス停福智院町から徒歩3分

元興寺の塔頭の1つといわれ、鎌倉前期に建立された本堂は国宝。ゆるやかな傾斜の屋根が優美で、当時の建築物の面影を伝えている。本堂の奥に、本尊の石造の地蔵菩薩を安置。本尊を納めた石造の厨子を石仏龕といい、釈迦如来などが刻まれている。

☎0742-26-6635　所在地 奈良市十輪院町27
営業時間 8:00～17:00(本堂拝観9:00～16:30)
休 月曜(祝日の場合は翌日)、12/28～1/5、1/27・28、8/16～31
料金 境内自由、本堂500円、頻婆果亭(お茶とセットで1200円)

てくさんぽ

奈良町

ならまち

奈良町は、かつての元興寺の境内を中心にしたエリア。江戸時代は商人たちで賑わった場所で、現在は町家を利用したカフェやショップ、食べ処も多く歩くのが楽しい街。

↑近鉄奈良駅へ
START
GOAL
南都銀行本店
P.48 三重塔
興福寺
三井住友
←JR奈良駅へ
小西さくら通り
采女神社 P.177
猿沢池
2分
P.172 よしだや
01 中川政七商店 奈良本店
民宿さきがけ
P.172 料理旅館吉野
椿井小
恵毘須神社
餅飯殿通り
02 平宗奈良店
5分
中央図書館
ならまちセンター
猿田彦神社
旅館松前
03 田村青芳園茶舗
奈良下御門局
上ツ道
奈良町
P.61 傳統菓子処 おくた奈良町本店
なら工藝館
楽
江戸川
04 奈良町情報館
3分
正覚寺
P.62 奈良市立史料保存館
旬彩ひより P.71
光伝寺
P.74 はり新
06 春日庵
元興寺(極楽坊)
宝物館
小子坊
鎮宅霊符神社
07 菊岡漢方薬局
今昔工芸美術館
P.74 吟松
P.66 花うるし
奈良物語館
吉田蚊帳 P.69
09 庚申堂
奈良町資料館 08
赤膚焼寧屋工房 P.69
元興寺塔跡
元興寺小塔院跡
上ツ道
御霊神社 11
南城戸町
4分
2分
徳融寺
聖光寺
元興寺局
10 砂糖傳 増尾商店
誕生寺
藤岡家住宅
川之上町児童公園
ならまち格子の家 P.62
やすらぎ書店
称念寺
高林寺
周辺広域地図 P.182-183

01 花ふきん 770円

中川政七商店 奈良本店

江戸時代創業の奈良晒の老舗・中川政七商店が開業した複合商業施設。昔ながらの製法を受け継ぐ手績み手織り麻を、現代の暮らしに添ったアイテムとして提案する。

☎0742-25-2188／📍奈良市元林院町22鹿猿狐ビルヂング／🕙10:00～19:00／休 不定休

02 柿の葉ずし盛り合わせ（赤出し付）1240円

平宗（ひらそう）奈良店

柿の葉ずしの有名店。まろやかなサバと身が締まったサケに柿の葉の香りがうつり、さわやかな味わい。秘伝のタレを使った焼き鮎ずし970円。

☎0742-22-0866／📍奈良市今御門町30-1／🕙11:00～20:00LO／休 月曜（祝日の場合は翌日）

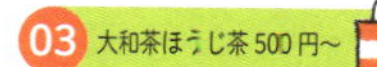

田村青芳園（せいほうえん）茶舗

大和茶をはじめとした日本茶の量り売りの店。特に人気があるのが大和茶のほうじ茶。

☎0742-22-2833／📍奈良市勝南院町18／🕙10:00～15:00／休 月・木曜

奈良町情報館

民営の観光案内所。名所や120軒以上の店を紹介。特産品販売や朝市、レンタサイクルもある。

☎0742-26-8610／📍奈良市中院町21／🕙10:00～17:00／休 無休

元興寺（極楽坊）

奈良町の中心。奈良時代に創建された大伽藍の僧房が残ったもの。世界遺産に登録されている。

p.59参照

春日庵（かすがあん）

1897（明治30）年の創業以来、変わらぬ手焼きで作られてきたさつま焼きが有名。2階の茶房で。

☎0742-22-6483／📍奈良市中新屋町29／🕙9:00～18:00（茶房11:00～）／休 不定休

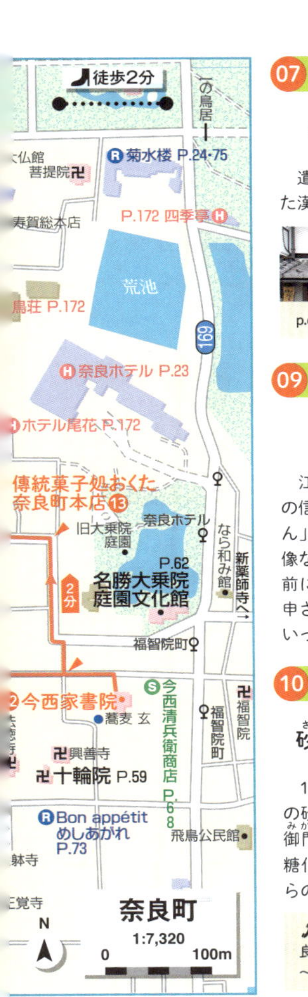

07 陀羅尼助丸 1080円

菊岡漢方薬局

遣唐使とともに伝わった漢方薬の老舗。

p.68参照

08 見学10分

奈良町資料館

申(猿)をかたどった魔除けのお守りも販売。

p.62参照

09 見学5分

庚申堂

江戸時代から続く庶民の信仰。堂内には「庚申さん」と呼ばれる青面金剛(しょうめん)像などを安置。また、堂の前にも屋根の上にも、庚申さんの遣いである猿がいっぱい。

＊外観のみ拝観自由

回る順のヒント

猿沢池あたりがスタート地。元興寺をめざし、ならまち大通りを渡ると、格子造りの町家が連なるエリアだ。

元興寺界隈に観光ポイントが集中する。帰りは、近鉄奈良駅まで歩くと20分くらい。福智院町バス停から路線バスも利用できる。

町家の小粋なカフェやショップに立ち寄りながら回れば、所要3時間程度。

10 御門米飴 1800円

砂糖傳(さとうでん) 増尾(ますお)商店(しょうてん)

1854(安政元)年創業の砂糖の専門店。人気の御門米飴(みかどこめあめ)は、米を麦芽で糖化したもので、昔ながらの手作り。

☎ 0742-26-2307／📍奈良市元興寺町10／🕘9:00～18:00／㊡年末年始

11 見学10分

御霊(ごりょう)神社

桓武天皇の勅願により創建されたと伝わる古社。境内には開運出世や縁結びなどにご利益のある出世稲荷神社もある。

☎ 0742-23-5609／📍奈良市薬師堂町24／🕘9:00～16:00／㊡境内自由

12 見学15分

今西家書院

書院の見学後は、抹茶や和菓子などで一服するのもいい。季節のお菓子とお抹茶1200円。

p.59参照

13 みたらし団子と蘭奢待

傳統(でんとう)菓子処 おくた奈良町本店

相伝みたらし団子が名物。国産米のみで作った団子を奈良産の炭で焼く。しっかりとした歯ごたえが魅力で、甘口、辛口、二種類ある。そのほか、東大寺正倉院宝物の一つである香木の形を模したお菓子・蘭奢待も人気。讃岐の和三盆と吉野本葛のみで作られている。

☎ 0742-23-3324／📍奈良市中院町32／🕘11:00～17:00／㊡火曜

ならまち格子の家
ならまちこうしのいえ

地図 p.188-J
近鉄奈良駅から👟20分、🚏田中町から👟2分

奈良町の伝統的な町家を再現し、町家での暮らしぶりを紹介している。吹き抜けで明かりとりのある土間の台所、中庭をはさんでの離れ、「つし二階」(屋根裏部屋)への箱階段などを、実際に座敷に上がって見学できる。

☎ 0742-23-4820
📍 奈良市元興寺町44 🕘 9:00～17:00
休 月曜(休日の場合は翌平日)・
休日の翌日(土・日曜、休日は除く)
¥ 無料

奈良市立史料保存館
ならしりつしりょうほぞんかん

地図 切りとり-20、p.188-E
近鉄奈良駅から👟13分、🚏南袋町から👟6分

奈良町の歴史と、かつての奈良町の姿を知りたいときに便利。近世の絵図やパネル、古文書などを展示して、元興寺の寺域だった時代から、人口が3万5000人にまで増大した江戸時代までの変遷を解説している。

☎ 0742-27-0169 📍 奈良市脇戸町1-1
🕘 9:00～17:00(最終入館16:30)
休 月曜(休日の場合は翌平日)・
休日の翌日(土・日曜、休日は除く)
¥ 無料

奈良町資料館
ならまちしりょうかん

地図 p.188-F
近鉄奈良駅から👟15分、🚏田中町から👟5分

私設資料館。昔から奈良町に息づく「庚申さん」のお守りの赤い「身代り申」は、ここでのみ販売。背中に願い事を書いて吊るすと願いが叶うという。

☎ 0742-22-5509 📍 奈良市西新屋町14
🕘 10:00～17:00 休 無休 ¥ 入館無料

奈良市杉岡華邨書道美術館
ならしすぎおかかそんしょどうびじゅつかん

地図 p.188-F
近鉄奈良駅から👟12分

書道専門の美術館。奈良に生まれ、かな書の第一人者として知られた故杉岡華邨氏の作品300点余りを収蔵。杉岡氏のかな書を中心に、年に2回現代の書家の作品を集めた企画展も開催。

☎ 0742-24-4111 📍 奈良市脇戸町3
🕘 9:00～17:00(最終入館16:30)
休 月曜(休日の場合は翌平日)・
休日の翌日・年末年始、臨時休館あり
¥ 300円

名勝大乗院庭園文化館
めいしょうだいじょういんていえんぶんかかん

地図 p.189-G
近鉄奈良駅から👟15分、🚏奈良ホテルから👟2分

名勝に指定の優雅な旧大乗院庭園を眺めながら、ゆっくり休憩できる施設。大乗院は興福寺の門跡寺院として大伽藍を構えて繁栄し、平安時代に造営された庭園は、室町時代の庭師・善阿弥(ぜんあみ)が改修したという。

☎ 0742-24-0808 📍 奈良市高畑町1083-1
🕘 9:00～17:00
休 月曜(休日の場合は翌日)・
祝日の翌日(土・日曜は除く)、年末年始
¥ 館内無料、庭園200円

買う

近鉄奈良駅周辺

和菓子

萬々堂通則
まんまんどうみちのり

地図p.185-K
近鉄奈良駅から徒歩5分

老舗和菓子店で、名物はぶと饅頭。遣唐使が持ち帰り、春日大社の神饌として用いられていた「ぶと」がルーツの和菓子で、一般向けに食べやすくしたもの。北海道産のあずきがたっぷり入っており、油で揚げてある。

☎ 0742-22-2044
📍 奈良市橋本町34
🕘 9:00～19:00（木曜10:00～17:00） 休 木曜不定休
¥ ぶと饅頭216円

和菓子

千代の舎竹村
ちよのやたけむら

地図p.185-G
近鉄奈良駅から徒歩3分

元禄年間創業の老舗。“青丹よしさん”と地元で呼ばれるほど親しまれている、銘菓「青丹よし」6枚入り1390円～が有名。日本で初めて林浄因という人が作ったとされる饅頭を今に伝える奈良饅頭は、さらっとしたこしあんと香ばしい皮が上品な味わいだ。味が落ちるのを避け、支店も卸しも出さないのでここで買うか電話注文でしか味わえない。

千代之舎竹村の奈良饅頭

☎ 0742-22-2325
📍 奈良市東向南町22
🕘 10:00～17:30（正倉院展時延長） 休 木曜（季節により変更あり） ¥ 奈良饅頭175円

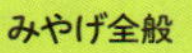

みやげ全般

きてみてならSHOP
きてみてならしょっぷ

地図p.185-G
近鉄奈良駅から徒歩1分

奈良県商工観光館の1階にあり、奈良のみやげ物がひと通り揃う。吉野葛、奈良漬、柿の葉寿司、大和茶などの食品のほか、赤膚焼、奈良人形一刀彫、奈良漆器、奈良墨、奈良団扇、奈良晒など、奈良を代表する伝統工芸品も充実している。一画には観光情報コーナーもある。

☎ 0742-26-8828 📍 奈良市登大路町38-1 🕘 10:00～18:00（イベント時延長）
休 月曜（祝日の場合は翌日）
¥ 赤膚焼ぐいのみ3300円～

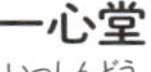

墨・筆・書道用具

一心堂
いっしんどう

地図p.184-J
近鉄奈良駅から徒歩5分

奈良特産の墨、筆の老舗として古い技法を伝承する。純菜種を用いた油煙墨や種類豊富な筆を扱い、オーダーメイドにも応え、初心者にもきめ細かいアドバイスをしてくれる。書家・榊莫山デザインの名入り墨もある。半紙、画仙紙、料紙なども。

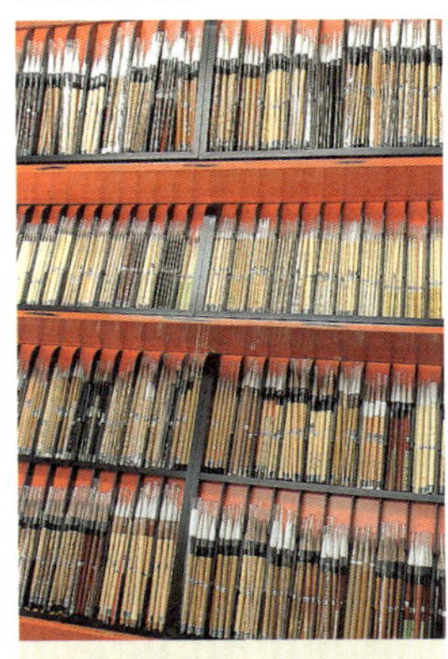

☎ 0742-23-2381
📍 奈良市上三条町3-9
🕘 10:00～19:00
休 無休
¥ 墨550円～、筆2200円～

奈良漬

今西本店

いまにしほんてん

地図p.184-J
近鉄奈良駅から👟5分

奈良漬最古の老舗として江戸時代末期から純正の味を守り続ける。みりん粕や人工添加物は使わない。最低3年、長いと15年も酒粕に漬け込まれ、清酒粕だけで何回も漬け替えるという手作業が、本物の風味をわからせてくれる。よく見る奈良漬よりも色が黒く、酒のきつい匂いや甘さが少ない。築約400年という建物にも風格がにじみでている。

☎0742-22-2415
📍奈良市上三条町31
🕒9:30〜18:00
㊡水曜・第3日曜ほか不定休あり
¥純正奈良漬972円〜

奈良団扇

池田含香堂

いけだがんこうどう

地図p.184-J
近鉄奈良駅から👟6分

江戸時代中期に今日の透かし彫りを施した形となった奈良団扇だが、明治初期この店の2代目がその技法を復興し、今では奈良団扇を作る唯一の店だ。店の奥では伝統的な技法での手作業が行われている。カラフルな和紙に彫られた正倉院の宝物模様や奈良の風物など、風流の極み。大和絵が描かれている奈良絵扇子(せんす)3520円もきらびやかだ。

☎0742-22-3690
📍奈良市角振町16
🕒9:00〜19:00
㊡無休(9〜3月は月曜)
¥奈良団扇2200円〜

奈良人形一刀彫

白鹿園

はくろくえん

地図p.184-J
近鉄奈良駅から👟7分

主人の染川さんは奈良人形師。奈良人形は、春日大社の祭礼に由来し、能や雅楽関係のモチーフが多い。刀で面を出しながら形作っていくのが特徴。今井町の民家の蔵から出てきた250年前の人形を再現した「抱雛」1万5000円〜は ここでしか買えない。

☎0742-22-7624
📍奈良市上三条町8
🕒8:00〜17:30
㊡水曜
¥立雛1万円〜

池田含香堂の奈良団扇

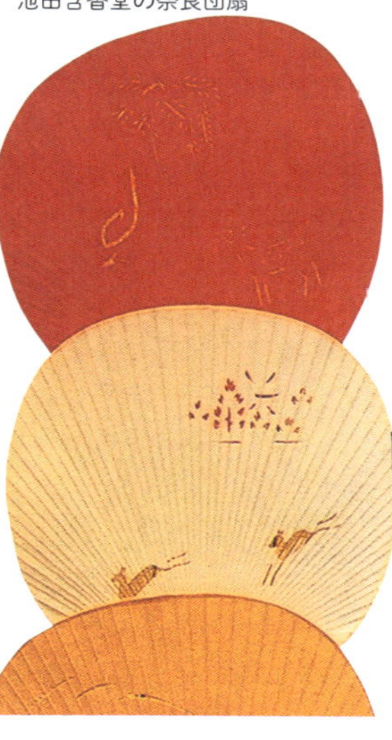

みやげもの

日本市 奈良三条店

にっぽんいち ならさんじょうてん

地図p.185-K
近鉄奈良駅から👟5分

オリジナル限定商品、奈良の伝統工芸品など、日本と奈良にこだわったおみやげ品は、楽しくて欲しくなるものばかり。缶入りの人間用の「鹿のおせんべい」は三条店のみの限定販売。

☎0742-23-5650
📍奈良市角振新屋町1-1
🕒10:00〜18:00
(土・日曜・祝日18:30)
㊡不定

あぶらとり紙

ひより 総本店

ひより そうほんてん

地図p.185-K
近鉄奈良駅から👟5分

金箔打紙製法で作られたあ

ぶらとり紙は肌に優しく、脂の吸収力が抜群。鹿や大仏の絵、春の二月堂などパッケージも楽しい奈良シリーズは旅行者に人気だ。

☎0742-20-0077
奈良市橋本町28
10:00～19:00 休 無休
¥ あぶらとり紙385円～

奈良町周辺

近鉄奈良駅から猿沢池まで7分
近鉄奈良駅から元興寺まで15分

キャンドル

canata conata
かなたこなた

地図p.188-B
猿沢池から2分

オーナー兼キャンドル作家の小林さんの作品を販売する店。「奈良を表現する」ことをテーマにしたキャンドルは、どれもやわらかな姿と色調が愛らしく、作家の優しさや個性が感じられる。マスコット的な動物やオーソドックスな丸や円形のものなど常時30種(500～700円前後)ほどある。

☎0742-24-8178
奈良市元林院町35
11:00～17:00
休 月・火曜(祝日営業)、臨時休業あり

染織工芸

二塚
にづか

地図p.188-F
元興寺から4分

明治18年創業の呉服の老舗が、古布を使ったオリジナルバッグや和の小物を販売している。素材、縫製にこだわった「白雪ふきん」は、従来にはない吸水性、素早い汚れ落ち、さらりとした使用感で人気。

☎0742-26-0887
奈良市高御門町2
9:30～18:00頃
休 木曜(祝日は営業)
¥ 白雪ふきん440円～

墨

古梅園
こばいえん

地図p.188-A
猿沢池から6分

1577(天正5)年創業。430年余り秘伝の技術を継承し、製墨を続けている。銘墨「紅花墨(こうかぼく)」をはじめ、書画共に愛用される青墨や茶墨、その他など、さまざまな墨がずらりと並ぶ。絵手紙用の墨も各種そろう。

☎0742-23-2965
奈良市椿井町7
9:00～17:00
休 土・日曜、祝日
¥ 紅花墨1540円～

和菓子

中西与三郎
なかにしよさぶろう

地図p.188-F
猿沢池から5分

大正年間創業。奈良らしい和菓子が人気だ。なかでも「庚申さん」は、奈良町独特の身代わり猿をかたどった可愛らしい創作和菓子で、中身はこし餡と、白餡の2種類ある。奈良町だんごは大和茶、味噌、小豆の3色団子を笹の葉で包んだもの。そのほか季節限定の生菓子も多い。店内の茶房・六坊庵で、大和茶や抹茶と和菓子で一服できる。

奈良町らしい和菓子「庚申さん」

☎0742-24-3048 奈良市脇戸町23 9:30～18:00(茶房は10:30～17:30LO、土・日曜、祝日～18:00LO)
休 不定

JR奈良駅周辺

和菓子

白玉屋榮壽
しらたまやえいじゅ

地図 p.184-I
JR奈良駅から 徒歩3分

三条通りに面した和菓子店。本店は大神神社大鳥居のそばにある老舗の店で、大神神社のご神体・三輪山の古称から名づけられた最中「名物みむろ」一筋の店。大和大納言小豆の餡は、糯米を使った焼きたての皮で挟まれ、香りもいい。「名物みむろ」は大小2種類あり、粒あんが上品な甘味で人気。

☎ 0742-22-3726 📍 奈良市三条通480-4 🕐 8:00～20:00 休 月曜（祝日の場合は翌日）・第3火曜 ¥ 名物みむろ8個入り930円

吉野葛みやげ

天極堂JR奈良駅店
てんぎょくどうじぇいあーるならてん

地図 p.184-I
JR奈良駅構内（ビエラ奈良2F）

1870年創業の吉野本葛の老舗天極堂がJR奈良駅構内にオープンしたみやげ物店。カフェが併設されているので、奈良の特産品「吉野本葛」を使用した甘味や料理を味わえるほか、奈良の特産品「吉野本葛」を使用したみやげ物が取り揃えられている。

☎ 0742-20-6300
📍 奈良市三条本町1-1 ビエラ奈良 2F
🕐 10:00～21:00 休 無休

東大寺周辺

近鉄奈良駅から東大寺南大門まで 徒歩20分、バス停 今小路まで バス3～4分

奈良漬

森奈良漬店
もりならづけてん

地図 p.186-F バス停 東大寺大仏殿・春日大社前から 徒歩2分

大仏殿参道にある奈良漬の老舗。超特級の酒粕だけを使い、着色料や保存料、甘味料などはいっさい使っていない。キュウリ、スモモ、ニンジン、セロリなど、さまざまな種類がある。人気のきざみ奈良漬はウリとキュウリのミックスで、おみやげ用の丹波立杭焼の壺入りがおすすめだ。

☎ 0742-26-2063
📍 奈良市春日野町23
🕐 9:00～18:00（行事による延長あり） 休 無休
¥ きざみ奈良漬壺入り1320円

和菓子

千壽庵吉宗奈良総本店
せんじゅあんよしむねならそうほんてん

地図 p.186-A
バス停 今小路から 徒歩1分

わらび餅が美味しい和菓子店。国産の本わらび粉を使用し、昔ながらの製法で炊き上げて作るわらび餅は、ほんのりと甘い。一番人気の生わらび餅と本わらび粉を十割使用した純本生わらび餅を1切れずつ入れたわらび餅味くらべセット550円もある。

0742-23-3003
奈良市押上町39-1
10:00～18:00（茶寮11:00～16:30LO）
休 1月1日（茶寮は水曜）
¥ 生わらび餅650円

麻製品・クラフト雑貨&カフェ

幡·INOUE夢風ひろば東大寺店
ばんいのうえゆめかぜひろばとうだいじてん

地図p.186-F
東大寺大仏殿・春日大社前から 2分

奈良の伝統工芸品麻布製を小物やテーブルウェアなどで展開する幡·INOUEの直営店。藍染をした麻糸を使用した先染め手織り麻のバッグ、奈良の地場産業である蚊帳の素材でつくった日常着など、愛着が湧くようなものづくりををコンセプトにした製品が並ぶ。テラス席を備えたカフェを併設している。

0742-27-1010
奈良市春日野町16
10:00～18:00（季節・天候によって変動あり）
休 木曜日、不定休あり
¥ 麻コースター660円

高畑周辺

近鉄奈良駅から 破石町まで 5～7分

ギャラリー

あーとさろん宮崎
あーとさろんみやざき

地図p.183-L
破石町から 2分

江戸末期の町家を改造したギャラリー。辻村史郎氏の作陶・書画などの作品をはじめ、萬葉草木染の優しい色合いのスカーフなど、さまざまなアーティストの作品を展示・即売。奥には喫茶スペースもあり、サイフォンで淹れるコーヒーを味わえる。

0742-23-2588
奈良市高畑町812
10:00～18:00 休 月曜
¥ 萬葉草木染スカーフ5000円～

陶器

あんず舎
あんずや

地図p.183-H
破石町から 5分

陶器の店。陶芸家の作品を中心にセンスのいいものばかりが並んでいる。湯飲みや茶碗、一輪ざしなど1000円前後～と手頃で、普段使いできるものが多い。作家物のモダンでユニークな作品も目を引く。オブジェとして飾るほか、アクセサリー置きとして使うにもいい。

0742-23-1706
奈良市高畑町1237-7
11:00～18:00
休 火・水曜（祝日は営業）
¥ 陶器1000円前後～

みやげ物

なら和み館
ならなごみかん

地図p.189-G
奈良ホテルから 1分

奈良公園に近い奈良県最大級のみやげ物店。奈良の名産品、和雑貨など「ならもの」を中心に約2,000品目が揃っている。おすすめはくず餅,奈良漬、奈良漬みそ、奈良雑貨、赤膚焼、奈良筆、高山茶筅、奈良墨などの伝統工芸品。レストラン、フェも併設されている。

0742-21-7530
奈良市高畑町1071
10:00～17:00
¥ なら和み館限定奈良漬みそ（甘口）650円

店の人と会話しながら

奈良町で楽しむ古都の買い物めぐり

奈良町は老舗の宝庫。店の人も商品にこだわりと誇りを持っている。買い物をしながら、風情あふれる町並みと、古都に暮らす人々との出会いや会話を楽しめるのも奈良町の魅力だ。

日本酒　春鹿純米大吟醸 720mℓ 2750円

今西清兵衛商店
いまにしせいべいしょうてん

地図p.189-G
元興寺から6分

奈良の清酒「春鹿（はるしか）」の醸造元。今西家は1884（明治17）年から酒造業を営んでいる。底に鹿をあしらった手作りのオリジナルグラス（500円）を購入すると、季節限定酒など5種類のきき酒を楽しめる。春鹿の歴史や酒造りのことなど、きき酒をしながら興味深い話も聞ける。酒蔵見学は2月の土・日曜で要予約。

歴史の味を楽しみたい

0742-23-2255
奈良市福智院町24-1
10:00～17:00
休 無休（お盆、年末年始休、イベント時はきき酒不可）

漢方薬　陀羅尼助丸 1320円～

菊岡漢方薬局
きくおかかんぽうやっきょく

地図p.188-F
元興寺から3分

平安時代の末期から約800年、春日大社や興福寺の守護などの要職を務める傍ら、漢方薬に携わってきた菊岡家。代々受け継がれてきた薬学の知識をもとに、各人に合う生薬を調合する漢方薬の老舗だ。おすすめの陀羅尼助丸は、役行者が製法を教えたと伝わる妙薬だ。

伝統ある和漢胃腸薬

0742-22-6611　奈良市中新屋町3　9:00～19:00
休 月曜（祝日は営業）

奈良人形一刀彫・奈良漆器　立雛（2号）一対1万1550円～

奈良美術工芸舎 誠美堂
ならびじゅつこうげいしゃ せいびどう

地図p.188-F
元興寺から1分

800年以上前から春日大社の祭りに奉納されてきた一刀彫。力強い彫りと繊細な彩色が魅力だ。「羽衣（はごろも）」「杜若（かきつばた）」など能の題材による人形は物語性があり、岩絵具や純金が使われた重厚感のあるものが多い。また、雛人形や五月人形なども一生の宝物として喜ばれている。

0742-22-3060　奈良市中院町13　11:00～18:00
休 水曜、ほか不定休あり

和紙工芸　オリジナル張り子2200円〜

藤田芸香亭

ふじたうんこうてい

地図 p.188-B
猿沢池から徒歩4分

画家でもある女性オーナーが吟味して選んだ美術工芸品と和紙の店。老舗の紙問屋だった建物は黒い柱と天窓が印象的だ。かわいらしい鹿や狐、おひなさまなどの和紙の張り子はここのオリジナル。ヨモギ、アケビなどを材料にした吉野の草木染め和紙や各地の和紙もそろい、壁紙やハンドクラフト用に人気がある。和紙の身近で粋な使い方なども聞いてみよう。手漉き和紙は1枚660円〜。

和紙の張り子

0742-22-2082
奈良市光明院町12
11:00〜18:00
休 木曜（不定休あり）

赤膚焼　奈良絵小皿1万1000円

赤膚焼窯屋工房

あかはだやきなやこうぼう

地図 p.188-F
元興寺から徒歩3分

赤膚山に窯をもつ武田高明さんが展示販売、絵付けや素焼きを行う工房。赤膚焼は古都奈良の陶器にふさわしく茶道具としての歴史が深い。昔の物語絵である奈良絵の茶碗などは代表的。絵もプリントものはいっさいなく大量生産もできない。ろうそくを点した燈火器が店の中に並び、幽玄の美を垣間見ることができる。湯のみ、茶碗、豆皿などがおみやげに人気。

0742-23-3110
奈良市芝新屋町18
10:30〜17:00
休 水曜

当主作の燈火器は1万3200円〜

蚊帳　蚊帳のれん本麻1万1500円〜

吉田蚊帳

よしだかちょう

地図 p.188-F
元興寺から徒歩4分

大正10年から蚊帳と染めを手がける老舗。蔵を改装した店内で、紺、緑、茶、赤など色とりどりの蚊帳のれんが優しい涼しげな風合いを見せる。とくにぼかし染は、微妙な色の濃淡が美しい。ならまちふきん染440円など、手頃な品もある。蚊帳生地は吸水力に優れ、使い勝手も抜群だ。

微妙な色合いが美しいぼかし染め

蚊帳布巾

0742-23-3381
奈良市芝新屋町1
9:30〜18:00
休 月曜（祝日の場合は翌日）

奈良の自然が育んだ伝統の大和野菜

大和野菜を味わう

奈良の特産品として認定され、古くから生産されてきたのが大和野菜。味、香り、形、歴史など特徴のある野菜ぞろいだ。野菜とともに大和肉鶏、大和牛など、奈良県産の食材にこだわったレストランも増え、直売する店もあるので覗いてみよう。

大和丸なす
つやのある紫黒色でヘタには太いとげ。煮くずれしにくく、しっかりとした味わいと食感が楽しめる。

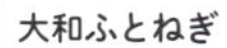

大和ふとねぎ
白根部分が太く、タンパク質や辛味成分が多く含まれ、熱を加えることで特有の甘みと風味が出てくる。

宇陀金ごぼう
雲母を含む土壌で栽培され、付着した雲母が光り、縁起物としてきんぴらなどの正月のおせちに珍重。

片平あかね
山添村片平地区で作られている。根の先まで赤く細長いカブ。優良系統を選抜するため毎年品評会を開き、種子を守り続けている。

紫とうがらし
紫色は熱で薄黄緑色に変わる。辛味はほとんどなく、完熟すると甘味もある。天ぷらや焼き物など。

主な大和野菜の旬のカレンダー

野菜	旬（1月〜12月）
半白きゅうり	3月下旬〜7月下旬
大和丸なす	4月上旬〜10月下旬
紫とうがらし	6月下旬〜9月下旬
黄金まくわ	7月中旬〜8月中旬
大和ふとねぎ	10月上旬〜12月下旬
片平あかね	10月上旬〜2月中旬
大和まな	11月上旬〜2月下旬
宇陀金ごぼう	11月上旬〜2月下旬
祝（いわい）だいこん	12月中旬〜12月下旬

※上記以外にも多くの大和野菜がある。http:/www.pref.nara.jp/dd.aspx?menuid=8035

大和まな
「古事記」にも記載がある古くからある野菜。柔らかく、甘みがあり、煮物やおひたしに使われる。

祝（いわい）だいこん
祝いの宴席料理に、大和の雑煮や煮物として、円満を意味する輪切りの祝だいこんが使われる。

黄金まくわ
「万葉集」にも記述がある栽培の歴史が古い瓜。奈良県育成の「黄１号」はマクワの基準品種。

半白きゅうり
皮の半分が白っぽい。以前は果皮が固く粘質で、漬け物利用が主だったが改良され、生食にも適する。

大和野菜が買える＆食べられる店

奈良のうまいものプラザ

地図p184-I

JR奈良駅１階。県産の直送の野菜がそろう。大和野菜を使った農園直送レストラン古都華も併設されている。朝は奈良県内の生産農家を中心に直送される、新鮮で安全な食材を使った朝ごはん、昼は奈良の食材をふんだんに使ったランチメニュー（季節の野菜のてんぷら、ヤマトポークのとんかつ、2種類から選べる野菜プレートなど）、夜はコースメニューや気軽に味わえる一品料理が豊富に提供される。

☎0742-26-0088 奈良市三条本町1-1 🕒7:00～21:00（レストラン 朝7:00～11:00、昼11:00～15:00、夜17:00～21:00）休 無休

東大寺 門前市場

地図p.186-J

東大寺門前・夢風ひろば内。大和野菜をはじめ近隣農家の旬の野菜や果物、特産品、工芸品を直売。

☎0742-20-2071
奈良市春日野町16
🕒10:00～17:00
休 無休

旬彩 ひより

地図p.188-F

専属農園の大和野菜料理を中心に大和肉鶏などサイドメニューも豊富。ランチ1760円～。

☎0742-24-1470
奈良市中新屋町26
🕒11:30～14:30（14:00LO）、17:00～22:00（21:00LO）
休 火曜

食べる

近鉄奈良駅周辺

和食

和風れすとらん春日

わふうれすとらんかすが

地図p 185-G
近鉄奈良駅から 3分

春日ホテル内。松花堂や季節会席などで、奈良らしい味覚を楽しめる。万葉弁当は、大和茶麺や奈良茶飯のほか色とりどりの9種の小鉢を盛り込んだ、「奈良のうまいもの」認定のおすすめメニューだ。松花堂2970円。

0742-22-4031
奈良市登大路町40
11:00～14:00LO、17:00～20:00LO
休 月曜(祝日の場合は翌日)
¥ 春日御膳1980円

イタリア料理

トラットリア・ピアノ

とらっとりあ・ぴあの

地図p.185-K
近鉄奈良駅から 3分

東向商店街と三条通りの角にあるイタリア料理店。地元奈良の新鮮な野菜や肉、それに土佐清水から直送の鮮魚など、素材の味を生かしたシンプルな調理が好評。本格的な石窯で焼き上げるピッツア大和は人気の一品。新大宮駅前にも姉妹店がある。

0742-26-1837
奈良市橋本町15-1 1・2 F
1F/ランチタイム11:00～14:30LO、カフェタイム15:00～17:00、バルタイム17:00～25:30LO、2F/ランチタイム11:00～14:30LO、ディナータイム17:00～22:00LO 休 無休
¥ ピッツア大和1580円

JR奈良駅周辺

和食

和処よしの

わどころよしの

地図p.184-I
JR奈良駅西口からすぐ

ホテル日航奈良の3階。手頃な昼食メニューをはじめ、旬の彩り鮮やかな会席料理や一品料理、地酒を楽しめる。ランチで女性に人気なのが、新鮮な刺身や地の野菜を使ったまほろば膳2150円。夜のおすすめとして、会席と奈良地酒めぐりのコース7000円や贅沢ミニ会席「秋篠」8000円がある。

0742-35-5819
奈良市三条本町8-1
11:30～14:30、
17:30～19:30LO
休 月曜
¥ まほろば膳2150円

奈良町周辺

近鉄奈良駅から猿沢池まで徒歩7分
近鉄奈良駅から元興寺まで徒歩15分

和食

あしびの郷
あしびのさと

地図p.188-F
元興寺から徒歩4分

江戸時代から続く奈良漬の老舗あしびや本舗がプロデュース。蔵を使った食事処や風情ある庭に面したカフェテラス、漬物や奈良工芸品の売店などがある。レストランの人気メニューは、おつけもの御膳。米、茶、味噌まで旬の漬物に合う食材にこだわり、取り寄せている。

0742-26-6662
奈良市脇戸町29
11:30～16:30
休 不定
¥ おつけもの御膳1600円

和食

酒肆春鹿
しゅしはるしか

地図p.188-B
猿沢池から徒歩2分

元・置屋という建物は、カウンターのみの間口の奥に庭を囲んで座敷が5つ。奈良の酒、春鹿に合う一品もの、コース料理が充実している。営業は夜だけだが、たいあら煮、たら白子焼など、奈良の地酒、春鹿に合う一品もの、コース料理が充実。お造りの盛り合わせも新鮮そのもの。毎朝の仕入れによりお品書きも変わり、ていねいな手作り料理が堪能できる。

0742-26-4703
奈良市今御門町27-4
17:00～22:00
休 日曜不定休

フランス料理

Bon appétit めしあがれ
ぼなぺてぃ　めしあがれ

地図p.189-K
元興寺から徒歩5分、
バス停5福智院町から徒歩3分

十輪院の真向かいにあるフレンチレストラン。建物は築100年を超える町家をオーナーが自ら改築した落ち着きのある空間。ランチは2800円から3種。ディナーは5000円から2種。地元奈良の新鮮な素材を生かした料理が味わえる。おすすめは「大和牛のほほ肉の赤ワイン低温長時間煮込み」で、ディナーコースでの一品。

0742-27-5988
奈良市十輪院町1
ランチは10:00～15:00LO、
ディナーは18:00～21:00LO
休 月曜(祝日の場合は営業)
¥ ランチ2800円、3800円、5000円。ディナー5000円と8000円(税・サ別)

懐石料理

円
えん

地図p.188-F
元興寺から徒歩3分

酒粕、八重桜、梅、柿、そうめ

んなど奈良の特産品を生かした、奈良らしい風情ある食事が朝から楽しめる。野菜たっぷり朝ごはん700円。昼の膳コーヒー付きで1700円。味噌漬け豆腐、酒粕天ぷら、旬のものなどが美しく盛られている。夜は、予約制の奈良づくし7700円など。八重桜酒をはじめとする自家製の果実酒も美味しい。

- ☎ 0742-26-0291
- 📍 奈良市下御門町38 御門ビル2F
- 🕓 8:00～10:00（一時休止）、11:30～14:00、17:00～21:00
- 休 木曜、ほか不定休あり
- ¥ 昼の膳1700円

和食

はり新

はりしん

地図p.188-F
元興寺から👟2分

江戸末期の商家の建物を生かした食事処。庭を眺める広い座敷で食事できる。藤原京と平城京を結ぶ幹線道路だった上ツ道（かみつみち）の出発点付近にあることにちなんだかみつみち弁当3190円が看板料理。古代のチーズや季節を感じさせる食材が多彩に盛られている。かみつみち弁当は昼・夜とも予約がベスト。夜の生駒4080円は前営業日までに予約が必要。

- ☎ 0742-22-2669
- 📍 奈良市中新屋町15
- 🕓 11:30～15:30（14:30LO）、18:00～21:00（20:00LO）
- 休 月曜（祝日の場合は翌日）
- ¥ かみつみち弁当3190円

そば

吟松（奈良町店）

ぎんしょう

地図p.188-F
元興寺から👟3分

奈良町資料館向かい。奈良のそば処として知られる人気店で、本店は高畑にある。そばは風味と歯ごたえがあり、細くて喉ごしもいい。そばと並び、天ぷらも評判。サクッとした食感の天ぷらがおいしい天丼付きのセット1430円、ミニ天丼セット1155円。冬場はにしんそば1100円が人気のメニュー。

- ☎ 0742-23-1355
- 📍 奈良市西新屋町18
- 🕓 11:00～14:00
- 休 月曜（祝日の場合は翌日）
- ¥ 天ぷらざる1430円

洋食

奈良ホテル・メインダイニングルーム「三笠」

ならほてる・めいんだいにんぐるーむみかさ

地図p.189-C
奈良ホテルから👟1分

世界のVIPを迎える名門ホテルの本館1階。明治大正時代の華麗でクラシックな雰囲気の中、伝統のもてなしと味を楽しめる。コース料理は、「八重桜（やえざくら）」をはじめランチが4840円～、ディナーが1万890円～。もちろんアラカルトもあり、ビーフシチュー奈良ホテル風は名物のひとつ。ワインの種類も豊富。

0742-24-3044
奈良市高畑町1096
7:00～9:30LO、
11:30～14:00LO、
17:30～19:00LO
休 無休
¥ ビーフシチュー奈良ホテル風4840円

甘味

吉野葛佐久良
よしのくずさくら

地図p.188-F
元興寺から徒歩4分

町家を利用した店舗では吉野本葛製品の販売と甘味処として営業。自慢の葛菓子は、吉野葛の葛根からとれる質も良く、希少価値の高い本葛を100%使用し、注文を受けてから手作りする。葛もち880円、冬は葛しるこ、夏場限定のひや葛しるこ各880円もおすすめだ。座敷もありくつろげる。

0742-26-3888
奈良市高御門町2
10:00～18:00頃
（甘味処は～17:00）
休 木曜（祝日は営業）
¥ 葛きり880円

茶粥

塔の茶屋
とうのちゃや

地図p.185-H
元興寺から徒歩5分

興福寺境内にあった茶粥の名店が奈良町に移転。ランチの茶がゆ弁当が相変わらずの人気。茶粥に柿の葉寿司や野

菜の炊き合わせ、焼き物など10数品のおかずが盛られていて、ボリューム満点。軽いものではわらび餅お薄セット770円も。夜は予約制で、茶がゆ懐石6600円～となっている。

0742-22-4348
奈良市南城戸町18
11:30～16:00
休 火曜（祝日の場合は翌日）
¥ 茶がゆ弁当2530円

興福寺周辺

近鉄奈良駅から県庁前までバス1～2分、近鉄奈良駅から氷室神社・国立博物館までバス2～4分

和食

菊水楼（和の昼食）
きくすいろう　わのちゅうしょく

地図p.185-L
猿沢池から徒歩5分

明治24年創業の老舗料亭「菊水楼」の味をリーズナブルに楽しめる和風レストラン。旬の食材を生かした月替わりの料理を開放的な空間で提供している。昼の会席1万2650円～。

0742-23-2001
奈良市高畑町1130
11:00～15:00（13:00LO）
休 火曜

東大寺周辺

近鉄奈良駅から氷室神社・国立博物館までバス2～4分、押上町までバス2分

喫茶

下下味亭 吉茶
かがみてい きっさ

地図p.186-F
氷室神社・国立博物館から徒歩1分

奈良公園や氷室神社の緑を眺めながら、香り豊かなコーヒーが味わえるカフェ。明るい日差しと落ち着いた雰囲気が心地いい。コーヒーは手で1つ1つ豆を選り分け、良質の豆だけを使うハンドピックの自家焙煎だ。季節のフルーツを使ったシャーベ

ットや手作りケーキも人気。コーヒーとのセット850円～。

☎ 0742-26-2338
📍 奈良市登大路町59、2階
🕓 10:00～日没
休 月曜(祝日の場合は翌日)
¥ コーヒー500円

吉野葛料理

天極堂奈良本店
てんぎょくどうならほんてん

地図p.186-E
押上町から 1分

創業約150年の吉野本葛の老舗。つるつるとしたのどごしと歯ごたえが絶妙の葛きりが人気。麺に葛を練り込んだ葛うどん(吉野うどん)など、軽食や食事メニューもある。

☎ 0742-27-5011
📍 奈良市押上町1-6
🕓 10:00～19:30
(19:00LO)
休 火曜(祝日の場合は翌日)
¥ 葛きりセット1430円

そば

そば処 喜多原
そばどころきたはら

地図p.186-F
押上町から 3分

北海道産のそばの実を毎

朝、石臼でひくところから行っている本格的手打ちそばの店。一番人気は天ざるそばで、2種類の油をブレンドし、さくさくに揚げている。ざるそば900円、吉野葛さしみ豆腐600円。地酒春鹿も置いている。

☎ 0742-22-0448
📍 奈良市水門町50
🕓 11:00～16:00
(売り切れ次第閉店)
休 火曜・第2水曜
¥ 天ざるそば1480円

カフェレストラン

葉風泰夢
はーふたいむ

地図p.186-J
氷室神社・国立博物館から 1分

奈良国立博物館地下のカフェレストラン。人気のフレンチパンケーキはプレーンとイチゴフルーツの2種。ほかに地中海野菜入りの生パスタ1300円や特製カレーライス1100円など軽食も。気持ちのいいテラス席もあり、博物館に入館しなくても利用可。なお、東大寺ミュージアムにも姉妹店「茶廊・葉風泰夢」がある。

☎ 0742-22-1673
📍 奈良市登大路町50
🕓 10:00～17:00(16:30LO)
(食事は11:00～16:00)ほか、正倉院展期間など延長あり
休 月曜(休日の場合は翌平日)
¥ スイーツセット1050円

茶店

龍美堂
りゅうびどう

地図p.187-D 東大寺大仏殿・春日大社前から 20分

東大寺の境内、二月堂の隣にある茶店。大仏殿やその周辺を見て回ったあとの休憩に利用したい。わらびもち付抹茶980円。また、東大寺に古くから伝わる秘伝のおかず味噌、「行法味噌(ぎょうほう)」1袋780円～は、奈良らしいおみやげとしておすすめ。

☎ 0742-23-6285 📍 奈良市雑司町406東大寺二月堂南茶所 🕓 9:00～17:00(冬期変更あり) 休 不定
¥ おはぎ付抹茶988円

春日大社周辺

近鉄奈良駅から♀東大寺大仏殿・春日大社前まで🚌4分、♀春日大社本殿まで🚌8～9分

茶店

春日荷茶屋
かすがにないぢゃや

地図p.187-K
♀春日大社表参道から🚶3分

店舗は春日大社の萬葉植物園正門横。七草、桜、よもぎなど、万葉集にちなんだ季節の素材を使用した粥が味わえる。昆布ダシ、白味噌仕立てで上品な味わい。また、万葉粥に柿の葉寿司、おかず1品、デザートが付いた大和名物膳1650円もある。

☎0742-27-2718
📍奈良市春日野町160
🕐10:00～16:00
休 月曜（4月・5月・10月・11月は無休）
¥ 万葉粥1100円

和食

馬の目
うまのめ

地図p.186-J
♀春日大社表参道から🚶5分

旬の素材を使い、工夫をこらしたオリジナルメニューが美味な和食処。黒を基調とした店内に根来塗り風の朱色のテーブルが映える。昼のメニューは惣菜5品に吸い物、デザート、ごはんに漬物が付く。店名は、瀬戸焼の"馬の目皿"にちなんだもの。夜は要予約。

☎0742-23-7784
📍奈良市高畑町1158
🕐11:30～15:00、17:30～20:30
休 木曜（祝日の場合は営業）
¥ 昼3500円～ 夜8000円～

茶店

水谷茶屋
みずたにちゃや

地図p187-L
♀春日大社本殿から🚶4分

春日大社の北側、茅葺き屋根の風流な茶店。夏は鮮やかな緑、秋には見事な紅葉に包まれる周囲には鹿の姿も多く、散策途中に甘味で休憩するには最適な場所だ。冬季限定のぜんざい700円、夏は自家製蜜を使ったかき氷も人気。

☎0742-22-0627
📍奈良市春日野町30
🕐10:00～16:00
休 水曜
¥ 春日野わらびもち（秋・冬・春の販売）550円

高畑周辺

近鉄奈良駅から♀破石町まで🚌5～7分

喫茶

たかばたけ茶論
たかばたけさろん

地図p.183-H
♀破石町から🚶5分

天気のよい日はオープンカフェスタイルの喫茶サロンとして楽しめる。店は南仏プロバンスの田舎家を模して建てた、大正時代の洋館の庭を開放したもの。人気の自家製ケーキ600円。洋館は国の登録有形文化財だ。

☎0742-22-2922
📍奈良市高畑大道町1247
🕐13:00～18:00
休 月～木曜
¥ コーヒー550円

佐保・佐紀路

エリアの魅力

観光客の人気度
★★★
町歩きの風情
★★
世界遺産
平城宮跡

標準散策時間：6～7時間（秋篠寺～平城宮跡～法華寺～海龍王寺～佐紀盾列古墳群～不退寺～般若寺）

国宝：●般若寺／楼門 ●法華寺／十一面観音立像

平城宮跡や古寺に天平人の夢をたどる旧街道

東大寺の転害門（てがいもん）から西へのび、西大寺へと至る一条通りは、平城宮の北辺を通る、かつての一条南大路。不退寺から東が佐保路（さほじ）、西が佐紀路（さきじ）と呼ばれていた。平城宮跡なども含め、1日かけて歩きたい。

行き方・帰り方のアドバイス

近鉄奈良駅前のバス乗り場は大和西大寺方面行きが離れているので注意。

このエリアへの行き方

このエリアの一般的な起点は近鉄奈良駅と大和西大寺駅。大和西大寺駅へは近鉄奈良駅から近鉄奈良線で5～7分。

目的地	出発点	おもなバス系統・列車	下車バス停・駅
秋篠寺	♀大和西大寺駅	🚌72（4分）	♀秋篠寺
平城宮跡（大極殿跡）	近鉄奈良駅⑬番	🚌12・14（11～15分）	♀平城宮跡・遺構展示館
平城宮跡（平城宮跡資料館）	近鉄奈良駅	近鉄奈良線（5～7分）	大和西大寺駅
	近鉄奈良駅⑬番	🚌12・14（13～18分）	♀二条町
平城宮跡（朱雀門ひろば）	近鉄奈良駅⑪番	🚌160・161（17分）	♀朱雀門ひろば前
ウワナベ・コナベ古墳	近鉄奈良駅⑬番	🚌13・14（11～12分）	♀航空自衛隊
法華寺・海龍王寺	近鉄奈良駅⑬番	🚌12・13・14（7～9分）	♀法華寺
	♀西大寺駅	🚌12・14（※）（7～10分）	♀法華寺
不退寺	近鉄奈良駅⑬番	🚌12・13・14（5～7分）	♀一条高校前
	♀大和西大寺駅	🚌12・14（※）（9～13分）	♀不退寺口
般若寺	近鉄奈良駅②番	🚌27・81・118（6分）	♀般若寺
	近鉄奈良駅㉑番	🚌153・154（6分）	♀般若寺

🚌72：押熊行き　🚌12・14：大和西大寺駅行き　🚌13：航空自衛隊行き　🚌160・161：学園前駅南口行き
🚌12・14（※）：JR奈良駅行き　🚌27・81・118：青山住宅行き　🚌153・154：州見台八丁目行き

秋篠寺

あきしのでら

地図 p.182-A
秋篠寺から 2分

奈良時代末期、光仁天皇の勅願で創建された。現在の本堂（国宝）は鎌倉時代に講堂を改修したものだが、和様で奈良時代の優雅な面影を残している。本堂内の天女像、伎芸天立像は柔和な顔立ちと優美な姿で広く知られ、この仏像を見るために寺を訪れる人も多い。

0742-45-4600
奈良市秋篠町757
9:30～16:30　500円

平城宮跡歴史公園

へいじょうきゅうせきれきしこうえん

地図 p.182-F　平城宮跡・遺構展示館から 1分、朱雀門ひろば前から 1分

大和西大寺駅～新大宮駅間の北側の広大な緑地が平城宮跡。発掘調査や歴史公園として復元整備中だ。

平城宮跡管理センター 0742-36-8780＊見学自由

●平城宮跡資料館　へいじょうきゅうせきしりょうかん

平城宮をわかりやすく解説する。バーチャルリアリティーにより奈良時代の平城宮内を体感できる展示もある。

0742-30-6753　奈良市佐紀町247-1　9:00～16:30（最終入館16:00）　休 月曜（休日の場合は翌平日）、12/29～1/3　無料

●朱雀門　すざくもん

平城京のメインストリート朱雀大路の北端にそびえ建っていた、平城宮の正門・朱雀門。高さ20m超、柱から柱の距離約25mの壮大な二重門だ。

＊平城宮跡資料館に同じ

●朱雀門ひろば　すざくもんひろば

朱雀門周辺が整備され、各種交流施設が誕生。当時の様子を再現した平城宮いざない館はぜひ訪れたい。これ以外にも平城宮跡の展望が楽しめる天平みはらし館、復元遣唐使船にカフェやレストランが充実した天平うまし館などがある。

平城宮いざない館 0742-36-8780（平城宮跡管理センター）　奈良市二条大路南3-5-1
10:00～18:00（6～9月は～18:30）　休 2・4・7・11月の第2月曜（祝日の場合は翌日）　無料

●第一次大極殿院　だいいちじだいごくでんいん

平城宮跡最大の宮殿で、2010年に大極殿を復元。今後大極殿を取り囲む南門、東西楼などを復元整備する予定。見学自由。

0742-36-8780
開館時間・休みは平城宮跡資料館と同じ

●東院庭園　とういんていえん

天皇や貴族の宴会や儀式が催された奈良時代後半の回遊式庭園を復原。雅な宮廷生活が偲ばれる。

＊平城宮跡資料館に同じ

まわる順のヒント・拡大版

佐保・佐紀路・平城宮跡周辺

平城宮跡を中心に巡る

佐保・佐紀路の全行程を１日で回るのは、かなりハード。無理なく回れる計画を練りたい。秋篠寺と般若寺は、ほかの見どころと離れているので、秋篠寺は西ノ京エリアと、般若寺は東大寺エリアと組み合わせてプランを立ててもいい。また、平城宮跡北側の佐紀盾列古墳群は散策に適したエリアだ。

このエリアで特におすすめの見どころは秋篠寺、平城宮跡、法華寺だ。平城宮跡では平城宮跡資料館を最初に見学することで、広大な敷地の全体を把握することができる。そのため、このエリア全体の回り方としては、秋篠寺から出発し、大和西大寺駅から平城宮跡、そして法華寺と、西から移動するルートがおすすめだ。

大和西大寺駅前にレンタサイクルがあるが、佐保・佐紀路の一条通りは狭くて交通量が多いためサイクリング向きではない。一方、佐紀盾列古墳群をめぐる道や平城宮跡内は比較的走りやすいコース。

基壇や礎石も並ぶ平城宮跡

Ⓐ秋篠寺

大和西大寺駅から徒歩で行ける距離だが、沿道に風情はなく、歩道のない非常に狭い道をバスや自動車が頻繁に走るので、歩くのには向かない。大和西大寺駅前からバスを利用しよう。時間があれば、帰りは秋篠寺の南門から「歴史の道」を歩き、西大寺を拝観してから、大和西大寺駅に戻るのもいい。歴史の道は石の小さな道標が目印。一部は、歩行者専用の小道になっている。

Ⓑ平城宮跡歴史公園

平城宮跡の敷地は120ha余りと広大だ。平城宮跡資料館と遺構展示館、復原事業情報館、復原・整備された朱雀門や第一次大極殿院、東院庭園などが主な見どころだが、徒歩で移動するだけでも２時間近くかかる。平城宮跡資料館で散策マップをもらって効率よく回ろう。ゆっくり見学する時間を含めると半日は見ておきたいが、平城宮跡内と周辺には飲食店がほとんどないので注意したい。

Ⓒ法華寺

バスで法華寺へ向かう場合は、近鉄奈良駅・大和西大寺駅どちらから行っても時間的には同じくらいだが、バスの本数は近鉄奈良駅からの方が多くて便利。

平城宮跡からは、東院庭園横の標識に従って、東院庭園の裏を回って住宅街を抜ける近道がある。このルートだと東院庭園から法華寺まで徒歩約５分。

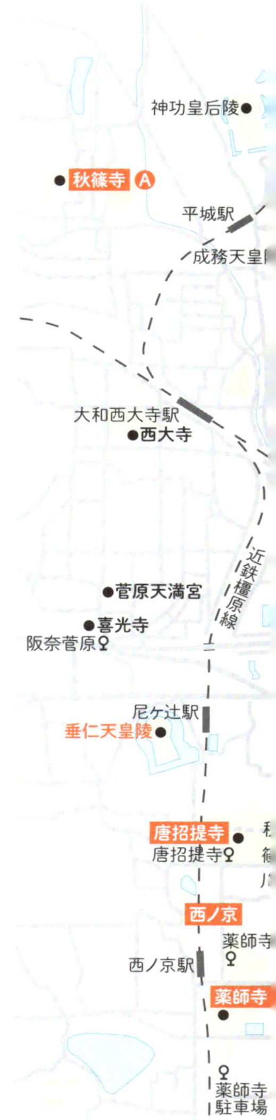

D 不退寺

近鉄奈良駅からバスで行く場合は♀一条高校前で下車。大和西大寺駅からのバスは♀不退寺口で下車。ウワナベ古墳側から不退寺へは、ウワナベ古墳の南東で奈良バイパスの点滅式信号を渡り、鉄道の高架橋を渡った後、線路沿いに南へ徒歩5分ほどで門前に出る。

E 般若寺

♀般若寺からバスの進行方向へ歩くとすぐに点滅式の信号がある。そこで左へ曲がって住宅街の道を歩き、突き当たりを右へ行くと楼門がある。楼門の北に拝観の入口がある。コスモスの花が美しい季節は、カメラやスケッチブックを持った人で賑わう。

古墳群が点在する佐紀盾列古墳群は散策にいい

法華寺
ほっけじ

地図 p.182-F
平城宮跡の東院庭園から徒歩10分、♀法華寺から徒歩3分

藤原不比等(ふひと)の邸宅を、不比等の娘・光明皇后が寄進して総国分尼寺に改めたためか、貴族的な優雅さが感じられる。かつては大伽藍だったが衰退。現在の本堂・鐘楼・南門は、桃山時代に豊臣秀頼の母・淀君が寄進したもの。国宝の十一面観音立像は光明皇后がモデルといわれ、例年3月20日～4月7日、6月5～10日、10月下旬～11月に拝観できる。

☎0742-33-2261 所在地 奈良市法華寺中町882
営業時間 9:00～17:00(最終受付16:45) ¥本堂700円(本尊開扉時は800円)、華楽園300円

海龍王寺
かいりゅうおうじ

地図 p.182-F
法華寺から徒歩3分、♀法華寺から徒歩2分

長い歴史を刻んだ築地塀と山門に、枯れた趣が漂う。731(天平3)年、光明皇后が建立。多数の伽藍は失われ、今は本堂、西金堂、経蔵が残るばかりだ。西金堂は奈良時代の建築で、内部に高さ4mの国宝の五重小塔が置かれている。

TEL 0742-33-5765
奈良市法華寺北町897
9:00～16:30(特別公開～17:30)
休 8/12～17、12/24～31
¥ 500円(特別公開600円)

不退寺
ふたいじ

地図p.182-B
ウワナベ古墳から徒歩5分、一条高校前から徒歩5分

平安遷都後、平城天皇が萱御所を造営し、孫の在原業平が寺に改めた。本尊の聖観世音菩薩立像は、恋多き男として名高い業平自作の仏像で、近世までは秘仏だったという。レンギョウ、山吹、黄ショウブ、業平椿などの花の季節に訪れたい。

TEL 0742-22-5278 奈良市法蓮東垣内町517
9:00～17:00 ¥ 500円、特別展600円、業平

¥ 700円
(特別展10月1日～11月23日は600円)

般若寺
はんにゃじ

地図p.183-D
般若寺から徒歩3分

本堂や石仏、十三重石塔を彩って咲き乱れるコスモスで有名な花の寺。飛鳥時代に高句麗の僧が創建したと伝えられ、西大寺の僧・叡尊が復興。楼門は鎌倉時代の建築で国宝。コスモスは初夏咲きの5月～6月下旬と9月中旬～11月が見頃。4月下旬～のヤマブキ、6月中旬～のアジサイもみごと。

TEL 0742-22-6287 奈良市般若寺町221
9:00～17:00(最終受付16:30) ¥ 500円

食べる

平城宮跡周辺／レストラン

トキジク・キッチン
ときじくきっちん

地図p.182-E
朱雀門ひろばから徒歩1分

天平うまし館内のレストラン。ランチタイムは3種類のランチメニューからお好みの料理を選べるオリジナルのコース料理1500円が提供される。

TEL 0742-93-9015
奈良市二条大路南4-6-1
11:00～14:00
17:00～22:00(21:00LO)
※14:00～17:00はカフェ営業のみ
※ディナーコース料理は前日までに要予約
休 無休
¥ ランチコース1500円

不退寺周辺／喫茶・軽食

くるみの木
くるみのき

地図p.183-C
近鉄線新大宮駅から徒歩15分

自然光が明るいカフェ。和のテイストを取り入れた季節のランチが人気。季節の果物を使ったケーキや飲物も充実。

TEL 0742-23-8286
奈良市法蓮町567-1
平日11:00～16:00
土日祝日11:00～17:00
休 水曜・第3火曜
¥ 季節のランチ1760円

西ノ京

エリアの魅力

観光客の人気度
★★★★
町歩きの風情
★★★★
世界遺産
薬師寺、唐招提寺

標準散策時間：4時間
（薬師寺～がんこ一徹長屋～唐招提寺～垂仁天皇陵～喜光寺～西大寺）

国宝：●薬師寺／東塔・東院堂・薬師如来及両脇侍仏・観世音菩薩立像ほか ●唐招提寺／鼓楼・盧舎那仏坐像・鑑真和上坐像ほか多数

タクシーを拾いやすい場所

大和西大寺駅に常駐。

花の見頃

6月下旬～7月：ハス（唐招提寺）
6月下旬～8月上旬：ハス（喜光寺）

田園風景の中、天平の祈りを伝える世界遺産の2つの寺

名前の通り、平城京の西部に開けた西ノ京。薬師寺と唐招提寺、2つの世界遺産があり、国内だけでなく、海外からの観光客にも人気が高いエリアだ。また、都市化が進む奈良市中心部に比べ、田園地帯ののどかさが残っていて、古都奈良本来の魅力が感じられる。

このエリアへの行き方

近鉄奈良駅から大和西大寺駅へは近鉄奈良線で5～7分、近鉄橿原線に乗換えて尼ヶ辻駅まで2分、西ノ京駅まで3～6分。JR奈良駅からは東口⑥番から奈良県総合医療センター行きのバスに乗る。

目的地	出発点	おもなバス系統・列車	下車バス停・駅
薬師寺	近鉄奈良駅	近鉄奈良線、近鉄橿原線（13～27分）	西ノ京駅
	東大寺（※）	🚌78・98（26～28分）	薬師寺 薬師寺東口
唐招提寺	近鉄奈良駅⑧番	🚌63・78・98（19～22分）	唐招堤寺 唐招提寺東口
垂仁天皇陵	近鉄奈良駅	近鉄奈良線、近鉄橿原線（11～22分）	尼ヶ辻駅
喜光寺	近鉄奈良駅⑪番	🚌160・161（22分）	阪奈菅原
西大寺	近鉄奈良駅	近鉄奈良線（5～7分）	大和西大寺駅

🚌63・78：奈良県総合医療センター行き　🚌160・161：学園前駅南口行き　※：東大寺大仏殿・国立博物館
98：奈良・西の京・斑鳩回遊ライン（P.34参照）

まわる順のヒント

はじめに最大の見どころである薬師寺と唐招提寺をゆっくり拝観し、あとは時間と体力にあわせてコースを短縮してもいい。薬師寺から垂仁天皇陵の間は、じっくり風景を楽しんで歩きたい散策路。唐招提寺から垂仁天皇陵まではゆるい上りなので、自転車利用の場合は逆に回る方が楽だ。

大和西大寺駅南口の駐輪場にはレンタサイクルがある。西大寺自転車センター ☎0742-44-8388、9～19時、12/30～1/3休、1日800円。法隆寺自転車センターで乗り捨て可（別途200円必要）。

他のエリアへの向かい方

次のように、列車を利用する方法とバスを利用する方法がある。

◆奈良公園へ　列車で･･･薬師寺・唐招提寺からは、西ノ京駅で近鉄橿原線大和西大寺行きに乗車して3～6分、大和西大寺駅で奈良線奈良行き（普通・快速急行・急行）に乗り換えて5～7分の終点・近鉄奈良駅下車。近鉄奈良駅からは、各エリアのページを参照。

バスで･･･バス停の位置に注意。薬師寺と唐招提寺に近いバス停は降車専用だ。乗車バス停は秋篠川の東、幹線道路沿いにある♀唐招提寺東口、♀薬師寺東口か♀薬師寺駐車場で、奈良公園や法隆寺方面に行ける97・98系統（p.34参照）が活用できる。

唐招提寺

イベント＆祭り

1月1～3日：特別開扉／吉祥天女画像（薬師寺）
3月25～31日：花会式（薬師寺）
4月第2日曜とその前日：大茶盛式（西大寺）
5月19日：うちわまき（唐招提寺）
6月5～6日：開山忌（唐招提寺）
10月8日天武忌・万燈会（薬師寺）
10月第2日曜：大茶盛式（西大寺）

薬師寺
やくしじ

地図p.182-I、p.86-B
西ノ京駅から北口へ 🚶2分、南口へ 🚶6分

朱塗りの回廊を巡らした薬師寺は、680（天武9）年に天武天皇の発願（ほつがん）により創建された。平城遷都にともなって飛鳥から現在の場所へ移転。東塔・西塔を備えた独特の薬師寺式伽藍（がらん）だったが何度も火災に遭い、東塔以外の堂宇（どうう）をすべて焼失した。1976年に金堂、1981年に西塔を復元、2003年に大講堂が再建された。薬師三尊像など多くの国宝があり、拝観は1時間はかかる。薬師寺には2組の薬師三尊像がある。金堂の三尊像は国宝、大講堂の像は重文。寺では後者を元の名の「弥勒三尊像」と呼んでいる。

☎0742-33-6001　📍奈良市西ノ京町457
🕗8:30～17:00（入門は～16:30）
¥800円（玄奘三蔵院伽藍公開時1100円）

●東塔　とうとう

伽藍の中で唯一残った創建当時の建物で国宝。六重に思えるが、各層に「裳階（もこし）」と呼ばれる庇（ひさし）が付いた三重塔。高さ33.6m、最上部の相輪部分だけで約10m。アメリカの美術史家のフェノロサが「凍れる音楽」と評したことで名高い。2009年に解体大修理を開始し、2020年に修理完了した。

●**金堂**　こんどう

朱と緑が目に鮮やかな堂宇は、裳階をつけた華やかな龍宮造り。1976（昭和51）年、白鳳時代の姿に再建されたものだ。堂内には、本尊の薬師如来坐像と日光・月光菩薩立像を安置。薬師如来が中央に据えられ、向かって右が日光、左が月光菩薩。三体をあわせて「薬師三尊像」と呼び、いずれも白鳳彫刻の傑作で国宝。柔らかな動きのある姿態をじっくり拝観したい。また、本尊の台座も国宝。

●**西塔**　さいとう

朱塗りの麗々しい西塔は、風雨を経た東塔と鮮やかなコントラストを見せる。両塔が並び建つ風景は、まさに西ノ京のシンボル。戦国時代に兵火で焼失したが、1981（昭和56）年、創建当時の姿に復元された。

拝観は外観のみ

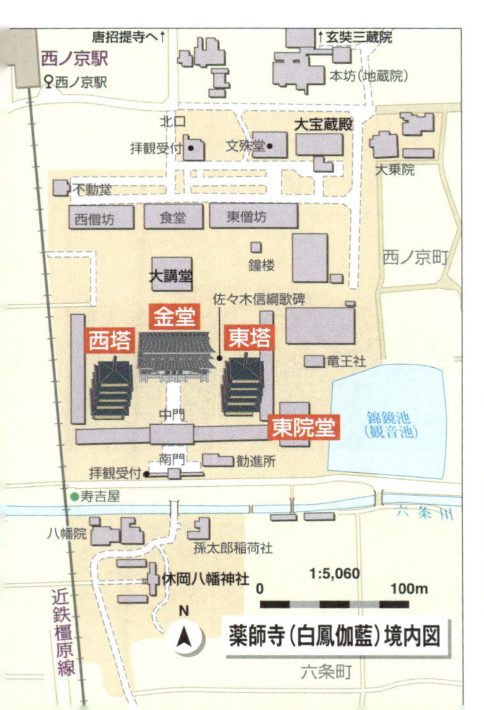

薬師寺（白鳳伽藍）境内図

●**東院堂**　とういんどう

奈良時代初期に元明天皇のために建立されたといわれ、現在の建物は鎌倉時代に禅堂として再建されたもので国宝。本尊の聖観世音菩薩立像（国宝）は、白鳳期と天平期両方の特徴を備え、さらにインドのグプタ王朝の影響も見られるという。

唐招提寺

とうしょうだいじ

地図 p.182-I、p.86-A
薬師寺北口から 10分、西ノ京駅から 8分、
唐招提寺から 1分

天平時代後期、僧が戒律を学ぶための道場として創建された名刹で、世界文化遺産。建物は天平らしい大らかさを色濃く残している。広々とした境内には、国宝の金堂や講堂をはじめ、インド風の戒壇や校倉造りの経蔵など、さまざまな建造物が点在している。開祖の鑑真が唐から苦難に耐えて渡来した経緯は、井上靖の小説『天平の甍』で広く知られている。

0742-33-7900
奈良市五条町13-46
8:30～17:00（最終受付16:30）　¥1000円

てくナビ／薬師寺北口から唐招提寺への道は、前半は松並木と土塀が美しい。後半は、伝統的な民家や築地塀に風情があり、沿道に古美術店が何軒かあるのも趣を増している。

唐招提寺講堂

●金堂　こんどう

天平時代を代表する端正な建築で、国宝。ゆるやかな屋根や、正面のエンタシスの柱が特徴的。高さ3mを超す本尊・盧遮那(るしゃな)仏坐像をはじめ、国宝の仏像が並ぶ堂内も厳かな雰囲気。

●講堂　こうどう

創建時に、平城宮の東朝集殿を移築したもの。現存する唯一の天平宮殿建築で、国宝。

●経蔵・宝蔵　きょうぞう・ほうぞう

礼堂の東に並ぶ2棟の校倉造りの建物。南が経蔵、北が宝蔵だ。経蔵は唐招提寺創建以前に建てられたものを移築。日本最古の校倉建築といわれている。ともに国宝。

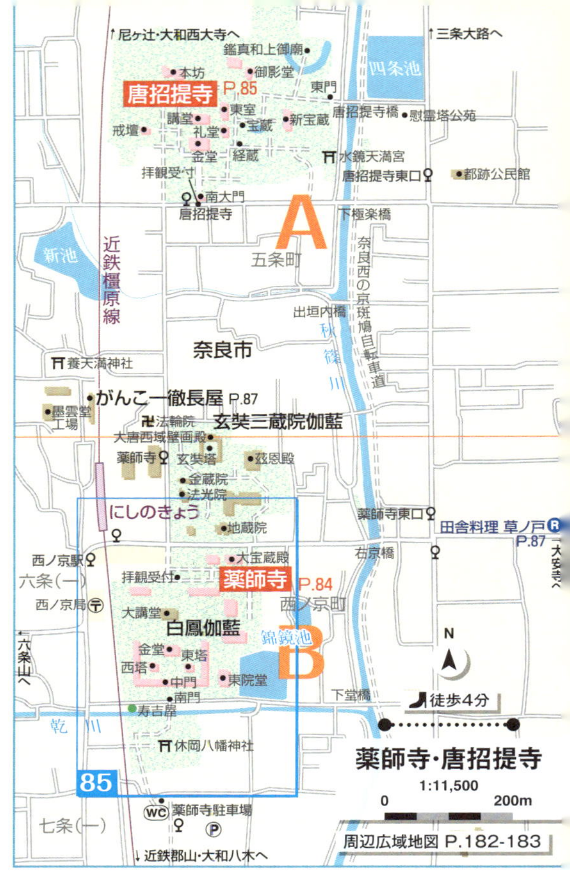

垂仁天皇陵（宝来山古墳）

すいにんてんのうりょう（ほうらいざんこふん）

地図p.182-E
唐招提寺から20分、尼ヶ辻駅から10分

満々と水をたたえた堀に囲まれた前方後円墳は、一帯を見渡す高台にあり、周囲の田畑にとけ込んで美しい風景を形作っている。4世紀後半、古墳時代前期のものとされる。全長約227m、後円部径約123mで、濠の東南に樹木が繁った小島がある。

外部のみ見学自由

てくナビ／唐招提寺南大門から西へ向かい、線路を渡って右手の線路沿いの道を歩く。小さな石の道標「歴史の道」が目印。高台の田園地帯を抜ける爽快な小道だ。

西大寺
さいだいじ

地図 p.182-E
大和西大寺駅から 3分、喜光寺から 15分

称徳天皇の勅願で奈良時代後期に創建され、一時は東大寺と並ぶ大寺院として栄えた。しかし何度も火災に遭って大伽藍を焼失。本堂前に残る、東塔の巨大な基壇だけが往時の壮大さを物語っている。現在の本堂、四王堂などは江戸時代中期の再建。本堂内は、燈籠の淡い光に照らされた内陣に、本尊の釈迦如来立像などを安置。四王堂の十一面観音立像と四天王立像も見どころの1つ。4月の第2日曜とその前日、10月の第2日曜に行われる、巨大な抹茶茶碗を使っての茶会・大茶盛式でもよく知られている。

0742-45-4700 奈良市西大寺芝町1-1-5
8:30～16:30（聚宝館9:00～）
¥ 本堂400円、四王堂300円、愛染堂300円、聚宝館（1/15～2/4、4/20～5/31、10/25～11/15の開館）300円、共通券1000円

喜光寺
きこうじ

地図 p.182-E
垂仁天皇陵から 15分、阪奈菅原から 1分

奈良時代初期、行基によって開かれた。境内にぽつんと建つ本堂には、東大寺金堂のモデルになったという伝承がある。

0742-45-4630 奈良市菅原町508
9:00～16:30（最終受付16:00、7月土・日曜、祝日のハスの開花時は7:00～） ¥ 500円

TEKU TEKU COLUMN

がんこ一徹長屋
がんこいってつながや

地図 p.86-A
西ノ京駅から 3分

奈良の伝統工芸である奈良人形一刀彫り、赤膚焼、茶筅など7つの工房で、職人技の見学や、作品を購入できる。

0742-41-7011 奈良市西ノ京町215-1
10:00～17:00（最終入場16:30） 休 月曜（休日の場合は翌日）、8/1～31、12/29～1/5

薬師寺周辺／和食

平宗別館 倭膳たまゆら
ひらそうべっかん わぜんたまゆら

地図 p.182-I
西ノ京駅から 15分

柿の葉ずしの老舗平宗が手がける日本料理店。旬の素材で手作りした繊細な滋味あふれる料理でもてなす。大和の郷土料理「八重桜」は観光客に人気。限定ランチもある。

0742-35-2300
奈良市七条東町4-25
11:30～15:00（14:30LO）、17:30～21:30（21:00LO）（夜は予約制） 休 月曜（休日の場合は翌日） ¥ 八重桜3780円

薬師寺西塔

柳生

エリアの魅力

観光客の人気度
★★

町歩きの風情
★★★

標準散策時間：2時間30分（旧柳生藩家老屋敷～旧柳生藩陣屋跡～芳徳禅寺～一刀石）

国宝：●円成寺／大日如来坐像・春日堂・白山堂

柳生一族に思いをはせて野趣豊かな剣豪の里

小説やテレビでおなじみの剣豪・柳生十兵衛の故郷。戦国時代末期に柳生新陰流（しんかげりゅう）を創始した柳生家は、但馬守宗矩（たじまのかみむねのり）の時代、徳川家の兵法指南役から一気に1万石の大名にまでのぼりつめた。緑豊かな自然の中、柳生家の墓所がある芳徳禅寺や旧柳生藩家老屋敷、一刀石など、柳生家ゆかりの見どころが点在する。

まわる順のヒント

柳生の里だけでも半日はかかる。主な見どころはいずれも、起点の♀柳生から👟30分以内。柳生街道の滝坂道をハイキングして、円成寺を拝観した後、バスで柳生の里へ向かうと1日コース。

行き方・帰り方のアドバイス

日中に運行するバスは4～6本程度なので事前に調べておこう。春・秋とショウブの花期は土・日曜、祝日に臨時バスがある。円成寺・柳生一帯はバスの自由乗降区間。

問い合わせ先

柳生観光協会
☎0742-94-0002

花の見頃

5月下旬～7月上旬：ハナショウブ・アジサイ（柳生花しょうぶ園）

HINT

このエリアへの行き方

目的地	出発点	おもなバス系統	下車バス停
柳生	近鉄奈良駅④番	🚌94・100・102（40～48分）	♀柳生
	♀忍辱山（にんにくせん）（円成寺）	🚌94・100・102（13～21分）	♀柳生
円成寺	近鉄奈良駅④番	🚌94・100・102（27分）	♀忍辱山

🚌94：石打行き　🚌100：柳生行き　🚌102：邑地中村行き
※♀柳生地区は自由乗降バス停が多い。バス停に立っていれば停まってくれる

旧柳生藩家老屋敷

きゅうやぎゅうはんかろうやしき

地図 p.89
柳生から 5分

柳生藩の国家老を務めた小山田主鈴の屋敷で、豪壮な石垣が目を引く。母屋は江戸時代後期の姿をとどめている。後年、作家の故山岡荘八が所有し、ここで柳生宗矩を主人公とした小説の構想を練った。現在は彼や柳生藩の資料展示のほか、柳生観光協会を兼ねていて、地図やパンフレットが手に入る。

0742-94-0002　奈良市柳生町155-1
9:00～17:00（入場は～16:30）
休 12/27～1/4　¥ 350円

芳徳禅寺

ほうとくぜんじ

地図 p.89
花しょうぶ園から 15分、柳生から 15分

柳生但馬守宗矩が創建した柳生家の菩提寺。柳生の里を見下ろす高台に位置し、すぐ下にある重厚な建物は、柳生十兵衛ゆかりの正木坂道場。本堂前を左へ行くと、柳生一族の墓所がある。84基の墓石が並び、中央奥が柳生宗矩、その右手前「三厳」が十兵衛の墓。歴史的剣豪を偲ぶには見逃せない場所。

0742-94-0204　奈良市柳生下町445
9:00～17:00（11～3月は～16:00）　¥ 200円

柳生花しょうぶ園

やぎゅうはなしょうぶえん

地図 p.89
旧柳生藩家老屋敷から 8分、柳生から 10分

460種80万本のショウブが、広大な敷地に咲き揃う光景は圧巻。ショウブの紫が山の緑に映え、カメラマンにも人気。例年5月下旬から7月上旬くらいの開園。

0742-94-0858（開園中）、090-8379-6537（通年）　奈良市柳生町403　9:00～16:00
休 開園中は無休　¥ 650円

一刀石

いっとうせき

地図 p.89
芳徳禅寺から 15分、柳生から 30分

薄暗い木立の中、巨岩をご神体とする天之石立神社は神秘的な雰囲気が漂う。その横を通り抜けた奥に、まっぷたつに割れた丸い岩がある。柳生新陰流の創始者・柳生石舟斎宗厳が修行中、天狗との試合で岩を一刀両断にしたという伝説が残っている。

円成寺
えんじょうじ

地図 p.180-C
忍辱山から 1分

藤原時代の浄土式庭園をめぐらし、檜皮葺の楼門を構えた優美な古刹。本堂は寝殿造で、高御座型大形厨子に本尊の阿弥陀如来坐像を安置している。四本柱に描かれた聖衆来迎二十五菩薩は、阿弥陀堂の往時の姿を今に伝える華麗なもの。本堂の右に、国宝の鎮守社春日堂と白山堂があり、多宝塔内には運慶作の大日如来坐像(国宝)を安置している。

0742-93-0353 奈良市忍辱山町1273
9:00～17:00 400円

TEKU TEKU COLUMN

柳生街道
やぎゅうかいどう

地図 p.89

奈良から春日山中を抜け、柳生の里へと通じる旧街道。奈良市街の破石町(地図p.183-H)から徒歩約25分で、滝坂道と呼ばれる石畳の山道になる。秋の紅葉の時期は特に風情があって美しい。街道周辺には夕日観音、地獄谷石窟仏、春日山石窟仏など多数の石仏が点在し、変化に富んだハイキングが楽しめる。

破石町から円成寺まで約9kmで約3時間、円成寺から柳生まで約6kmで約2時間。休憩や食事のとれる場所は峠の茶屋などで、数は少ない。

買う & 食べる

柳生／茶粥

柳生茶屋
やぎゅうぢゃや

地図 p.89
柳生から 8分

高齢のためいったん廃業した名物茶屋が、地域おこしの要として復活。外観はそのままだが内部はモダンに明るく変身。メニューも増えた。

090-3925-3052 奈良市柳生町359-3 10:00～16:00 食事は土～月曜のみ(ほかの日は5名から予約可能)
昼食予算1000円～

柳生／食堂

十兵衛食堂
じゅうべいしょくどう

地図 p.89
柳生から すぐ

とろろ定食・山菜定食各1100円、冬場はボタン鍋が1人前1760円。バス停が目の前なので、待ち時間に一服するのもいい。おみやげも販売。

0742-94-0500
奈良市柳生町83-3
9:00～16:00頃
月曜(祝日の場合は翌日)
十兵衛うどん600円

柳生／柳生焼

柳生焼窯元 井倉柳生堂
やぎゅうやきかまもと いくらやぎゅうどう

地図 p.89
柳生東から 1分

柳生藩の御庭焼だった柳生焼を再興。柳生の土と、柳生の植物灰の釉薬を使った焼物だ。柳生焼体験では手捻りで制作して、焼きあがった器は後日配送してもらえる。3日前までに予約が必要。

0742-94-0039、0154(17:00以降) 奈良市柳生下町246 10:00～17:00
不定休
柳生焼体験3000円

斑鳩
大和郡山
矢田

エリアをつかむヒント・特別編

斑鳩・大和郡山・矢田エリア

●どんな場所?・・・大和盆地の北部、西側に丘陵地帯を望む位置にある。斑鳩や大和郡山は盆地内の平坦な土地だが、矢田は丘陵に接し、矢田寺はその中腹にある。

●自然や風景は?・・・奈良市から比較的近く、大阪のベッドタウンとしての開発も進むなか、自然は比較的よく残されている。

法隆寺周辺ののどかな田園風景の中を歩いたり、矢田丘陵から眼下に広がる大和盆地を眺めるといった楽しみがある。

大和郡山はやや都会化されていて、古い町並みにありがちな細い道が多いわりには車の往来が激しい。

●歴史は?・・・斑鳩は飛鳥時代に聖徳太子により斑鳩宮が造営され、国内の政治・文化の中心地として栄えた。外国との交流も盛んで仏教文化が花開き、数々の寺やそこに安置されている仏像などにその名残が見られる。大和郡山は安土桃山時代から江戸時代にかけて筒井氏、豊臣氏、柳沢氏といった大名らが居城とし、この地方の政治・文化の中心的役割を担っていた。

●見る歩くポイントは?・・・このエリアでは法隆寺が別格。ほかに郡山城跡や矢田寺も見ておきたい。花の季節に訪れる人が多く、郡山城跡の桜、矢田寺のアジサイは有名。

A斑鳩

聖徳太子ゆかりの法隆寺、中宮寺、法起寺、法輪寺。西里も歩きたい。

B大和郡山

奈良では珍しく城下町の風情が残る。金魚でも有名で、金魚の資料館もある。

C矢田

矢田丘陵にある矢田寺、松尾寺で知られる。矢田寺はアジサイの名所。

POINT

このエリアへの行き方

このエリアへの最寄り駅はJR大和路線(関西本線)と近鉄橿原線の路線上にある(各最寄り駅については各エリアガイドの先頭ページを参照)。おもな最寄り駅への行き方は以下のとおり。

京都から…郡山・法隆寺へはJRみやこ路線(奈良線)快速で43〜53分の奈良駅でJR大和路線(関西本線)に乗り換え、郡山駅まで5〜6分、法隆寺駅まで11〜12分。近鉄郡山駅は近鉄京都線・橿原線急行で43〜53分。 **奈良から**…郡山駅・法隆寺駅へは京都駅からと同様。近鉄郡山駅は近鉄奈良線で5〜7分の大和西大寺駅で近鉄橿原線に乗り換え、5〜8分。 **大阪から**…法隆寺駅・郡山駅へは天王寺駅から大和路線(関西本線)快速で、法隆寺駅まで22〜27分、郡山駅まで28〜33分。

観光の問い合わせ先

法隆寺iセンター(斑鳩町観光協会)
☎0745-74-6800
大和郡山市観光協会
☎0743-52-2010

回り方のヒント

このエリアの観光には最低でも1泊2日、できれば2泊3日は欲しいところ。1泊2日の場合、斑鳩一帯の観光に1日あてるとして、残り1日で大和郡山と矢田の見どころをすべて回るのはちょっと厳しいかもしれない。矢田丘陵に点在する寺々へのバスが少ないため、乗り継ぎや待つだけでもかなり時間をとられるからだ。

矢田寺のアジサイ

宿泊のヒント

斑鳩は見どころが多い土地のわりには宿泊施設が少ない。大和郡山にはビジネスホテル、矢田には宿坊などがあるが、いずれも収容能力は大きくない。奈良市内から比較的近いので、そちらに宿をとるほうが選択肢は広がるだろう。

法隆寺の土塀

斑鳩

エリアの魅力

観光客の人気度
★★★★★
町歩きの風情
★★★
世界遺産
法隆寺、法起寺

標準散策時間：4時間
（法隆寺〜中宮寺〜法輪寺〜法起寺）

国宝：●法隆寺／建造物19棟、百済観音、救世観音、玉虫厨子ほか多数 ●中宮寺／菩薩半跏思惟像など ●法起寺／三重塔

のどかな田園に堂塔が点在する聖徳太子ゆかりの地

今なお太子信仰が息づく斑鳩の里は、飛鳥時代の遺構や国宝に出会うことのできる、仏教美術の宝庫。また、多くの観光客で賑わう法隆寺の寺域を一歩離れれば、そこには静かな里山の風景が広がっている。春はレンゲに菜の花、秋はコスモスやススキが波打つ野辺の道を、法輪寺、法起寺へと辿るのが斑鳩歩きのメインコース。

行き方・帰り方のアドバイス

奈良市内から：道路混雑が予想されるときは、近鉄橿原線筒井駅から63・92系統王寺駅行きバスで♀法隆寺前まで所要12分。

HINT

このエリアへの行き方

目的地	出発点	おもなバス系統・列車	下車バス停・駅
法隆寺・西里	JR奈良駅	JR関西本線(大和路線)(11～12分)	JR法隆寺駅
	♀法隆寺駅	72（8分）	♀法隆寺参道
	♀近鉄奈良駅⑧番	98（62～66分）	♀法隆寺前
	♀春日大社本殿	98（69～73分）	♀法隆寺前
	♀近鉄郡山駅	98（24～30分）	♀法隆寺前
藤ノ木古墳	♀法隆寺前	62・63・92（1分）	♀斑鳩町役場
中宮寺	♀法隆寺駅	72（4分）	♀中宮寺前
	♀近鉄郡山駅	50・98（17～21分）	♀中宮寺東口
法輪寺・法起寺	♀法隆寺前	97（4分）	♀法起寺前
	♀近鉄郡山駅	98（15～19分）	♀法起寺前
慈光院	JR法隆寺駅	JR大和路線(関西本線)(2～3分)	JR大和小泉駅
	♀法隆寺前	97・50(※1)(7分)	♀片桐西小学校

72：法隆寺門前行き　50、98：法隆寺前行き　62・63：王寺駅行き　97：春日大社本殿行き
97・98＝奈良・西の京・斑鳩回遊ライン（p.34参照）

はじめの一歩

JR法隆寺駅構内に観光情報が得られる所はなく、バスで法隆寺へ直行するのが一般的。弁当類を調達したければ、「いざない大路」通り沿いにあるコンビニやスーパーで購入できる。

●荷物を預けたいときは　JR法隆寺駅と法隆寺バスセンター（♀法隆寺前）にコインロッカー（300円～）が設置されている。また寺院の拝観時間内なら、法隆寺参道の飲食店の手荷物一時預かり（1個200円～）を利用できる。

●観光情報を手に入れるには　法隆寺参道入口にある「法隆寺iセンター」（斑鳩町観光協会）が窓口。観光地図、宿泊施設の紹介などのほか、レンタサイクル（1時間200円、9:00～16:00）もある。☎0745-74-6800。斑鳩町法隆寺1-8-25。8:30～18:00、無休。

レンタサイクル

法隆寺iセンター☎0745-74-6800でレンタル可能。

タクシーを拾いやすい場所

JR法隆寺駅前、法隆寺門前に待機。呼ぶ場合は奈良近鉄タクシー☎0745-44-3009へ。

イベント&祭り

3月22日～24日法隆寺のお会式（p.176参照）
中秋：観月茶会（慈光院）

まわる順のヒント

◆斑鳩三塔プラス中宮寺を回る

法隆寺西院－（👟2分）→法隆寺東院－（👟1分）→中宮寺－（👟15分）→法輪寺－（👟10分）→法起寺。標準所要時間：4時間

法隆寺から中宮寺へ回り、東里の家並みを抜けると周囲は田園風景に変わる。案内板を目印に片野池に出たら、北に法輪寺の三重塔、さらに進めば、法起寺の三重塔が目に入る。

◆おもなポイントを巡る

♀法隆寺参道－（👟8分）→藤ノ木古墳－（👟3分）→西里－（👟7分）→法隆寺西院－（👟2分）→法隆寺東院－（👟1分）→中宮寺－

（15分）→法輪寺－（10分）→法起寺－（25分）→慈光院。

標準所要時間：6時間

法起寺～慈光院間はバスもあるが、運行は日中1時間1本。

他のエリアへの向かい方

奈良市内方面へ向かうには、法隆寺駅からJR大和路線（関西本線）か、♀法隆寺前から奈良交通バスを利用する。大和郡山・矢田方面へ向かうには、♀法隆寺前から奈良交通バスで近鉄郡山駅へ。また大和郡山へは、法隆寺駅からJR大和路線でJR郡山駅へ行く方法もある。橿原・飛鳥方面へは、♀法隆寺前からバスで近鉄郡山駅または筒井駅へ行き、近鉄橿原線を。

法隆寺界隈の町並み

秘仏公開

法隆寺夢殿の秘仏（p.6・7参照）

花の見頃

3月中旬～4月上旬：シダレザクラ（法隆寺夢殿）
4月中旬～5月中旬：ヤマブキ（中宮寺）
5月中旬：サツキ（慈光院）
9月下旬～10月中旬：コスモス（法起寺周辺）

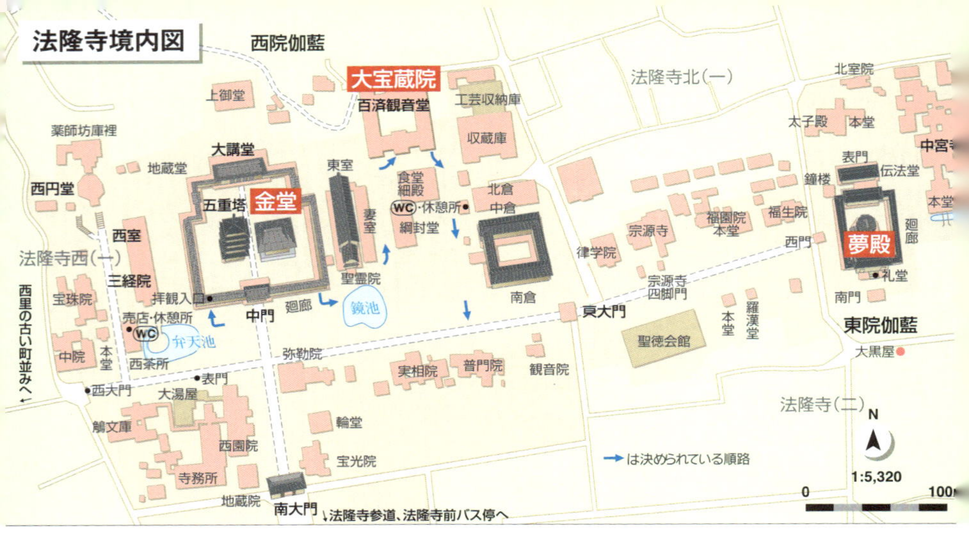

法隆寺

ほうりゅうじ

地図 p.94-A
JR法隆寺駅から👟20分、法隆寺前から👟5分、法隆寺参道から👟1分

7世紀初頭、聖徳太子と推古天皇が創建した寺。別名を斑鳩寺といい、現在の建物は8世紀初めに再建されたもの。約18万7000㎡の寺域に50余棟の建物があり、五重塔や金堂など主要伽藍が建ち並ぶ「西院」、夢殿がある「東院」とに大きく分かれている。これらの木造建造物は1993(平成5)年、わが国初の世界文化遺産として登録。所蔵する寺宝も2300余点におよぶ。

広い境内なので、実際に歩くにあたっては順番を考えておきたい。法隆寺の総門にあたる南大門をくぐると、石畳の参道の正面に閉め切った中門。西院伽藍の入口はこれに続く廻廊の西端にあるが、先に西円堂へ立ち寄ることにしよう。西院伽藍の北西、小高い丘に建つ八角造の国宝で、ここからの眺めが素晴らしい。

西院は拝観入口でチケットを買い、五重塔、金堂、大講堂などを見学した後、廻廊の東端から出て大宝蔵院・百済観音堂へと回る。夢殿のある東院伽藍は東大門をくぐった先、土塀づたいに参道を歩いた正面だ。

0745-75-2555
斑鳩町法隆寺山内1-1
8:00～17:00
(11月4日～2月21日は～16:30)
1500円(西院伽藍・大宝蔵院・東院伽藍共通)

法隆寺西院　ほうりゅうじさいいん

●南大門　なんだいもん

法隆寺の玄関となる国宝の八脚門で、室町時代の1438(永享10)年に再建されたもの。屋根は入母屋造本瓦葺き。

●中門・廻廊　ちゅうもん・かいろう

重厚な扉の左右に金剛力士像(奈良時代)

が立つ中門は、間口4間、奥行き3間の重層入母屋造の楼門。わずかに反りのある屋根、軒隅の雲肘木、卍崩しの勾欄など、飛鳥建築の粋を集めた貴重な遺構だ。一方、中門から大講堂に達する廻廊は、エンタシスの柱と連子窓の対比が美しい建物。ともに国宝に指定されている。

●**金堂　こんどう**

法隆寺の本尊を安置している聖なる殿堂。堂内にある須弥壇の中央には、聖徳太子の冥福を祈るために止利仏師の手によって造られた釈迦三尊像（国宝）があり、東側に薬師如来坐像（国宝）、西側に阿弥陀三尊像（重文）が鎮座している。また、有名な壁画は1949（昭和24）年に焼損したが、今はその模写が壁面を飾っている。

●**五重塔　ごじゅうのとう**

高さは約31.5m。わが国に現存する最古の五重塔で、国宝に指定されている。ゆるやかな勾配を描く優美な屋根が、独特の安定感を感じさせる姿だ。初層内陣の四方に安置されている塔本四綿具（国宝）は、仏典の有名な場面を表現した塑像群。特に北面の釈迦入滅の場を表現した群像は有名で、悲痛に歪むリアルな表情の描写から「泣き仏」ともいわれる。

●**大講堂　だいこうどう**

寺内では、五重塔、金堂についで重要な建物であり、国宝に指定されている。経典の講義や法要を行う施設として建立されたもので、現在の建物は平安後期の990（正暦元）年に再建された。本尊の薬師三尊像（国宝）や四天王像も、再建当時のものだ。

●**大宝蔵院・百済観音堂**
だいほうぞういん・くだらかんのんどう

法隆寺の数々の宝物を収めた宝物館。中央に百済観音堂、その左右に西宝蔵と東宝蔵が建ち、寺宝の大半がここに収蔵されている。必見は百済観音（国宝）、夢違観音（国宝）、玉虫厨子（国宝）など。壁画・飛天図（重文）も見逃せない。

●**西円堂　さいえんどう**

西院伽藍北西の小高い場所にある八角造りの西円堂（国宝）。現在の建物は鎌倉時代の再建。本尊の薬師如来座像（国宝）はわが国最大級の乾漆像として知られ、峯の薬師とも呼ばれ慕われている。東側の鐘楼は時を知らせる鐘で8時、10時、12時、14時、16時にその数だけ撞く。

夢殿(↑)と、東大門から夢殿への道

法隆寺東院　ほうりゅうじとういん

法隆寺西2-1795　見学自由

●夢殿　ゆめどの

聖徳太子が飛鳥から移り住んだ斑鳩宮跡に、739(天平11)年、行信僧都(ぎょうしんそうず)が太子を偲んで建てた伽藍が上宮王院(じょうぐうおういん)。夢殿はその中心となる優美な八角円堂だ。太子が寝ているとき夢に菩薩があらわれ、経典に関する疑問に答えたという逸話があり、太子の居室に似せて建てられたことから、「夢殿」の名が付いた。屋根を飾る宝珠(ほうしゅ)・露盤(ろばん)は天平時代のものが残っている。本尊の救世(ぐぜ)観音(国宝)は太子の等身像と伝えられる秘仏で、春と秋の年2回開帳される(p.6・7参照)。

西里

にしさと

地図p.94-A
法隆寺参道から2分

法隆寺を中心とする、宮大工集団の本拠地として発展した集落。長屋門のある民家や低い築地塀が連なり、昔ながらの風情を残している。

0745-74-6800(斑鳩町観光協会)
見学自由

藤ノ木古墳

ふじのきこふん

地図p.94-B
法隆寺南大門から6分、法隆寺参道から6分、斑鳩町役場から5分

直径48m、高さ9mの円墳。6世紀末のものと推定され、朱塗りの家型石棺と豪華な冠や剣、精巧な馬具などが出土した。だが、棺に納められた2体の被葬者が誰なのかは未だ不明。石室入口のガラス窓から石室内が見える。

中宮寺

ちゅうぐうじ

地図p.94-A
法隆寺東院から1分、中宮寺前から5分、中宮寺東口から8分

聖徳太子創建七カ寺の1つで、太子が母君・穴穂部間人皇女の冥福を祈り、その御所(中宮)を寺にしたと伝わる。当初は現在地より500mほど東にあった。本尊の菩薩半跏(はんか)像(伝如意輪観音)は神秘的なアルカイック・スマイルで有名な国宝だ。

0745-75-2106　斑鳩町法隆寺北1-1-2
9:00～16:30（10月1日～3月20日は～16:00）、最終受付はともに15分前
600円

8:00～17:00（12～2月は～16:30）　500円

てくナビ／寺の手前、県道の脇に東屋風の建物があり、休憩やお弁当を食べるのに便利。

法輪寺
ほうりんじ

地図p.94-A
中宮寺から15分、法起寺前から10分

聖徳太子の病気平癒を祈願して622（推古30）年、子の山背大兄王が創建したと伝わる古刹。法隆寺、法起寺とともに斑鳩三塔の1つに数えられる三重塔は、1975（昭和50）年に作家・幸田文さんらの尽力で再建されたもの。講堂内には薬師如来、十一面観音菩薩など、飛鳥から平安時代にかけての仏像（重文）が安置されている。

0745-75-2686　斑鳩町三井1570

法起寺
ほうきじ／ほっきじ

地図p.94-A
法輪寺から10分、法起寺前から1分

606（推古14）年、聖徳太子が法華経を講説したという岡本宮を寺に改めたものと伝わる、太子建立七カ寺の1つ。田園の中に建つ日本最古の三重塔（国宝）は1993（平成5）年、法隆寺の伽藍建築とともに世界遺産に登録された。レンゲやコスモスの花に彩られる季節は、凛としたその姿がいっそう際立つ。

0745-75-5559　斑鳩町岡本1873
8:30～17:00
（11月上旬～2月中旬は～16:30）
300円

TEKU TEKU COLUMN

ちょっと足をのばして

慈光院 ●じこういん

地図p.95-A　片桐西小学校から8分、JR大和小泉駅から18分

1663（寛文3）年、石州流茶道の祖として名高い大和河内の大名・片桐貞昌が父の菩提寺として創建。寺としてよりも茶人好みの書院や茶室が有名で、抹茶を一服しながら眺める枯山水庭園は大和盆地を借景にサツキの大刈り込みを配した名勝だ。慈恩そば、夏場は石州めん（各1000円）も食べられる。精進料理は要予約（コロナウイルス感染症のため暫時提供中止）。

名物の石州めん

別名「わびの寺」

0743-53-3004
大和郡山市小泉町865　9:00～17:00（食事は11:30～14:00）　休 開山忌をはさむ3日間、年末年始
1000円（抹茶付き）

素通しの座敷から庭園を眺める

買う＆食べる

法隆寺周辺／喫茶

陌
はく

地図 p.94-B
斑鳩町役場から 1分

法隆寺から10分ほど歩いた斑鳩小学校の前。女性オーナーの林田さんが手作りでもてなす温もりのある和風喫茶だ。一番人気は、季節の和菓子が２個付く抹茶のセット。茶筅を使って自分で抹茶をたてるのも楽しい。

0745-74-2697
斑鳩町法隆寺南1-12-12
11:00～16:00
休 土曜、祝日

季節の和菓子や抹茶のセットが人気

法隆寺周辺／食事処

平宗 法隆寺店
ひらそう ほうりゅうじてん

地図 p.94-B
法隆寺前から 2分

柿の葉ずしの平宗が法隆寺参道に構える店。売店と食事処があり、喫茶の利用もできる。通年食べられるかき氷が人気で、奈良県産の素材を使った柿氷、大和緑茶氷、蜂蜜柚檸檬氷に加えて、季節限定のかき氷もある。

0745-75-1110 斑鳩町法隆寺1-8-40 9:00～17:00（食事11:00～16:00LO）
休 無休 ¥ 柿氷1000円

法隆寺周辺／食事処

志むら
しむら

地図 p.94-B
法隆寺参道から 2分

アサリのだしで仕上げたオリジナルの塩うどんや、梅うどん700円などが人気の店。メニューは豊富にあり地元の運転手さんも通う。自家製の生しぼりジンジャエールや、わらびもち各600円で一服もいい。

0745-75-3202
斑鳩町法隆寺1-5-30
10:00～17:00
休 無休
¥ 塩うどん800円

法隆寺周辺／食事処

北小路
きたこみち

地図 p.94-A
中宮寺前から 8分

法隆寺夢殿から閑静な住宅街を抜けたところにある民芸調の店。自家栽培の野菜や、4月下旬には女将が朝掘りしたタケノコなど、素朴な旬の味覚を手頃に味わえるとあって常連客も多い。人気の小路定

北小路のおふくろの味、小路定食

食は、37年前から変わらぬ値段。

☎ 0745-75-4060
📍 斑鳩町法隆寺北2-6-2
🕐 11:30～16:00 休 不定
¥ 小路定食650円

法隆寺駅周辺／カフェ

カフェシュクラ

かふぇしゅくら

地図 p.94-B
法隆寺駅から 徒歩1分

JR法隆寺駅南口前のスタイリッシュなカフェ。エスプレッソの最高峰といわれるイタリア・イリー社の豆を使うなど、随所にこだわりがある。コーヒー300円～。紅茶はドイツのロンネフェルトをポットサービス（500円～）。フードメニューでは、イタリア産生ハムを使ったパニーノ、黒毛和牛100%の手作りハンバーグが人気、ともに飲物・デザート付き。各種ケーキも充実。

☎ 0745-75-3837
📍 斑鳩町阿波3-1-30 1F
🕐 11:00～18:00
休 不定休
¥ ランチプレート1200円

法隆寺周辺／和菓子

御菓子司 田鶴屋

おかしつかさ たづるや

地図 p.94-B
法起寺前から 徒歩8分

斑鳩の里をイメージした銘菓「斑鳩の郷山吹」で知られる和菓子の店。「斑鳩の郷山吹」は黄身餡入りの饅頭で、甘さ控えめで上品な味わい。12～4月なら地の新鮮なイチゴを使ったいちご大福180円を味わいたい。

☎ 0745-74-5256
📍 斑鳩町興留2-6-46
🕐 10:00～19:00 休 月曜（祝日の場合は翌日）
¥ 斑鳩の郷山吹160円

斑鳩

大和郡山

エリアの魅力

観光客の人気度
★★
町歩きの風情
★★★

標準散策時間：3時間
（薬園八幡神社～箱本館「紺屋」～春岳院～郡山城跡～郡山金魚資料館）

行き方・帰り方のアドバイス

奈良市内を拠点とする場合、乗り換えがない分、近鉄線よりJR線の利用が便利。

イベント＆祭り

3月下旬～4月上旬（サクラの開花時期）：お城まつり（郡山城跡）
お城まつり期間中：白狐渡御（源九郎稲荷神社）：金魚品評会（本丸跡）
8月第3土・日曜：全国金魚すくい選手権大会（大和郡山市総合公園）

花の見頃

3月下旬～4月上旬：サクラ（郡山城跡）

城下町の風情が色濃く残る日本屈指の金魚の郷

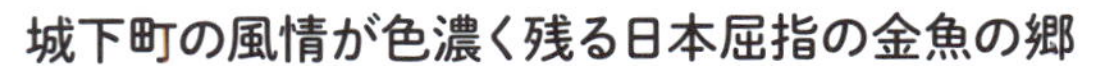

奈良盆地の北部、矢田丘陵の東に位置する大和郡山は、戦国時代に筒井順慶(じゅんけい)が郡山城を築いて以来、豊臣秀長や江戸時代に柳沢吉里が居城して栄えた城下町。全国有数の金魚の生産地としても有名。

まわる順のヒント

JR郡山駅～近鉄郡山駅間は徒歩15分余り。郡山金魚資料館からの帰路は近鉄郡山駅のほうが効率的で、池辺の踏切を渡って線路脇の道を北へ行けば約10分。

他のエリアへの向かい方

奈良市内・斑鳩方面へ向かうにはJR郡山駅を、飛鳥・橿原方面へ向かうには近鉄郡山駅を利用する。

このエリアへの行き方

目的地	出発点	おもなバス系統・列車	下車バス停・駅
薬園八幡神社	JR法隆寺駅	JR大和路線(関西本線)(6～7分)	JR郡山駅
箱本館「紺屋」、郡山城跡、春岳院、郡山金魚資料館	法隆寺前	バス50・97（23～28分）	近鉄郡山駅
	近鉄奈良駅	大和西大寺乗換え近鉄橿原線(14～28分)	近鉄郡山駅

バス97：春日大社本殿行き（p.34参照）　バス50：近鉄郡山駅行き

見る & 歩く

郡山城跡
こおりやまじょうせき

地図 p.95-B
近鉄郡山駅から 徒歩7分

1580（天正8）年に筒井順慶が築城。豊臣秀長が城主となった。江戸時代に柳沢吉里が入り、柳沢藩の居城に。歴史資料を展示する柳沢文庫もある。

☎ 0743-52-2010　📍 大和郡山市城内町2-18
🕒 天守台7:00～19:00（10～3月は～17:00）
柳沢文庫9:00～最終入館16:30
休 天守台無休、柳沢文庫月曜・第4火曜（祝日の場合は開館）　¥ 柳沢文庫300円

薬園八幡神社
やくおんはちまんじんじゃ

地図 p.95-B
JR郡山駅から 徒歩5分、近鉄郡山駅から 徒歩10分

平城京の南に創建された古社で、室町後期に郡山へ。現在の社殿は桃山時代の再建で、随所に華麗な装飾が残る。

☎ 0743-53-1355　📍 大和郡山市材木町32
🕒 境内自由

箱本館「紺屋」
はこもとかん「こんや」

地図 p.95-B
近鉄郡山駅から 徒歩5分、JR郡山駅から 徒歩10分

江戸時代から紺屋を営んでいた商家を改修。藍染め道具や美術工芸品などを展示する。

☎ 0743-58-5531　📍 大和郡山市紺屋町19-1
🕒 9:00～17:00　休 月曜（休日の場合は翌平日）、祝日の翌平日、年末年始　¥ 無料

春岳院
しゅんがくいん

地図 p.95-B
近鉄郡山駅から 徒歩10分

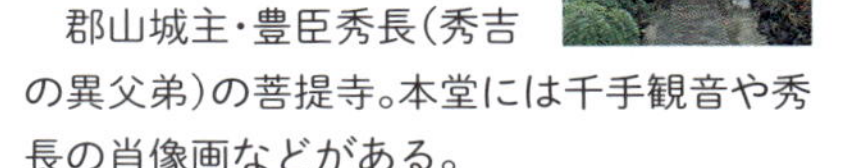

郡山城主・豊臣秀長（秀吉の異父弟）の菩提寺。本堂には千手観音や秀長の肖像画などがある。

☎ 0743-53-3033　📍 大和郡山市新中町2　🕒 10:00～16:30　境内自由、拝観は志納（要事前連絡）

郡山金魚資料館
こおりやまきんぎょしりょうかん

地図 p.95-B
近鉄郡山駅から 徒歩10分

金魚関連の資料や、頂天眼（ちょうてんがん）や丹頂（たんちょう）などの金魚を展示。

☎ 0743-52-3418
📍 大和郡山市新木町107
🕒 10:00～17:00　休 月曜　¥ 入館無料

買う 食べる

大和郡山　和菓子

本家菊屋
ほんけきくや

地図 p.95-B
近鉄郡山駅から 徒歩5分

名物「御城之口餅（おしろのくちもち）」は口当たりが柔らかで、豊臣秀吉も絶賛したという伝統の菓子。

☎ 0743-52-0035
📍 大和郡山市柳1-11
🕒 8:00～19:30　休 1月1日
¥ 御城之口餅（6個入り）700円

大和郡山　季節料理

翁
おきな

地図 p.95-B
近鉄郡山駅から 徒歩5分

昼は手頃な定食や、二段重ねの箱膳で登場する翁弁当が人気。

☎ 0743-52-3646
📍 大和郡山市紺屋町33-2
🕒 11:30～14:00、17:30～22:00　休 月曜
¥ 翁弁当1500円

矢田

緑深い矢田丘陵の中腹の庶民信仰と花の古刹

生駒山地の東に横たわる矢田丘陵に建つ2つの古寺。矢田寺は境内を埋めるアジサイ庭園が、また松尾寺は丹精込めたバラのお花畑が、歴史を伝える重厚な建物に色を添える。

まわる順のヒント

大和民俗公園から矢田坐久志玉比古神社は、民家が点在する山里の道を歩いて10分余り。矢田寺へ行くバスはアジサイの季節を除くと日中は3本しかないので、バス時刻は要確認。

エリアの魅力

観光客の人気度
★★★
山里歩きの風情
★★

標準散策時間：5～6時間 ♀矢田東山～大和民俗公園・県立民俗博物館～矢田坐久志玉比古神社～矢田寺～♀横山口～♀松尾寺口～松尾寺～♀慈光院～近鉄郡山駅（または近鉄奈良駅）

タクシーを拾いやすい場所

JR郡山駅と♀近鉄郡山駅前の奈良近鉄タクシー大和郡山営業所 ☎0743-52-4144は、矢田寺や松尾寺から呼び出し可能。

イベント＆祭り

2・3月初午の日：初午祭（松尾寺）
4月第3日曜：おねり供養（矢田寺）

このエリアの行き方

近鉄奈良駅から近鉄郡山駅へは、大和西大寺駅で急行に乗り換え14～28分。JR奈良駅から大和小泉駅へは7～8分。京都・大阪方面からの行き方はp.92参照。

目的地	出発点	おもなバス系統	下車バス停
大和民俗公園 県立民俗博物館	♀近鉄郡山駅	🚌20・71・72（10～17分）	♀矢田東山
矢田坐久志玉比古神社	♀近鉄郡山駅	🚌20・71・72（12～19分）	♀横山口
矢田寺	♀近鉄郡山駅	🚌20（20分）	♀矢田寺前
松尾寺	♀近鉄郡山駅	🚌71・72（21～27分）	♀松尾寺口
	♀大和小泉駅東口	🚌71・72（※）（7分）	♀松尾寺口

🚌20：矢田寺前行き　🚌71・72：小泉駅東口行き　🚌71・72（※）：近鉄郡山駅行き

見る & 歩く

大和民俗公園・奈良県立民俗博物館
やまとみんぞくこうえん・ならけんりつみんぞくはくぶつかん

地図 p.95-A
♀矢田東山から 10分

自然林に囲まれた約26万㎡の敷地に、吉野や宇陀などの集落にあった民家15棟を移築している。

☎0743-53-3171　所 大和郡山市矢田町545
時 9:00〜17:00
（入館は16:30、民家は16:00まで）
休 月曜（休日の場合は翌平日）
¥ 入園・民家見学は無料（博物館は200円）

矢田坐久志玉比古神社
やたにいますくしたまひこじんじゃ

地図 p.95-A
♀横山口から徒歩6分

祭神の櫛玉饒速日命が天磐船で降臨したという伝説から、航空の神として信仰される古社。桜門には戦闘機のプロペラが。

☎0743-52-7313
所 大和郡山市矢田町965　¥ 境内自由

矢田寺（金剛山寺）
やたでら（こんごうせんじ）

地図 p.95-A
♀矢田寺前から 5分

「アジサイ寺」の別名を持つ。675（天武4）年、天武天皇の勅命によって創建。平安初期に本尊の延命地蔵菩薩が安置されて以来、地蔵信仰の中心地として栄えてきた。

☎0743-53-1445（矢田寺大門坊）
所 大和郡山市矢田町3549　時 8:30〜17:00
¥ 境内自由（アジサイの時期、6月1日〜7月10日のみ入山料500円）

松尾寺
まつおでら

地図 p.95-A
♀松尾寺口から 30分、♀泉原町から 40分

『日本書紀』を編纂した舎人親王が718（養老2）年、その無事完成と42歳の厄除けを祈願して建立したとされる。

☎0743-53-5023　所 大和郡山市山田町683（松尾山）
時 9:00〜16:00　¥ 境内自由

食べる

大和民俗公園周辺／そば処

そば処御幸
そばどころみゆき

地図 p.95-A
♀矢田東山から 2分

国産そば粉の二八そばが自慢。天とろそば1690円、上天丼1070円も人気メニュー。

☎0743-58-2400
所 大和郡山市千日町37-1
時 11:00頃〜15:00頃（14:45LO）
休 月曜（祝日の場合は翌日、その他、月に1〜2回火曜不定休）
¥ 天ざるそば1320円

矢田寺周辺／野菜料理

無心庵
むしんあん

地図 p.95-A
♀矢田寺前から 5分

矢田寺門前にある隠れ家風の食事処。食事は予約制。

☎0743-52-7002
所 大和郡山市矢田町3761
時 不定（予約優先）　休 不定
¥ コース料理3000円〜、飲み物750円〜

仏像鑑賞のポイント その2

仏像の造り方

ここでは飛鳥から奈良時代に使われた仏像の制作技法を紹介。

【鋳造】（ちゅうぞう）

金属を型に流し込んで造る。主流は加工しやすい銅造。

金属あるいは木の骨組みに粘土をつけて、だいたいの形を造る

全体に蜜蝋（みつろう）を塗り、ヘラなどで像の細部まで仕上げる

蜜蝋の上にさらに粘土を重ねた後、加熱して蜜蝋を溶け出させる。そのすき間に銅を流し込み、型から出す

【塑造】（そぞう）

細かな表現が可能で、比較的安価。奈良時代に多い。

心木（しんぎ）に縄を巻きつけ、手や指などの細部は銅線で心を造る

心をわらを混ぜた荒土で包み、もみがらを混ぜた中土でおおまかな形をとる

紙の繊維を混ぜた仕上げ土を重ねて形は完成。白土を塗って彩色する

【木心乾漆造】（もくしんかんしつぞう）

天平～平安初期に流行、5メートルもの大型の像も。

木材から像のおおよその形を彫り出す

木彫の原型に、麻布を漆で貼りつける

木くずと抹香（まっこう）を混ぜた漆で細部を整形して、彩色をする

【脱活乾漆造】（だつかつかんしつぞう）

塑造より費用がかかるが壊れにくい。天平時代の技法。

鋳造と同じように、心木に粘土をつけて、おおまかな形を造る

原型に漆で麻布を貼り重ねる。乾燥後に背面を開き内部の土を出すと布の張り子ができる

支柱を入れ、外面に木くずと抹香を混ぜた漆を塗って、細部を表現する

※イラストは『奈良歴史手帖』（近畿日本鉄道刊）より転載

飛鳥
山の辺の道
長谷寺
室生寺

エリアをつかむヒント・特別編

飛鳥・橿原・桜井・長谷寺・室生寺エリア

●どんな場所?・・・大和盆地の南部と東部、盆地のはずれから山地にかけての一帯。山地を間近に見る、あるいは山地に囲まれた土地で、室生まで入ると標高約500mの山里になる。

●自然や風景は?・・・飛鳥や橿原の郊外には都会化の波もおよばず、のどかな田園風景が広がる。天理〜桜井間にある「山の辺の道」は沿道の豊かな自然や美しい眺めで知られる散策路。長谷寺はボタンの彩りが有名。

●歴史は?・・・飛鳥は6〜7世紀に都が置かれていた地で、都や寺の跡、古墳、遺跡などが随所に残る歴史の里。橿原も藤原京があった場所で、ゆかりの遺跡がある。橿原市内には江戸時代に商業地として栄えた今井町もあり、往時の商家の家並みが残っている。

●見る歩くポイントは?・・・いずれも著名な観光地であり、ほとんど季節に関係なく多くの人が訪れる。

A 飛鳥
石舞台古墳や高松塚など、古代史ロマンの里。

B 橿原
広大な橿原神宮や考古学の博物館などがある。

C 桜井
十三重塔がある談山神社や安倍文殊院がある。

D 長谷寺・室生寺
長谷寺、室生寺のほか古い町並の宇陀がある。

POINT

このエリアへの行き方

このエリアへの最寄り駅は近鉄橿原線、近鉄大阪線、JR万葉まほろば線(桜井線)の各路線上にある。おもな最寄り駅への行き方は以下のとおり。

京都駅から…橿原神宮前駅へは近鉄京都線・橿原線急行で55分〜1時間15分。近鉄桜井駅・長谷寺駅・室生口大野駅へは近鉄京都線・橿原線急行で58〜68分の大和八木駅で近鉄大阪線急行に乗り換え、桜井駅3〜5分、長谷寺駅10〜13分、室生口大野駅までは21〜29分。

奈良駅から…橿原神宮前駅へは近鉄奈良線で5〜7分の大和西大寺駅で近鉄橿原線に乗り換え、急行で26〜33分。JR桜井駅へはJR万葉まほろば線(桜井線)で28〜34分。長谷寺駅・室生口大野駅へは大和西大寺駅から近鉄橿原線急行20〜24分の大和八木駅乗り換え(以下上記の項、京都駅から参照)。

大阪難波駅から…近鉄桜井駅・長谷寺駅・室生口大野駅へは近鉄大阪線特急29〜34分の大和八木駅乗り換え(以下、京都駅から参照)。

大阪阿部野橋駅から…橿原神宮前駅へは近鉄南大阪線急行で36〜42分。

観光の問い合わせ先

橿原市観光政策課
☎0744-22-1115
飛鳥総合案内所「飛鳥びとの館」
☎0744-54-3240
桜井市観光協会
☎0744-42-7530
天理市観光協会
☎0743-63-1242
宇陀市観光案内所
☎0745-88-9049

回り方のヒント

各エリアはおもに近鉄大阪線と近鉄橿原線の沿線にあり、この両線とバスを上手に利用すれば移動時間を節約することができる。ただ、飛鳥はバス便が多くはなく、レンタサイクルがちょうどいいくらいの範囲。また桜井にある山の辺の道は、できれば1日かけてのんびり歩きたい散策コース。

高松塚古墳周辺の風景

宿泊のヒント

宿泊にとくに便利なのは、橿原市の大和八木駅周辺や橿原神宮前駅周辺。ターミナル駅となっている大和八木駅は各方面へのアクセスが楽で、駅周辺にシティホテルやビジネスホテルが、橿原神宮前駅周辺にはシティホテルなどがある。

飛鳥

エリアの魅力

観光客の人気度
★★★★★
町歩きの風情
★★★★

標準散策時間：5～8時間（飛鳥駅～猿石～高松塚古墳～鬼の俎・鬼の雪隠～亀石～橘寺～石舞台古墳～岡寺～酒船石遺跡～飛鳥寺～甘樫丘～橿原神宮前駅）

国宝：●高松塚古墳/壁画（非公開）　●岡寺/義淵僧正坐像（奈良国立博物館に寄託）

イベント＆祭り

2月第1日曜：おんだ祭（飛鳥坐神社）
おもに中秋の名月の日：万葉の明日香路に月を観る会（石舞台）

田園風景に古代遺跡が残る歴史の中心だった地

飛鳥は奈良盆地の南に位置し、日本の古代歴史を創りだした、まさに中心的な土地だ。当時の遺跡も多く残り、古代史・考古学ブームのきっかけとなった高松塚古墳の発掘から40数年が過ぎた。近年は酒船石遺跡周辺や飛鳥京跡苑池遺構から続々と出土する築造物や遺構に、ますます興味をそそられる。ロマンを秘めた飛鳥の光と風を、肌で感じてみたい。

このエリアの行き方

目的地	出発点	おもなバス系統	下車バス停
橘寺	飛鳥駅	16・23（13分）	岡橋本
川原寺跡	飛鳥駅	16・23（12分）	川原
石舞台	飛鳥駅	16・23（16分）	石舞台
岡寺	飛鳥駅	16・23（19分）	岡寺前（治田神社）
伝・飛鳥板蓋宮跡、酒船石遺跡	飛鳥駅	16・23（21分）	岡天理教前
飛鳥寺	橿原神宮前駅	16・23（※）・17（14分）	飛鳥大仏
飛鳥資料館	橿原神宮前駅	16・23（※）（10～14分）	明日香奥山・飛鳥資料館西
水落遺跡	橿原神宮前駅	16・23（※）・15・17（10分）	飛鳥
甘樫丘	橿原神宮前駅	16・23（※）・15・17（8分）	甘樫丘

16・23：橿原神宮前駅行き　16・23（※）：飛鳥駅行き（16系統は春・秋の土・日曜、祝日の運行）
17：石舞台行き（4～5月と9月第3土曜～11月第3日曜に運行）　15：飛鳥駅・檜前行き（学校開校日に運行）

このエリアの行き方

起点は橿原神宮前駅、飛鳥駅、桜井駅。近鉄奈良駅から、大和西大寺駅を経由し、近鉄橿原線の急行で橿原神宮前駅まで26～33分、吉野線急行に乗り換え飛鳥駅まで4～7分。桜井駅への行き方はp.108参照。

はじめの一歩

飛鳥駅を起点として巡るのが一般的。駅の改札は1箇所のみ、駅前にトイレ、レンタサイクルショップ、観光案内所がある。飛鳥駅前と橿原神宮駅を結ぶ明日香周遊バスも走る(p.117参照)。

●荷物を預けたいときは 飛鳥駅にコインロッカーがある。飛鳥駅を起点の周遊でも、乗り継ぎ駅である橿原神宮前駅のコインロッカー(中央改札口と東改札口を出た場所)を利用する方法も一案。飛鳥駅出発、橿原神宮前終点のルートでレンタサイクルを乗り捨てる場合ならば、荷物を取りに戻る必要がないので利用価値は高い。

●観光情報を手に入れるには 飛鳥駅前にある飛鳥総合案内所「飛鳥びとの館」(☎0744-54-3240。8:30～18:00、冬期変更。無休)は、散策コースの案内や相談にのってくれる。ここで販売している小冊子の「飛鳥王国パスポート」(100円)は拝観料や入館料の割引券付き。歴史資料、書籍、絵はがき、キーホルダーなども販売している。

●レンタサイクルを借りるには 飛鳥駅前や橿原神宮前駅前などにショップがある。右欄参照。利用時間は9:00～17:00が一般的。

飛鳥駅と観光案内所の「飛鳥びとの館」

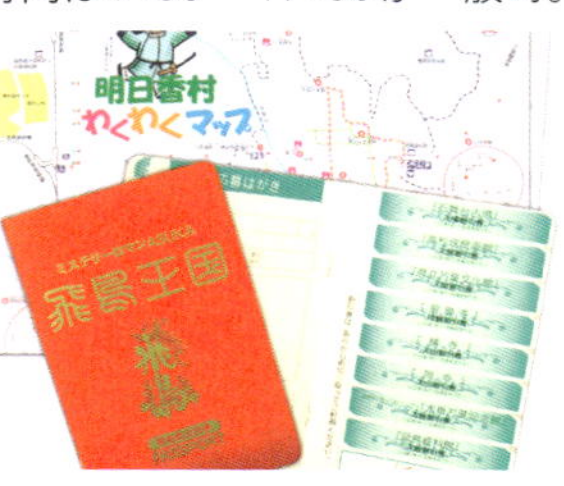

まわる順のヒント

おもな見どころだけでも徒歩で回ると、かなりハード。岡寺付近の坂道をのぞけば平坦な道が多いので、自転車で回るのが効率的。本書で紹介のルート(p.109「エリアの魅力」)を参考に橿原神宮前駅へ帰る約10kmのコースを回ると、見どころを網羅できる。飛鳥駅を起点に徒歩で回り、帰りは橘寺、石舞台古墳、飛鳥寺あたりからバスやタクシーで橿原神宮前駅か飛鳥駅へ向かう方法もある(バス路線はp.116・117参照)。

レンタサイクルは便利

花の見頃

3月下旬～4月上旬:サクラ
4月中旬～下旬:菜の花(各地)
4月中旬:レンゲ(各地)
4月中旬～5月上旬:シャクナゲ(岡寺)
9月中旬～10旬上旬:ヒガンバナ(各地)

レンタサイクル

料金は土・日曜、祝日は1日1000円程度で、平日は100円安くなる。学校行事などの利用で、曜日やシーズンにかかわらず自転車がすべて出払う時もある。確実に使いたい時は予約するのが無難だ。乗り捨ての場合は別途200円必要。電動は1500円。

レンタサイクル万葉
☎0744-54-3500
明日香レンタサイクル
☎0744-54-3919
レンタサイクルひまわり
☎0744-54-5800
(すべて飛鳥駅前)
近鉄サンフラワーレンサイクル
☎0744-28-2951
(橿原神宮前駅東出口)

古墳・遺跡巡りのための道しるべ

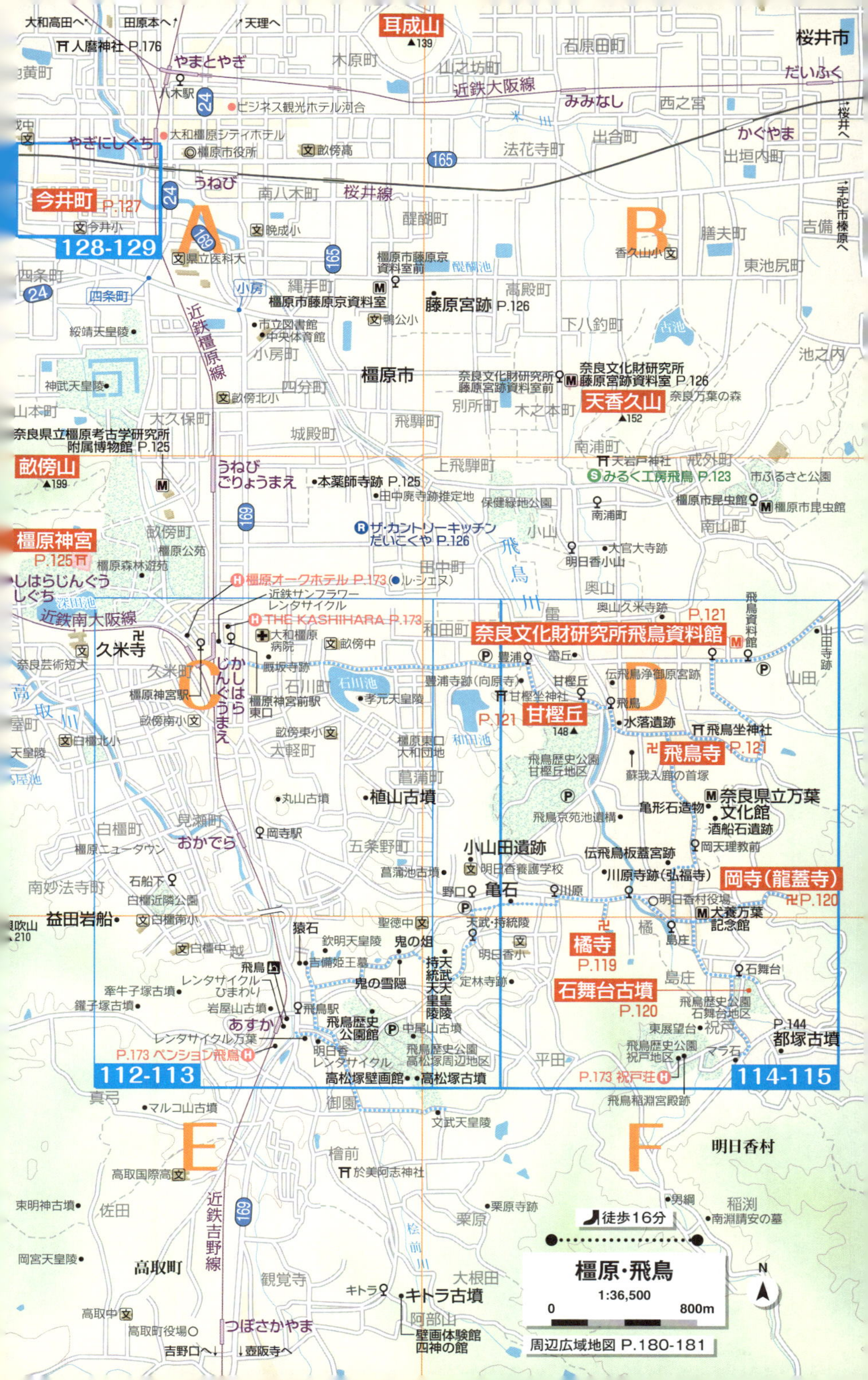

耳成山
桜井市
近鉄大阪線
桜井線
近鉄橿原線
近鉄南大阪線
近鉄吉野線
今井町 P.127
128-129
112-113
114-115
藤原宮跡 P.126
橿原市藤原京資料室
奈良文化財研究所藤原宮跡資料室 P.126
天香久山
畝傍山
橿原神宮 P.125
奈良県立橿原考古学研究所附属博物館 P.125
本薬師寺跡 P.125
奈良文化財研究所飛鳥資料館 P.121
甘樫丘 P.121
飛鳥寺 P.121
奈良県立万葉文化館
岡寺(龍蓋寺) P.120
橘寺 P.119
石舞台古墳 P.120
都塚古墳 P.144
植山古墳
小山田遺跡
亀石
益田岩船
鬼の俎
鬼の雪隠
猿石
高松塚壁画館
高松塚古墳
キトラ古墳
壁画体験館 四神の館
橿原市
明日香村
高取町
徒歩16分
橿原・飛鳥
1:36,500
0 800m
周辺広域地図 P.180-181

橿原神宮 P.125
文華殿
神宮会館
橿原神宮前
近鉄南大阪線
←高田市・大阪阿部野橋へ
P.125 久米寺
畝傍局
橿原神宮前（中央口）駅
橿原オークホテル P.173
久米寺前
タクシー乗場
久米御縣神社
かしはらじんぐうまえ
久米町
久米
橿原神宮前駅西口
公民館
天理教
久米南口
田首池児童公園
公民館
畝傍南小
白橿町（一）
鳥屋近隣公園
久米橋
極楽橋
八幡宮
妙法寺
阿弥陀寺
見瀬近隣公園
白橿町（二）
公団住宅センター
南都
岩船橋
見瀬町
近鉄橿原線
↑大和八木・大和西へ
THE KASHIHARA P.126,173
商工経済会館
大和橿原病院
かしはらじんぐうまえ
橿原神宮前駅東口
タクシー乗場
近鉄サンフラワーレンタサイクル
厩坂寺跡
天理教
見瀬
近鉄吉野線
春日神社
洙林寺
見瀬局
称名寺
福栄寺
天上院
丸山古墳
大軽町
石川町
畝傍中
大歳神社
本明寺
橿原市
畝傍東小
大軽池
石川池（剣池）
孝元天皇陵
P.144 植山古墳
（推定・推古天皇墓、非公開）
春日神社
正楽寺
田中神社
和田町
和田町西
称讃寺
橿原和田
菖蒲町一丁目
菖蒲町（一）
菖蒲町（二）
素盞嗚命神社
橿原菖蒲局
菖蒲町（三）
菖蒲町三丁目
菖蒲町四丁目
和田池
豊浦宮跡
弁天社
A
B
C
D
E
F

橿原～高松塚
1:10,270
0
200m
周辺広域地図 P.111
徒歩4分
橿原団地
白橿町(五)
白橿町(六)
白橿近隣公園
石船下
沼山古墳
G
益田岩船 P.144
白橿南小
南白橿
白橿中
白橿町(八)
白橿町(七)
見瀬跨道橋
H
I
菖蒲池古墳
菖蒲町四丁目南
明日香養護学校
小山田遺跡 P.144
野口
明日香レンタサイクル
聖徳中
野口
天武・持統陵
天武・持統天皇陵 P.119
欽明天皇陵
P.118 鬼の俎
鬼の雪隠 P.118
猿石 P.118
吉備姫王墓
休憩園地。木陰やベンチがあり、ひと休みにはいい
平田局
平田川
明日香村
高取川
牽牛子塚古墳
鑵子塚古墳
越
飛鳥
飛鳥びとの館(飛鳥総合案内所)
岩屋山古墳
吉野方面へのバス
祐福寺
飛鳥歴史公園館 P.118
平田
JA
飛鳥駅
レンタサイクルひまわり
喫茶/御園
レンタサイクル万葉
明日香レンタサイクル
高松塚
明日香楽園
あすか
称念寺
飛鳥駅
J
真弓
K
L
中尾山古墳
五郎宮
タクシー乗場
あすか夢販売所
飛鳥歴史公園高松塚地区
P.173 ペンション飛鳥
P.123 ひだまりcafeあすか
西蓮寺
見瀬池
御園
桧前川
真弓橋
169
道路が整備されて、歩きやすい
高松塚壁画館 P.118
高松塚古墳 P.118
壺阪山へ
壺阪寺へ

藤原宮跡へ
大官大寺跡へ
皇太神社
橿原市
小治田橋
奥山久米寺跡
山田寺
安倍文殊院へ
山田寺跡
和田町
雷
田んぼのまん中に立木が1本ポツンとある
百貫川
奥山
奈良文化財研究所飛鳥資料館 P.121
A
B
C
雷橋
小墾田宮跡
雷丘
豊浦駐車場
明日香奥山・飛鳥資料館西
飛鳥資料館
大和神社
橿原和田
豊浦
中の川
山田
豊浦寺跡
向原寺
甘樫坐神社
桜井市
甘樫丘
飛鳥浄御原宮跡伝承地(石神遺跡)
和田池
豊浦
飛鳥
マツ、カシ、ヒノキの森
西念寺
沙法寺
豊浦宮跡
甘樫橋
飛鳥
"飛鳥の里"と藤原宮跡を一望できる
八釣
水落遺跡 P.121
法満寺
甘樫丘 P.121
148
飛鳥北局
飛鳥坐神社 P.176
万葉植物を楽しみながら散策できる道
P.122 萩王
来迎寺
藤原鎌足誕生地
小原神社
飛鳥歴史公園甘樫丘地区
飛鳥大仏
蘇我入鹿の首塚
大伴夫人の墓
東山
飛鳥寺 P.121
D
E
F
奈良県立万葉文化館 P.121
飛鳥橋
明日香民俗資料館
P.123 飛鳥の郷 万葉人
小原
万葉文化館西口
亀形石造物 P.121
飛鳥京苑池遺構
飛鳥川
弁天社

甘樫丘～石舞台
1:10,270
0
200m
周辺広域地図 P.111
徒歩4分
伝飛鳥板蓋宮跡 P.120
岡天理教前
板蓋神社
自転車道
岡
めんどや P.122
岡本寺
治田神社
岡寺(龍蓋寺) P.120
岡寺橋
お食事処若葉
小安観音
明日香局
岡戒前
橿原タクシー
明日香村役場
岡橋本
P.120 南都明日香ふれあいセンター 犬養万葉記念館
徳星商店
民宿花井荘
(手づくりしょうゆ販売)
岡寺前
常谷寺
古い家並み
明日香村観光会館
島庄
唯称寺
春日神社
菖蒲池古墳
明日香養護学校
小山田遺跡 P.144
この辺はのどかな田園風景が広がる
喫茶／歩楽都
野口
中央公民館
川原寺跡(弘福寺)
川原
亀石 P.119
明日香レンタサイクル
観光バス乗降場
WC
橘寺 P.119
橘
天武・持統陵
明日香小
天武・持統天皇陵 P.119
上池
健康福祉センター太子の湯
健康福祉センター
明日香幼稚園
春日神社
島庄
レストランあすか野 P.122
休憩所、売店
明日香レンタサイクル
石舞台
島庄遺跡
石舞台古墳 P.120
P.123 明日香の夢市
P.123 農村レストラン 夢市茶屋
飛鳥歴史公園石舞台地区
上宮寺
定林寺跡
定林寺
立部
木立を抜ける林間道路で気持ちがいい
芝生の広場がありススキ・ハギの間から虫の鳴き声がきこえる
玉藻橋
休憩所
上居
東展望台
祝戸
専称寺
冬野川
飛鳥歴史公園祝戸地区
飛鳥稲淵宮殿跡
祝戸荘 P.173(暫時休館)
レストラン P.122
都塚古墳 P.144
マラ石
阪田
坂田金剛寺跡
都塚川
吉野へ
念仏寺
御池
八坂神社

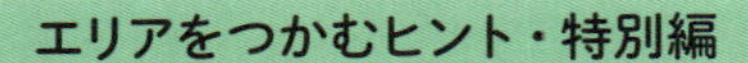

橿原神宮前駅～飛鳥駅

周遊バスを利用してまわるのが便利

飛鳥の主要な見どころを経由して、橿原神宮前駅と飛鳥駅を結んでいる周遊バス。2方向のバスが運行しているので回り方は自由だ。

Ⓐ橿原神宮前駅

飛鳥をめぐる際の交通拠点の1つ。飲食店、ホテルなどあるほか、見どころとしては橿原神宮、久米寺など。

Ⓑ高松塚古墳周辺

みかん畑に囲まれた高松塚古墳一帯は、歴史公園として整備されている。芝生広場、ベンチ、休憩所もあるので、お弁当を広げてひと休みするには最適。自転車での周遊は、サイクリングロード沿いの案内標識を目印にすると迷わない。徒歩の場合は、歴史公園館の脇から亀石方面への近道がある。

Ⓒ石舞台古墳周辺

飛鳥観光の拠点として整備されており、休憩所、食事処、みやげ店などがある。広い芝生広場や木陰もあり、休憩所には身障者用のトイレもある。飛鳥川の西側の道路は木立の中の林間道路。東展望台に上ると祝戸地区の田園が眼下に広がる。石舞台周辺には大型駐車場があり、付近は車の往来が多いので注意。

Ⓓ甘樫丘周辺

甘樫丘バス停、駐輪場、駐車場から10分ほど坂道を上ると甘樫丘展望台に出る。ここからは、東方面に飛鳥寺から酒船石遺跡と緑の山々、北方面は藤原宮跡から耳成山、西方面には畝傍山、二上山、南方面は石舞台から祝戸地区を含めた明日香村の周囲をぐるりと見渡すことができる。丘全体を回り込むように周遊道路があり、自転車での通行もできる。

明日香周遊バス「かめバス（赤かめ）」主な時刻表

※利用の際は最新の時刻を必ずご確認ください

主なバス停		土休日のみ						平日のみ				
橿原神宮前駅東口発	7:40	7:43	8:36	9:36	10:36	11:36	12:36	13:06	13:36	14:36	15:36	16:36
甘樫丘	7:47	7:50	8:44	9:44	10:44	11:44	12:44	13:14	13:44	14:44	15:44	16:44
明日香奥山・飛鳥資料館西	7:53	7:56	8:50	9:50	10:46	11:46	12:46	13:16	13:46	14:46	15:46	16:50
飛鳥大仏	7:57	8:00	8:54	9:54	10:50	11:50	12:50	13:20	13:50	14:50	15:50	16:54
万葉文化館西口	7:58	8:01	8:55	9:55	10:51	11:51	12:51	13:21	13:51	14:51	15:51	16:55
石舞台発	↓	↓	9:02	10:02	10:58	11:58	12:58		13:58	14:58	15:58	17:02
岡寺前	8:03	8:06	9:04	10:04	11:00	12:00	13:00		14:00	15:00	16:00	17:04
川原	8:06		9:07	10:07	11:03	12:03	13:03		14:03	15:03	16:03	17:07
高松塚			9:16	10:16	11:12	12:12	13:12		14:12	15:12	16:12	17:16
飛鳥駅着			9:21	10:21	11:17	12:17	13:17		14:17	15:17	16:17	17:21
								平日のみ				
飛鳥駅発			8:40	9:40	10:40	11:55	12:55		13:55	14:55	15:55	16:40
高松塚			8:42	9:42	10:42	11:57	12:57		13:57	14:57	15:57	16:42
川原			8:52	9:52	10:52	12:07	13:07		14:07	15:07	16:07	16:52
石舞台発			8:57	9:57	10:57	12:12	13:12	13:29	14:12	15:12	16:12	16:57
岡寺前			8:59	9:59	10:59	12:14	13:14	13:31	14:14	15:14	16:14	16:59
万葉文化館西口			9:02	10:02	11:02	12:17	13:17	13:34	14:17	15:17	16:17	17:02
飛鳥大仏			9:03	10:03	11:03	12:18	13:18	13:35	14:18	15:18	16:18	17:03
明日香奥山・飛鳥資料館西			9:07	10:07	11:07	12:22	13:22	13:39	14:22	15:22	16:22	17:07
甘樫丘			9:09	10:09	11:09	12:28	13:24	13:41	14:28	15:28	16:28	17:09
橿原神宮前駅東口着			9:18	10:18	11:18	12:37	13:33	13:49	14:37	15:37	16:37	17:18

●2022年3月現在。朝と夜の便は省略。春と秋（3月第3土曜～5月、9月第3土曜～11月第3日曜）の土・日曜、祝日は増便、約30分間隔で運行する。

●赤い亀マークの明日香周遊バス

橿原神宮前駅～飛鳥駅の観光地点をまわる周遊バスの「かめバス（赤かめ）」。1日フリー乗車券（大人650円）が便利で、両駅のほか、石舞台でも販売している。また、キトラ古墳へは飛鳥駅から飛鳥キトラ線44系統のバスで。1日5便190円。

橘寺付近の石仏

●石舞台や飛鳥寺から桜井駅へ

飛鳥と桜井方面の観光を組み合わせる場合は、♀明日香奥山・飛鳥資料館西から36系統で桜井駅南口行きの路線バスに乗るのも手。平日は1日3本、土・日曜、祝日は3～6本運行。♀飛鳥資料館から桜井駅までは約14分。途中、安倍文殊院（P.132）にも停車する。

鬼の雪隠周辺の風景

明日香周遊バス問い合わせ先

奈良交通葛城営業所
☎0745-63-2501

飛鳥駅前に発着するバス。約60分毎、ハイシーズンには約30分毎に運行する。

見る＆歩く

猿石
さるいし

地図p.113-H
飛鳥駅から徒歩5分

吉備姫王墓の柵囲いの中に4体の猿石がある。1702（元禄15）年に欽明天皇陵付近から掘り出され、7世紀に大陸から伝わった「伎楽」の面や踊りを表したものではないかといわれている。4体のうち3体に顔らしきものがある。

0744-54-3240（飛鳥観光協会）
明日香村平田　＊見学自由

高松塚古墳
たかまつづかこふん

地図p.113-L
猿石から徒歩20分、飛鳥駅から徒歩15分

1972年に発見された極彩色の壁画（国宝）で名高い。人物の服装などから、唐や高句麗の影響を強く受けた古墳時代末期の高貴な人の墓であると推測されている。壁画の恒久保存のため2007年に石室を解体。古墳の内部を見ることはできないが、出土品は飛鳥資料館に、壁画は模写されて高松塚壁画館に展示されている。

0744-54-3340（高松塚壁画館）
明日香村平田　＊見学自由

高松塚壁画館の復元模写
［写真：公益財団法人古都飛鳥保存財団］

高松塚壁画館
たかまつづかへきがかん

地図p.113-L
高松塚古墳から徒歩1分、飛鳥駅から徒歩12分

館内には、高松塚古墳の壁画を現状模写したもの、絵を見やすくするために修正模写をしたものがある。石槨を忠実に再現し、盗掘穴から覗く格好での模型もあり、興味深い。

0744-54-3340
明日香村平田439
9:00～17:00（最終入館16:30）
休 12/29～1/3　¥ 300円

飛鳥歴史公園館
あすかれきしこうえんかん

地図p.113-L
高松塚壁画館から徒歩7分、飛鳥駅から徒歩9分

高松塚古墳と壁画館を中心に整備された国営公園内にある。映像や写真などで、飛鳥の歴史をわかりやすく紹介した施設。

0744-54-2441（飛鳥管理センター）
明日香村平田538
9:30～17:00（12～2月は～16:30）
休 無休　¥ 入館無料

鬼の俎・鬼の雪隠
おにのまないた・おにのせっちん

地図p.113-I
飛鳥歴史公園館から徒歩8分、飛鳥駅から徒歩10分

小さな丘の上に鬼の俎、道路を隔てた畑の中に鬼の雪隠がある。道に迷った旅人を鬼が俎で料理して食べ、下の雪隠で用を足したという恐ろしい伝説がある。実際は、古墳の石室の一部だといわれている。

鬼の雪隠

鬼の俎

📞0744-54-3240（飛鳥観光協会）
📍明日香村平田
＊ 見学自由

天武・持統天皇陵
てんむ・じとうてんのうりょう

地図p.113-I、p.115-G
鬼の俎・鬼の雪隠から👟5分🚏天武・持統稜から👟3分

持統天皇が夫・天武天皇のために1年あまりかけて造営した八角形墳。後に持統天皇も天皇では初めて火葬されて合葬陵となった。被葬者が特定されている数少ない古墳である。石室にはメノウの切石が使われるなど豪華な造りだったという。

📞0744-54-3240（飛鳥観光協会）
📍明日香村野口
＊ 外部のみ見学自由

亀石
かめいし

地図p.115-G
天武・持統天皇陵から👟6分🚏野口から👟5分

どことなくユーモラスで愛嬌のある亀石。本来は所領地の境を示す道標であるという説が有力だ。

亀石にも伝説があって、大和盆地が湖だった頃、対岸の當麻と飛鳥側の川原の間に争いが起こった。當麻の主は蛇で、川原の主は鯰（なまず）。負けた川原は湖の水を當麻に取られてしまい、沢山の亀が死に絶えてしまった。哀れに思った村人が、のちに供養のために亀をかたどった石をこの地に刻んで供養した。南西方向を向いている亀が、西を向いて當麻を睨（にら）みつけたときには、大和盆地は再び泥沼になるという。

📞0744-54-3240（飛鳥観光協会）
📍明日香村川原
＊ 見学自由

橘寺
たちばなでら

地図p.115-H
川原寺跡から👟5分、🚏川原または岡橋本から👟3分

聖徳太子が創建した七カ寺の1つで、太子誕生の地としても知られる。創建当時は東に向かって中門・塔・金堂・講堂が一列に並ぶ四天王寺式の伽（が）藍（らん）配置であったことがわかっている。境内には蓮華（れんげ）塚や三光石をはじめ、本尊の聖徳太子坐像や伝・日羅立像、橘寺型の石灯籠など多くの重要文化財を所蔵している。太子殿の横には、人の心の善悪二相を表したという飛鳥時代の石造物、二面石がある。本堂前に聖徳太子の愛馬・黒駒の銅像も立つ。

📞0744-54-2026
📍明日香村橘532
🕘9:00～17:00（最終受付16:30）
¥350円

石舞台古墳
いしぶたいこふん

地図 p.115 - L
橘寺から👟15分、♀石舞台から1分

古墳の石室がむき出しになったもの。30数個の石ででき、天井部分の南側の巨石は重さ77t。蘇我馬子の墓であるというのが通説。石舞台という名は、女に化けた狐が石の上で踊りをみせたとか、旅回りの芸人が舞台代わりにしたなどの説がある。

☎0744-54-4577（明日香村地域振興公社）
📍明日香村島庄254　🕐8:30～17:00（最終入場16:45）　休 無休　¥ 300円

岡寺（龍蓋寺）
おかでら（りゅうがいじ）

地図 p.115 - I
石舞台古墳から👟15分、♀岡寺前から👟10分、♀治田神社前から👟5分

岡集落の東山の中腹にある西国33カ所の7番札所。境内には、威風堂々とした本堂、重文の書院が建ち並ぶ。本尊の如意輪観音坐像は高さ4.8mで、塑像としては日本最大。可憐な胎内仏の半跏思惟如意輪観音像はレプリカが展示されている。

☎0744-54-2007　📍明日香村岡806
🕐8:00～17:00（12～2月は～16:30）
¥ 400円

南都明日香ふれあいセンター犬養万葉記念館
なんとあすかふれあいせんたーいぬかいまんようきねんかん

地図 p.115 - H
岡寺から👟15分、♀岡寺前、岡戒前から👟1分

万葉集を愛し、万葉風土学を提唱した犬養孝の歩みを紹介した記念館。犬養孝の講演や講座などで万葉集の魅力にひきこまれたファンも多い。直筆の万葉歌の墨書や原稿をはじめ、愛好家らによる写真などを展示。カフェもあり、食事もできる。

☎0744-54-9300　📍明日香村岡1150
🕐10:00～17:00（最終入館16:30）
休 水曜（祝日の場合は翌日）
¥ 無料

伝飛鳥板蓋宮跡
でん・あすかいたぶきのみやあと

地図 p.115 - H
犬養万葉記念館から👟7分、♀岡天理教前から👟5分

中大兄皇子らによる蘇我入鹿暗殺は、この地であったと伝えられている。発掘調査では石組みの溝などが確認され、2つ以上の宮殿遺跡が重なっていることが判明した。

☎0744-54-3240（飛鳥観光協会）
📍明日香村岡　🕐見学自由

酒船石遺跡
さかふねいしいせき

地図 p.114 - F
伝・飛鳥板蓋宮跡から👟5分、♀万葉文化館西口から👟3分、♀岡天理教前から👟3分

酒船石は、古くから酒や油を搾る道具だとか、薬を作る道具であるといわれてきた。2000年に丘陵の北側の麓から石敷き広場と亀形石造物（p.121）などが見つかり、遺跡全体が、水を用いた祭祀場とも考えられたが、真の用途は謎に包まれたままだ。

☎0744-54-3240（飛鳥観光協会）
📍明日香村岡　🕐見学自由

奈良県立万葉文化館
ならけんりつまんようぶんかかん

地図p.114 - E
酒船石遺跡から徒歩5分、♀万葉文化館西口から徒歩3分

『万葉集』をテーマにしたミュージアム。万葉歌の日本画、人形の万葉劇場など多彩。

☎ 0744-54-1850　📍 明日香村飛鳥10
🕓 10:00～17:30(最終入館17:00)
休 月曜(祝日の場合は翌平日)、展示替期間は休館
¥ 入館無料(日本画展示室特別展有料)

亀形石造物
かめがたせきぞうぶつ

地図p.114 - F
万葉文化館から徒歩1分、♀万葉文化館西口から徒歩1分

2000年の発掘調査で発見された遺構を公開展示。亀形石造物の周辺には小判形石造物や石敷きもあり、7世紀中頃、斉明天皇の時代に造営された祭祀の場と考えられている。酒船石との関係など、古代史の謎に包まれ興味深い。

☎ 0744-54-4577(明日香村地域振興公社)
📍 明日香村岡　🕓 8:30～17:00(12～2月は9:00～16:00)
休 年末年始　¥ 300円(文化財保存協力金)

飛鳥寺
あすかでら

地図p.114 - E
万葉文化館から徒歩5分、♀飛鳥大仏から徒歩1分

崇仏派の蘇我氏の発願による日本で最初の本格的な仏教寺院として創建。当時の寺の規模は法隆寺の約3倍、築造歳月は実に20年という大工事だった。現在は鞍作止利(くらつくりのとり)の手による日本最古の仏像、飛鳥大仏を見ることができる。

☎ 0744-54-2126　📍 明日香村飛鳥682
🕓 9:00～17:30(10～3月は～17:00)
¥ 350円

奈良文化財研究所飛鳥資料館
ならぶんかざいけんきゅうしょあすかしりょうかん

地図p.114 - C　飛鳥寺から徒歩15分、♀明日香奥山・飛鳥資料館西から徒歩3分

実際に発掘された高松塚古墳の出土品や、酒船石遺跡の亀形石槽(レプリカ)、石人像などを展示。復元模型などでわかりやすい。

☎ 0744-54-3561　📍 明日香村奥山601
🕓 9:00～16:30(最終入館16:00)
休 月曜(祝日の場合は翌平日)、12/26～1/3
¥ 350円

水落遺跡
みずおちいせき

地図p.114 - E
奈良文化財研究所飛鳥資料館から徒歩20分、♀飛鳥から徒歩2分、♀飛鳥大仏から徒歩5分

日本初の水時計の遺跡。660(斉明6)年に中大兄皇子が漏刻台(ろうこくだい)(水時計)を作ったという『日本書紀』の記述を裏付ける。

☎ 0744-54-3240(飛鳥観光協会)
📍 明日香村飛鳥　🕓 見学自由

甘樫丘
あまかしのおか

地図p.114 - E
水落遺跡から徒歩15分、♀甘樫丘から徒歩10分

飛鳥のほぼ中央にある標高148mの丘。飛鳥時代には、時の権力者蘇我蝦夷(えみし)、入鹿親子が大邸宅を構えていたという説も。丘全体が飛鳥歴史公園の一部になっている。

☎ 0744-54-2441(飛鳥管理センター)

買う＆食べる

石舞台古墳周辺／古代食

レストランあすか野

れすとらんあすかの

地図p.115-L
石舞台から1分

創作古代食が味わえる店。博物館などで再現・展示されている古代食は、かなり豪華な印象だが、そのイメージを再現した古代米、鴨、川魚、山菜、古代のチーズ「蘇」などが並ぶ。創作古代食・飛鳥の宴は前日までに要予約。あすか御膳（要予約）1430円ほか手頃なメニューもある。

0744-54-4466　明日香村島庄165-1　9:00～17:00（17:00以降は予約のみ）　休 不定　¥ 飛鳥の宴3850円～

飛鳥寺周辺／日本料理

萩王

はぎおう

地図p.114-E
飛鳥から2分

豪壮で歴史を感じさせる屋敷をいかした店。大正ロマン風のハイカラな雰囲気だ。店内は和室にイスとテーブルが置かれているが、不思議とマッチしている。料理は旬の素材が使われる。食事は昼、夜とおもに予約制。飛鳥の地の野菜など吟味した素材だけを使い、創意工夫を凝らしたお弁当や会席料理を楽しめる。昼の小懐石4180円～。

0744-54-3688
明日香村飛鳥180
昼11:30～、13:00～15:00 夜17:30～20:30（18:30LO）、予約受付9:00～20:00　休 不定　¥ お福弁当（昼）3300円（10名より）

岡寺周辺／食事処

めんどや

めんどや

地図p.115-H
岡天理教前から1分

店名は「面倒見がいいから、めんどや」。飛鳥への来訪客をあたたかくもてなす老舗。健康らんち1100円をはじめ、具だくさんのにゅうめんと柿の葉ずし、わらび餅、フルーツの付く「飛鳥路旅の味セット」やひょうたん弁当1650円～が人気。

めんどやの飛鳥路旅の味セット

0744-54-2055
明日香村岡40
11:00～売り切れ次第閉店
休 不定
¥ 飛鳥路旅の味セット1200円

石舞台周辺／食事処

祝戸荘

いわいどそう

地図p.115-K
石舞台から10分

飛鳥歴史公園にある宿泊施設だが、予約するとレストランの食事だけの利用もできる。手頃な里山料理もあるが、ここでは古代食を味わってほしい。藤原京の遺跡から出土した木簡をもとに、古代飛鳥の宮廷料理を現代風にアレンジした「万葉あすか葉盛御膳」。※新型コロナウイルス感染症の影響で当分の間休館

0744-54-3551
明日香村祝戸303
暫時休館

石舞台古墳周辺／食事処

農村レストラン夢市茶屋

のうそんれすとらんゆめいちちゃや

地図p.115-L、
石舞台から🚶すぐ

特産品販売の「明日香の夢市」の2階にあり、店内は木造の温かい雰囲気。手頃なセットメニューが中心。手作りケーキーセット630円。

☎0744-54-9450
📍明日香村島庄154-3
🕓11:00～16:00
（土・日曜、祝日～17:00）
休 年末年始
¥ 古代米御膳1250円

飛鳥寺周辺／みやげ

飛鳥の郷 万葉人

あすかのさと まんようびと

地図p.114-E
万葉文化館西口から🚶1分

奈良県立万葉文化館の隣にあるおみやげショップ。地場の加工品や特産品を販売。日本最古のお金といわれる富本銭を模した富本銭煎餅や亀形石造物をイメージした、手作りのかめこん（こんにゃく）、キトラ四神の飛鳥クッキーなどのユニークな品が人気。

☎0744-54-5456
📍明日香村岡410
🕓10:00～17:00
休 月曜及び奈良県立万葉文化館休館日

石舞台古墳周辺／みやげ

明日香の夢市

あすかのゆめいち

地図p.115-L
石舞台から🚶すぐ

とりたての農作物や加工食品、手作り小物など地元のおみやげが買える。「ほろ酔いあすか」は、大吟醸の酒かすと自家製奈良漬を入れたパウンドケーキ。2階に「夢市茶屋」を併設している。

☎0744-54-9450
📍明日香村島庄154-3
🕓10:00～16:00
（土・日曜、祝日は～17:00）
休 年末年始
¥ ほろ酔いあすか1本920円

天香久山周辺／乳製品

みるく工房飛鳥

みるくこうぼうあすか

地図p.111-D
橿原市コミュニティバス南浦町から🚶3分

いかにも飛鳥らしい品、古代のチーズ「蘇」を製造販売する乳製品加工所。蘇はシルクロード経由で伝わったという食品で、生乳を煮詰めて作る。チーズというよりミルクキャラメルのような味。「飛鳥の美留久」、のむヨーグルト「飛鳥の酪」、特産のイチゴあすかルビーや大和茶を使ったアイスクリーム、パンやチーズケーキも人気だ。しぼりたての牛乳も飲める。

☎0744-22-5802
📍橿原市南浦町877
🕓10:00～17:30
休 不定休
¥ 飛鳥の蘇1188円

飛鳥駅周辺／カフェ

ひだまりCafeあすか

ひだまりかふぇあすか

地図p.113-K
飛鳥駅から🚶3分

ペンション飛鳥1階のカフェレストラン。ゆったりくつろげる雰囲気と地元の新鮮な野菜を使った料理を提供。盛りだくさんのおかずが楽しい数量限定のランチプレートが人気で、デザート、コーヒー付き1580円。

☎0744-54-3017
📍明日香村越17
🕓11:00～15:00（14:00LO）
休 火・水曜
¥ ひだまりCaféランチ1580円

橿原

エリアの魅力

観光客の人気度
★★★
町歩きの風情
★★★

標準散策時間:5〜6時間（久米寺〜橿原神宮〜橿原考古学研究所附属博物館〜本薬師寺跡〜藤原宮跡〜藤原宮跡資料室）

レンタサイクル

近鉄サンフラワーレンタサイクル／橿原センター ☎0744-28-2951／桜井センター☎0744-43-6377。2店舗とも9:00〜17:00。平日1日900円、土・日曜、祝日1000円、電動1500円、乗り捨て料金200円。橿原センターは当面の間平日休業。

イベント&祭り

4月3日:神武天皇祭（橿原神宮）
5月3日:久米寺練供養（久米寺）
5月4日:すすつけ祭（人磨神社・p.176参照）

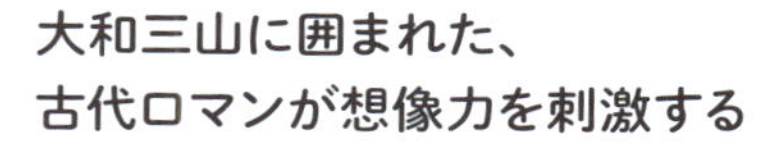

大和三山に囲まれた、古代ロマンが想像力を刺激する

畝傍山（うねびやま）、天香久山（あまのかぐやま）、耳成山（みみなしやま）の大和三山に囲まれた橿原・藤原宮跡のエリアは遺跡の宝庫。橿原考古学研究所附属博物館、藤原宮跡資料室などで発掘の情報を確かめながら現地を回ると興味がいっそう増すことだろう。

まわる順のヒント

橿原神宮前駅を起点として、駅の北西側にある社寺などを巡り、橿原神宮から橿原考古学研究所附属博物館、そのあと近鉄線の東側に広がる藤原宮跡へ。藤原宮跡へは大和八木駅から橿原市コミュニティバス（170円）が歩かなくて便利。レンタサイクルもいい。

このエリアへの行き方

目的地	出発点	列車	下車駅
久米寺、橿原神宮	近鉄奈良駅	近鉄橿原線急行など（36〜51分）	橿原神宮前駅
橿原考古学研究所附属博物館、本薬師寺跡	近鉄奈良駅	近鉄橿原線急行など（34〜49分）	畝傍御陵前駅
藤原宮跡、藤原宮跡資料室	大和八木駅	🚌コミ（19分）	♀橿原市藤原京資料室前

🚌コミ:橿原市コミュニティバス

HINT

他のエリアへの向かい方

飛鳥・吉野方面は橿原神宮前駅から近鉄吉野線、當麻方面は同駅から近鉄南大阪線、桜井方面は耳成駅から近鉄大阪線を利用する。

花の見頃

6月中旬～7月中旬：アジサイ（久米寺）
8月中旬～9月下旬：ホテイアオイ（本薬師寺跡周辺）

久米寺
くめでら

地図 p.112-A
橿原神宮前駅から🚶6分

推古天皇の眼病全快を喜び、聖徳太子の弟来目皇子（くめのみこ）が創建したとも、久米仙人が建てたとも伝わる。境内には江戸～明治期に建てられた金堂、観音堂、地蔵堂などが並ぶ。

☎0744-27-2470　📍橿原市久米町502
🕘9:00～17:00（最終受付16:30）
¥ 境内自由、本堂拝観400円

橿原神宮
かしはらじんぐう

地図 p.112-A
久米寺から🚶5分、橿原神宮前駅から🚶10分

神武天皇が諸国を平定し、紀元前660年に橿原宮で即位して最初の天皇になったという『日本書紀』の記述をもとに、1890（明治23）年に創建。畝傍山の東南に約50万㎡の広大な神域をもつ。本殿は京都御所の賢所（かしこどころ）を移築。

☎0744-22-3271　📍橿原市久米町934
🕘日の出～日没、境内自由

奈良県立橿原考古学研究所附属博物館
ならけんりつかしはらこうこがくけんきゅうしょふぞくはくぶつかん

地図 p.111-A
橿原神宮から🚶10分、畝傍御陵前駅から🚶5分

旧石器時代から縄文・弥生時代の土器や石器、古墳時代の埴輪や副葬品、飛鳥・奈良時代の都の様子などを解説。ミュージアムショップでは埴輪や神獣鏡をかたどったみやげなどを販売。ショップ、映像ライブラリー、情報コーナーは無料で利用できる。

☎0744-24-1185　📍橿原市畝傍町50-2
🕘9:00～17:00（最終入館16:30）
休 月曜（休日の場合は翌日）、12/28～1/4
¥ 400円（特別展開催時は料金が変更）

本薬師寺跡
もとやくしじあと

地図 p.111-C
橿原考古学研究所附属博物館から🚶15分、畝傍御陵前駅から🚶10分

天武天皇が鸕野皇后（うののこうごう）（のちの持統天皇）の病気平癒を祈願して建立。藤原京の右京にあたる場所で、左京の大官大寺と並ぶ大寺院だったが、平城遷都の際に、今の奈良市西ノ京にそっくり移築された。今は堂宇の跡を示す礎石などが残るのみ。

☎0744-22-1115（橿原市観光政策課）
📍橿原市城殿町　🕘見学自由

藤原宮跡
ふじわらきゅうせき

地図p.111-B　本薬師寺跡から16分、橿原市藤原京資料室前からすぐ

持統天皇が都を飛鳥浄御原（きよみはら）から藤原に移したのは694（持統8）年。唐の長安に倣って、東西八坊南北十二条の区画をもつ日本で初めての本格的な中国式の都が造営された。しかし時をへず710（和銅3）年には平城京へ遷都となり、翌年、藤原宮は焼失。発掘調査によると、宮殿は1㎞四方で中央に政務を行う大極殿と朝堂があり、北に天皇の住居である内裏、東西に貴族の屋敷が建ち並び、推定人口3万人、周囲には外堀があったという。

0744-22-1115
（橿原市観光政策課）
橿原市高殿町ほか　見学自由

藤原宮跡資料室
ふじわらきゅうせきしりょうしつ

地図p.111-B　藤原宮跡から15分、大和八木駅から橿原市コミュニティバスで奈良文化財研究所藤原京資料室前下車すぐ（土・日曜、祝日のみ運行）

奈良文化財研究所による飛鳥・藤原地域の調査・研究成果の一部を公開・展示している。敷地そのものも藤原京の左京六条三坊にあたる場所で、玄関前の広い道が東三坊坊間路という通りだった。藤原京造営のプロセス、完成時の様子、人々の暮らしぶりなどを模型やパネルで紹介。一汁八菜＋デザートという貴族の豪勢な宴会スタイルの食事内容や、下級役人の1日をつづったビデオなども興味深い。

0744-24-1122（都城発掘調査部）
橿原市木之本町94-1　9:00～16:30
休 年末年始および展示替え期間中は休館
¥ 入館無料

本薬師寺跡周辺　レストラン

ザ・カントリーキッチンだいこくや
ざ・かんとりーきっちんだいこくや

地図p.111-C
橿原神宮前駅から20分

カナディアンログハウスのレストラン＆喫茶店。マスター手作りの生パスタと、だいこくやファームの野菜をたっぷり使ったメニューが人気。ゲストハウス「あるがまま」を併設。

090-9691-9615
橿原市田中町53-1
11:30～15:00（17:00以降は要予約）
休 水・木曜（祝日の場合は営業）
¥ ランチセット1100円～

橿原神宮前駅周辺　ホテル

THE KASHIHARA
ザ・カシハラ

地図p.112-A
橿原神宮前駅から1分

近鉄橿原神宮前駅東口より徒歩約1分というアクセスの良さ。シティホテルでは珍しい温泉大浴場がある。地元奈良県産の食材を提供する和食レストラン「まほろば」、ホテル最上階から山々の眺望が望めるフレンチ「スカイレストラン 橿原」、モダンな中国料理を提供する「鳳凰」、3つのレストランがある。

0744-28-6636
橿原市久米町652-2

てくさんぽ

今井町

いまいちょう

地図p.111-A

橿原市今井町は、天文年間(1532〜1554)に今井兵部(ひょうぶ)が御坊(現在の称念寺)を開いたのが始まり。商人を集め、商業地として隆盛を極めた。

●町全体が博物館のような土地

今井町は、江戸時代さながらの風情をもつ場所だ。この町は、本願寺の一家衆(いっけしゅう)の今井兵部豊寿(ほうじゅ)が称念寺を開いたのが始まり。境内には民家が建てられ、寺内町が形作られた。戦国時代には、周囲に堀をめぐらせ、土居も築かれた。まさに、城壁都市ならぬ掘割都市(環濠(かんごう)集落)として繁栄する。織田信長の一向宗弾圧によって一時、町は衰退するが、江戸時代は商業の町として隆盛を極め、「大和の金は今井に七分」といわれるほどになる。400年もの期間、火災にも遭わなかったため、室町時代からの町割や江戸時代の豪商による贅を尽くした建物が残り、見応えは十分だ。

町の広さは、東西600m、南北310mで、この狭い土地に約500棟の伝統的建造物が隙間なく建っている。9軒が国の重要文化財。常時または期間限定で内部を公開している。大半は個人の住宅なので、見学可能かどうかは今井まちなみ交流センター「華甍」などで確認しておこう。

■このエリアへの行き方

●今井町へ近鉄橿原線の八木西口駅から徒歩5分。特急停車の大和八木駅からでも徒歩10分。

●近鉄奈良駅からは大和西大寺駅を経由し、橿原神宮前行き列車を利用する。

●詳細図はp.128-129を参照

01 見学15分

今井まちなみ交流センター「華甍」

いまいまちなみこうりゅうせんたーはないらか

今井町に関する情報の発信基地。町歩きに役立つ案内マップもある。映像や模型で、町の歴史や文化を学んでから散策したい。1903(明治36)年に建てられた歴史的建物。

☎0744-24-8719／所今井町2-3-5／時9:00〜17:00(最終入館16:30)／休12/29〜1/3のみ休館／¥無料

02 見学10分

高木家住宅

たかぎけじゅうたく

幕末期に建てられた家で重要文化財。細い格子や六間取りで、座敷などに特徴がある。襖をはずせば4部屋が1つの大部屋となる。土間の上げ下げ窓は紐を引いて障子窓を開ける仕組み。

☎0744-22-3380／所今井町1-6-9／時不定期／休不定／¥300円

03 見学10分

河合家住宅

かわいけじゅうたく

東側の屋根が入母屋造、西側は切妻造という珍しい建築。格子窓、出格子、駒つなぎなど、細部の造りにも注目したい。古くから「上品寺屋」の屋号で酒造業を営み、現在に至る。重要文化財。

☎0744-22-2154／所今井町1-7-8／時9:30〜16:30(12:00〜13:00は昼休み)／休年始／¥見学できるのは1階のみで無料

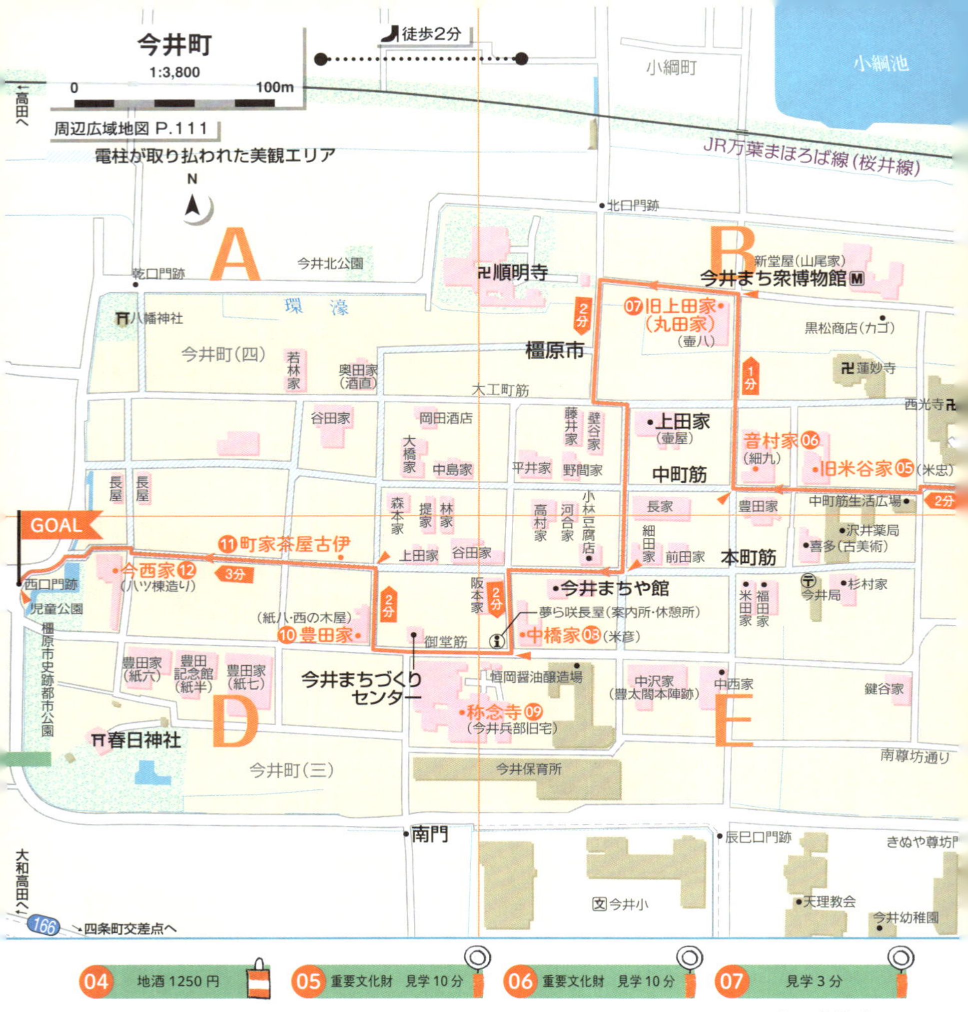

04 地酒 1250円

河合酒造
かわいしゅぞう

蔵元で地酒を。「本醸造 出世男」（720㎖）1250円。縁起のいい名前も人気だ。

0744-22-2154／今井町1-7-8／9:00～17:00／休 年始・盆休み

05 重要文化財 見学10分

旧米谷家住宅
きゅうこめたにけじゅうたく

金物商や肥料商を営んでいた家で、屋号は「米忠」。広い土間にはへっついがあり、窓が蔀戸（しとみど）やすりあげ戸になっている。

0744-29-7815／今井町1-10-11／9:00～17:00（12:00～13:00は昼休み）／休 12/25～1/5のみ休館／¥ 無料

06 重要文化財 見学10分

音村家住宅
おとむらけじゅうたく

金物商を営んでいた家。17世紀後半頃の建築で、土間が広く、入口脇には「しもみせ」がある。

0744-29-7815／今井町1-10-13／10:00～17:00（12:00～13:00は昼休み）／休 不定／¥ 300円

07 見学3分

旧上田家住宅（丸田家）
きゅううえだけじゅうたく（まるたや）

肥料商を営んでいた家。18世紀半ば頃の建築で、母屋の後ろに、中庭を囲むようにして隠居部屋、蔵、作業場、倉庫などが並ぶ造りになっている。見学は外側からのみ。

今井町4-3-25　非公開

10 重要文化財　見学5分（外観）

豊田家住宅

とよたけじゅうたく

壁に材木商「西の木屋」を示す「木」の文字がある。1662（寛文2）年の建築。内部は六間取りで、敷居に段差があるなど商家の特徴的な造り。太い梁や柱は材木商らしい重厚さだ。

●見学は橿原市観光協会 ☎0744-20-1123に申し込み、観光ボランティアの案内のみ／📍今井町3-8-12／¥200円

11 コーヒーセット500円

町家茶屋古伊

まちぢややふるい

築300年の町家を改築。そばや甘味が味わえ、わらびもちやぜんざいが人気。古い調度品が飾られた店内と、オープンカフェを併設している。

☎0744-22-2135／📍今井町4-6-13／🕓10:30～17:00（土・日曜、祝日は～17:30）／休 月曜（祝日の場合は翌日、6～9月・12～3月は不定休）

12 重要文化財　見学10分

今西家住宅

いまにしけじゅうたく

1650（慶安3）年の建築で、本瓦葺き八ツ棟造りの屋根と白壁の外観が印象的。司法権や警察権をもつ惣年寄筆頭を務めた家で、今井町の政治や行政を取り仕切っていた。

☎0744-25-3388／📍今井町3-9-25／🕓10:00～17:00（最終入館16:30）／休 月曜（休日の場合は翌平日）／¥500円、見学は要予約

08 重要文化財　見学3分

中橋家住宅

なかはしけじゅうたく

江戸時代には米屋を営んでいた家。古絵図から1748（寛延元）年には現在の場所に屋敷があったことがわかっている。見学は外側からのみ可能。

📍今井町3-1-15　非公開

09 重要文化財　見学10分

称念寺

しょうねんじ

この寺を中心に商人・農民が一丸となって今井町を形成。本堂の大屋根の曲線が印象的。

☎0744-22-5509／📍今井町3-2-29／🕓開門時／＊境内自由

まわる順のヒント

p.127～129で紹介のコースとは別のコースも提案。町歩きのスタートは、今井まちなみ交流センター「華甍」。

●華甍→南尊坊通り→御堂筋（中橋家・夢ら咲長屋・称念寺・豊田家）→今西家→本町筋（今井まちや館）→旧上田家（丸田家）→中町筋（音村家・旧米谷家）→中尊坊通り（河合家・高木家）→近鉄八木西口駅

この散策コースで約5km、所要2～3時間。豊かな歴史と文化を感じさせる町は散策に最適だが、開放している住宅以外、無断で立ち入ることは禁物だ。

御堂筋にある夢ら咲（むらさき）長屋は、案内所を兼ねた休憩所。

桜井・多武峰

エリアの魅力

観光客の人気度
★★★
町歩きの風情
★★

標準散策時間：4時間
（談山神社～聖林寺～安倍文殊院）

国宝：●聖林寺／十一面観音立像

行き方・帰り方のアドバイス

桜井駅から談山神社行きのバスは、1時間に1本程度。神社からの帰りは♀多武峯、あるいは2つ先の♀不動滝まで下り坂を10～15分ほど歩くのもおすすめ。

花の見頃

4月上旬～中旬：サクラ（多武峰）
11月中旬～12月上旬：紅葉（談山神社）

イベント&祭り

3月25～26日：文殊お会式（安倍文殊院）
4月29日、11月3日：けまり祭（談山神社）

神話と歴史が織りまぜられた、大和朝廷ゆかりの地

三輪山麓に広がる桜井は、山の辺の道の拠点として、三輪そうめんの生産地として、数々の古墳群、遺跡の宝庫として知られ、三輪山麓一帯が大和王権の発祥の地ではないかとも考えられている。多武峰は大化改新にまつわるエピソードのある地。山間にある談山神社は、一幅の絵のようなたたずまいで、紅葉の名所だ。

HINT まわる順のヒント

桜井駅から、まず談山神社へ向かい、帰りに聖林寺、安倍文殊院などを拝観して桜井駅へ戻るルートが一般的。談山神社境内へは、鳥居のある正面に130段の石段が続く。社務所前の西入山入口からなら石段が少なく比較的ラクだ。談山、御破裂山（ごはれつやま）まで登るなら1時間のゆとりが欲しい。

HINT このエリアの行き方

目的地	出発点	おもなバス系統	下車バス停
談山神社	♀桜井駅南口	🚌コ（24～26分）	♀談山神社
聖林寺	♀桜井駅南口	🚌コ（10分）	♀聖林寺
石位寺	♀桜井駅南口	🚌71（9分）	♀忍坂

🚌コ：桜井市コミュニティバス談山神社行き　🚌71：大宇陀行き

談山神社
たんざんじんじゃ

地図 p.131-B
談山神社から 徒歩5分

藤原鎌足を祀る神社で、山懐に抱かれるように、木造十三重塔、拝殿、本殿、権殿と重要文化財の建物が林立する。釣り灯籠のある廊下を巡って拝殿に入ると、藤原鎌足公の画像や刀剣、寺宝、大化改新のいきさつを描いた多武峯縁起絵巻など、興味深い展示物がある。朱塗りの本殿は、のちに日光東照宮を造営する際の手本になった建物で、関西の日光といわれたりもする。

☎ 0744-49-0001
桜井市多武峰319
8:30～17:00（最終受付16:30） ¥600円

談山
かたらいやま

地図 p.131-B
談山神社から 徒歩10分

藤原鎌足と中大兄皇子が、蘇我氏討伐のクーデター乙巳（いっし）の変の謀を相談したといわれるのが、神社の裏山。後にこの山を「談い山」と呼び、談山神社の社号の起こりとなった。境内の奥から階段状の道を登ったところにある。標高566mの山頂から見る景色は風情があり、秋には紅葉が美しい。

POINT てくナビ／談山神社から 徒歩20分ほどで御破裂山山頂に出る。大和三山や二上山が見渡せる展望地だ。

聖林寺
しょうりんじ

地図 p.131-A
聖林寺から 徒歩3分

712（和銅5）年に藤原鎌足の子、定慧（じょうえ）が父の菩提を弔うために創建。本尊の子安延命地蔵菩薩は大和最大の石地蔵で、丸みを帯びた柔和な表情に安らぎを覚える。宝物殿ではガラス越しに国宝の十一面観音立像を拝観することができる。天平時代後期の仏像の特徴である、流れるような着衣のひだ、均整のとれた姿は、指先まで凛とした空気が漂う。境内からは三輪山を一望。

☎ 0744-43-0005 桜井市下692 9:00～16:30 ¥400円、11月曼荼羅公開時500円

安倍文殊院
あべもんじゅいん

地図 p.131-A
安倍文殊院から すぐ、近鉄桜井駅から 25分

知恵と学問の神様。京都府天橋立の切戸文殊、山形県亀岡文殊と並ぶ日本三大文殊の1つ。本尊の文殊菩薩は獅子に乗った騎獅文殊菩薩像で高さは7mもある。4体の脇侍を従えた凛々しい姿。ともに快慶の作と伝えられ、国宝。また、この地は安倍一族の出身地で、境内の金閣浮御堂には安倍仲麻呂像が安置されている。

0744-43-0002 桜井市阿部645 9:00～17:00 本堂・霊宝館各700円、共通参拝1200円

メスリ山古墳
めすりやまこふん

地図 p.131-A
桜井駅から 30分

全長244mの巨大な前方後円墳で国の史跡。大和政権初期の高貴な人の墓では、と推測されている。1959（昭和34）年の発掘調査では、後円部から竪穴式石室と、円筒埴輪、玉、鉄製の弓矢、矢じりなどがみつかった。それらの埋葬品は桜井市立埋蔵文化財センター（p.136参照）と橿原考古学研究所付属博物館（p.125参照）に展示されている。

桜井市大字高田100 外観のみ見学自由

石位寺
いしいでら

地図 p.131-A
忍坂から 5分

白鳳期の重文の石仏を有する古寺。高さ1.2m、底辺1.5mの三角形の石に薬師三尊像が浮き彫りにされている。額田王が草壁皇子の鎮魂のために造仏させたものと伝わる。

現在は無住のため、拝観の際は観光まちづくり課に連絡を入れてから訪ねよう。

0744-42-7530（桜井市観光協会）
桜井市忍阪870
石仏拝観は10:00～16:00
300円（7日以上前に要事前予約）

談山神社周辺／ホテル

多武峰観光ホテル
とうのみねかんこうほてる

地図 p.131-B
談山神社から 2分

桜、紅葉の名所で有名な談山の風景を客室から一望できる。和室が中心で、本館新館合わせて全42室。紅葉のシーズンは混みあうので早めの予約が安心。名物の義経鍋7128円～は、中央部で山菜の水炊き、鍋の周囲の鉄板部分で鴨、うずら、猪などの焼肉が楽しめる。ポン酢、ゴマなど好みのたれでいただく。義経鍋は2名からの要予約。大浴場の眺めもよく、旅の疲れをいやせる。

大和名物百選第1位の義経鍋

0744-49-0111
桜井市多武峰432
1泊2食付1万7600円～

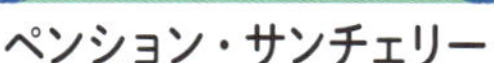

桜井駅周辺／ペンション

ペンション・サンチェリー
ぺんしょん・さんちぇりー

地図 p.131-A
桜井駅から 1分

整った設備と料理が自慢のペンション。ツイン11室と和室の全12室（バス・トイレ付）。駅に近いので、ここを拠点に奈良観光をするにも便利。1階にはレストランユニコーンがあり、夕食は天然酵素料理のフルコース。

0744-43-5115
桜井市桜井203-4
（駅前通り2丁目）
1泊2食付9350円～

てくさんぽ・拡大版

山の辺の道

やまのべのみち

山の辺の道は古代に幹線道路として開かれ、記録では日本最古の道。大和盆地と、三輪山などの山地の麓を南北に通っている。寺や遺跡などが点在し、風景ものどかで美しい。

●山の辺の道、歩き方のポイント

ハイキングコースとして一般的なのは天理駅から桜井駅までの約16㎞。桜井から天理へ行く逆ルートもある。全行程を歩くなら1日たっぷりかかる。美しい景色や歴史、人々の営みにふれながら、全行程を歩くのもいいし、レンタサイクルやバスを利用する方法もある。

路面にも「山の辺」のマークがある

レンタサイクルは天理駅前にあり、三輪駅や桜井駅での乗り捨ても可。ただし石畳の道や急な山道もあることは忘れずに。コースと平行に走る国道169号線はバス通り。また、平行して走るJR桜井線もあり、疲れたら無理せずにバスや電車などの交通機関を利用するのもいい。コース沿いには石上神宮、長岳寺、崇神天皇陵、大神神社など古社・古寺・古墳が多い。ゆっくり回る余裕をもちたい。

●レンタサイクル／天理駅西口　吉本サイクル ☎0743-63-1127。8:00～20:00。1日1700円(乗り捨て可)。

■このエリアへの行き方

大阪・名古屋方面からは近鉄大阪線を利用して桜井駅でJR線に乗り換え。京都・奈良方面からは近鉄橿原線を利用して平端(ひらはた)駅で天理線に乗り換える(桜井駅を起点とする場合についてはp.108参照)。

●地図はp.135を参照

01 石上神宮

見学15分

いそのかみじんぐう

地図p.135-A
天理駅から徒歩35分

神武天皇ゆかりの神剣が御神体の古社。国宝の檜皮葺きの拝殿は鎌倉時代の建築で、現存する拝殿としては日本最古。

☎0743-62-0900　📍天理市布留町384
🕓5:30頃～17:30(季節変更あり)　¥無料

02 竹之内・萱生環濠集落

見学10分

たけのうち・かようかんごうしゅうらく

地図p.135-A・B
石上神宮から竹之内環濠集落まで徒歩45分、萱生環濠集落まで徒歩1時間、バス停三昧田から竹之内環濠集落まで徒歩20分

中世の大和地方では、集落が自衛のために周囲に濠を造っていた。竹之内と萱生の環濠集落にはその一部が残る。今は柿畑にかこまれ、潅漑用の溜め池が点在している。

☎0743-63-1242(天理市観光協会)
📍天理市竹之内、萱生

03 衾田陵(西殿塚古墳)

見学15分

ふすまだりょう(にしとのづかこふん)

地図p.135-B
萱生環濠集落から徒歩10分、バス停成願寺から徒歩20分

全長234mの前方後円墳で、欽明天皇の母の手白香(たしらかの)皇女(ひめみこ)の墓とされる。

☎0743-63-1242(天理市観光協会)
📍天理市中山町　🕓見学自由

山の辺の道

04 見学20分

長岳寺
ちょうがくじ

地図 p.135-B
衾田陵から 15分、上長岡から 5分

824(天長元)年、淳和天皇の勅願により空海が創建したと伝わる古寺で、花の寺としても有名。仏像、建造物ともに重要文化財を数多く有する。本尊の阿弥陀如来像は観世音菩薩と勢至菩薩を両脇に従えた堂々たる姿。また、庫裡(くり)では名物の山の辺そうめん(冬はにゅうめん)を賞味できる。

0743-66-1051 天理市柳本町508
9:00～17:00 ¥400円

05 見学15分

天理市トレイルセンター
てんりしとれいるせんたー

地図 p.135-B
長岳寺から 1分、柳本から 7分

愛称は「トレイル青垣」。模型パネルで山の辺の道の天理～桜井間を中心としたルート案内を確認できるほか、周辺の植物に関する資料、黒塚古墳の石室を再現した模型や副葬品のレプリカを展示。レストランや県産品を購入できるコーナーも。

0743-67-3810 天理市柳本町577-1
8:30～17:00 休 第1月曜 ¥ 無料

06 見学10分

黒塚古墳
くろづかこふん

地図 p.135-B
天理市トレイルセンターから 12分、柳本駅から 5分

小高い丘のような所にある竪穴式石室。三角縁神獣鏡(さんかくぶちしんじゅうきょう)など、出土品を展示した資料館が隣接。

0743-67-3210(黒塚古墳展示館) 天理市柳本町1118-2 9:00～17:00 休 月曜・祝日(月曜が祝日の場合翌日も休館、GWは無休) ¥ 無料

07 見学10分

崇神天皇陵(行燈山古墳)
すじんてんのうりょう(あんどんやまこふん)

地図 p.135-B
黒塚古墳から 10分、柳本から 1分

全長約240m、美しい濠に囲まれた古墳時代前期の前方後円墳。

0743-63-1242(天理市観光協会)
天理市柳本町 外部のみ見学自由

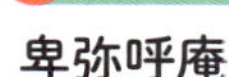

08 抹茶・和風コーヒー

卑弥呼庵
ひみこあん

地図 p.135-B
崇神天皇陵から 10分、渋谷から 8分

茶碗にコーヒーを注ぎ、茶筅で抹茶のように泡立てる和風コーヒー(おつまみ付き)は、クリーミーな泡がまろやかな味わいを醸し出す。抹茶(和菓子付き)も提供されている。自宅の座敷を開放した店で、庭の先に三輪山がそびえている。

0743-66-0562 天理市柳本町2994
9:00～17:00 休 不定休

09 見学10分

景行天皇陵（渋谷向山古墳）

けいこうてんのうりょう（しぶたにむかいやまこふん）

地図 p.135-B
崇神天皇陵から 20分、渋谷から 8分

全長約300m、規模では全国8位、ここ柳本古墳群では最大規模の前方後円墳。古墳時代前期の築造で、宮内庁によると12代の景行天皇陵と治定されているが、被葬者は未詳。周囲には陪冢（ばいちょう）も多い。

0743-63-1242（天理市観光協会）
天理市渋谷町　外部のみ見学自由

10 見学5分

箸墓古墳

はしはかこふん

地図 p.135-C
景行天皇陵から 20分、箸中から 3分

全長約280m、古墳時代前期で最大規模の前方後円墳。宮内庁によると大物主神の妻、倭迹迹日百襲姫命（やまとととひももそひめのみこと）の墓とされる。また、卑弥呼の墓説もあり、古代史のロマンに包まれている。

0744-42-9111（桜井市観光課）
桜井市箸中　外部のみ見学自由

11 見学5分

檜原神社

ひばらじんじゃ

地図 p.135-C
箸墓古墳から 25分、三輪駅から 30分

崇神天皇が天照大神を祀った社とされる。後に天照大神が伊勢神宮に移されたため、ここは元伊勢とも呼ばれる。三輪山中の磐座を御神体とし、境内には三輪鳥居があるのみ。

0744-42-6633（大神神社）
桜井市三輪町1422　境内自由

12 見学10分

狭井神社
さいじんじゃ

地図p.135-C
檜原神社から徒歩20分、三輪駅から徒歩15分

三輪山への入山はこの神社が窓口。山頂へは往復2～3時間程度で、撮影不可。また、万病に効く霊泉「狭井の御神水」が有名。

☎0744-42-6633（大神神社） 桜井市三輪町
境内自由 ¥三輪山への登拝料は300円（受付9:00～12:00、下山報告は16:00までに）

13 見学15分

大美和の杜
おおみわのもり

地図p.135-C
狭井神社から徒歩5分、三輪駅から徒歩20分

杜の南の小高い丘が展望台になっていて、葛城山、二上山、大和三山などが見渡せる。

☎0744-42-6633（大神神社） 桜井市三輪
入場自由

14 見学20分

大神神社
おおみわじんじゃ

地図p.135-C 大美和の杜から徒歩10分、三輪駅から徒歩5分、桜井駅からシャトルバスで20分(土・日曜、祝日運行)

背後にそびえる三輪山を御神体とする神社。酒神の少彦名命を配祀としている。酒屋で見かける杉玉（新酒ができた印）は、三輪山の杉で作られる。

☎0744-42-6633 桜井市三輪1422
境内自由

15  にうめん880円

森正
もりしょう

地図p.135-C
三輪駅から徒歩5分

本場の美味しい三輪そうめんが食べられる。にうめん880円、ひやし1000円。

☎0744-43-7411 桜井市三輪535
10:00～17:00（日曜・祝日9:00～、冬期～16:30） 休 月・火曜（1日、祝日の場合は営業）

16 見学15分

桜井市立埋蔵文化財センター
さくらいしりつまいぞうぶんかざいせんたー

地図p.135-C
大神神社から徒歩20分、三輪駅から徒歩10分

纏向(まきむく)遺跡やメスリ山古墳など、桜井市の遺跡や古墳から発掘した品を展示。旧石器時代から古代にかけての銅鐸や玉、埴輪が、大和盆地の歴史の長さを伝えている。

☎0744-42-6005 桜井市芝58-2
9:00～16:30（最終入場16:00）
休 月・火曜（祝日の場合は翌日）
¥300円（特別展は400円）

17 見学20分

喜多美術館
きたびじゅつかん

地図p.135-C
桜井市立埋蔵文化財センターから徒歩15分、三輪駅から徒歩7分

ピカソ、ルノワール、ユトリロ、梅原龍三郎、棟方志功など、世界の芸術家の作品を展示。古い酒蔵を改造した別館では、若手作家の紹介や企画展を開催。

☎0744-45-2849 桜井市金屋730
10:00～17:00（最終入館16:30） 休 月・木曜（祝日の場合は翌日）、年末年始、夏休み ¥800円

長谷寺・宇陀

エリアの魅力

観光客の人気度
★★★★
町歩きの風情
★★★★

標準散策時間：6時間
（長谷寺～法起院～大宇陀町歴史文化館薬の館～森野旧薬園～大願寺～宇太水分神社）

国宝：●長谷寺／本堂
●宇太水分神社／本殿

四季の花に彩られる街道沿いの地は、昔から交通の要地

大和と伊勢、伊賀を結ぶ伊勢街道沿いにある長谷は、古くから交通の要衝として開けた地。平安時代には貴族の初瀬詣が盛んになり、長谷寺の門前町として栄えた歴史をもつ。長谷寺は、ボタン、アジサイなど花の寺としても知られる。宇陀は飛鳥時代に狩り場だったところで、織田氏の城下町として、伊勢街道の宿場町としての面影を残す町並みに風情がある。とくに松山地区は国の重要伝統的建造物群保存地区に指定されている歴史の街。P.154参照。

行き方・帰り方のアドバイス

長谷寺へは、長谷寺駅下車後、北西方向へ歩き、国道を越えた先を右へ折れて初瀬川沿いに進む。

イベント＆祭り

2月14日：だだおし法要（長谷寺）

このエリアの行き方

奈良駅から長谷寺方面へは、近鉄奈良線で5～7分の大和西大寺駅で近鉄橿原線に乗り換え、急行で20～24分の大和八木駅で近鉄大阪線に乗り換え、長谷寺駅まで10～13分、榛原(はいばら)駅まで15～18分。京都・大阪方面からの行き方はp.108参照。

目的地	出発点	おもなバス系統・列車	下車バス停・駅
長谷寺	近鉄奈良駅	近鉄橿原線・近鉄大阪線（45~82分）	長谷寺駅
法起院	近鉄奈良駅	近鉄橿原線・近鉄大阪線（45~82分）	長谷寺駅
森野旧薬園・大願寺	榛原駅	1・2（20分）	大宇陀
大宇陀町歴史文化館薬の館	榛原駅	1・2（16分）	大宇陀高校
宇太水分神社	榛原駅	10、15（15分）	古市場水分神社

1・2：大宇陀行き　10：菟田野行き　15：東吉野村役場行き

HINT

まわる順のヒント

このエリア最大の見どころである長谷寺と、宇陀川沿いに見どころが点在する大宇陀は、近鉄大阪線を挟んで南北に分かれるので、一筆書きするように巡ることはできない。また、長谷寺の起点は長谷寺駅、大宇陀の起点は榛原駅になるために、いったん鉄道を利用して移動する。ただし、隣の駅なので思ったほどコース設定が難しいことはない。長谷寺駅〜榛原駅間は4〜6分。午前中に長谷寺を拝観し、早めの昼食を長谷寺周辺の店でとって、大宇陀へ行くのが一般的だ。秋の紅葉シーズンに長谷寺↔室生寺の直通臨時バスが運行。

花の見頃

4月上旬〜中旬：サクラ
4月中旬〜5月上旬：ボタン
6月上旬〜7月上旬：アジサイ
(いずれも長谷寺)

長谷寺
はせでら

地図p.139 - A
長谷寺駅から 20分

686(朱鳥元)年、天武天皇の勅願によって、千仏多宝仏塔が建てられたのが始まりで、西国33カ所観音霊場の8番札所として信仰を集める真言宗豊山派の総本山。緑が豊かな初瀬山の中腹に大伽藍を持ち、ゆるやかな階段が続く登廊と7000株のボタンが咲き誇る花の寺として有名。舞台造りの荘厳な国宝の本堂は江戸時代に徳川家光の寄進による再建で、眺望がすばらしい。本尊の十一面観音菩薩立像(重文)は、「長谷型観音」と呼ばれる身の丈10m余りの木造仏だ。

☎0744-47-7001
桜井市初瀬731-1
8:30〜17:00(3・10・11月9:00〜、12〜2月は9:00〜16:30、行事等で変更あり)
¥500円

法起院
ほうきいん

地図p.139 - A
長谷寺駅から 15分、長谷寺から 5分

長谷寺の塔頭。「びんずる尊君」や、触れると願いがかなうという「上人のくつ脱ぎ石」などがある。

☎0744-47-8032 桜井市初瀬776
8:30〜17:00 ¥境内自由

大宇陀歴史文化館「薬の館」

おおうだれきしぶんかかんくすりのやかた

地図 p.138 - B
大宇陀高校から 10分

江戸時代中期に建てられた旧細川家の住宅内が資料館になっている。薬問屋を営んでいた細川家所蔵の資料や薬品類をはじめ、大宇陀に関する歴史資料などが展示されている。

0745-83-3988　宇陀市大宇陀上2003
10:00～16:00
休 月・火曜（いずれかが祝日の場合は水曜休）、12月15日～1月15日　¥ 310円

森野旧薬園

もりのきゅうやくえん

地図 p.138 - B
大宇陀から 4分

古くから薬としても重用されていた吉野葛の製造元・森野吉野葛本舗の裏山で、代々栽培されてきた薬草園。薬草資料館には、細部にわたって丁寧に手描きされた彩色植物図鑑もある。茶房葛味庵では葛菓子が。

0745-83-0002　宇陀市大宇陀上新1880
9:00～17:00　休 無休　¥ 300円

大願寺

だいがんじ

地図 p.138 - B
大宇陀から 3分

「大願成就」に御利益があるという古刹。本尊の十一面観音菩薩は、「焼けずの観音」として信仰を集めている。要予約で薬草料理が味わえる。

0745-83-0325　宇陀市大宇陀拾生736
境内自由　※薬草料理3800円（要予約）

宇太水分神社

うだみくまりじんじゃ

地図 p.138 - B
古市場水分神社から 3分

ケヤキの木に囲まれた荘厳な雰囲気の神社。水分（みくまり）とは水配（みくばり）の意味で、流水の分配を司る神のこと。大和では葛城、吉野、都祁（つげ）とともに四水分神と呼ばれている。朱塗りの社殿は国宝。境内には源頼朝が幼少期に植えたと伝わる頼朝杉や、推古天皇の水垢離の薬の井などがある。

0745-84-2613　宇陀市菟田野古市場245
境内自由　¥ 瑞垣内特別拝観500円

買う＆食べる

長谷寺周辺／休み処

長谷路
はせじ

地図p.139-B
長谷寺駅から 12分

長谷寺参道にあるお休み処。明治中期に建てられた屋敷の一部を茶席として開放している。手入れの行き届いた庭園を眺めながらの一服に心が洗われる。菓子付きの抹茶が美味で、柿の葉寿司の付いたにゅうめんセット1100円などの軽食もある。

☎ 0744-47-7047
所 桜井市初瀬857
時 11:00〜16:00
休 不定（4・5・11月は無休）
¥ 抹茶（菓子付き）600円

長谷寺周辺／酒屋

中山酒店
なかやまさけてん

地図p.139-A
長谷寺駅から 15分

長谷の地酒「こもりくの里」を醸造販売する店。大和近郊で栽培された酒米と長谷寺奥の吐山の水を使った原酒はアルコール度が高く、見た目は淡い黄金色で、味にはコクがある。5合瓶入り（900㎖）1480円、1升瓶（1800㎖）2950円）がある。

☎ 0744-47-7401
所 桜井市初瀬795
時 8:00〜17:00 休 無休
¥ こもりくの里900㎖ 1480円

長谷寺周辺／和菓子

総本舗　白酒屋
そうほんぽ　しろざけや

地図p.139-A
長谷寺駅から 20分

長谷寺への参道沿いにあるくさ福餅（草もち）の店。店頭のせいろで米を蒸し上げ、木臼で搗きあげる。十勝産のあずきを使った自家製の餡は、ほどよい甘さが好評。上質な酒粕を使用する奈良漬も名物で、長い年月じっくりと熟成させた三年漬と呼ばれるもの。定番の瓜から専門店ならではの生姜、胡瓜もある。

奈良漬の種類は豊富

☎ 0744-47-7988
所 桜井市初瀬746
時 10:00〜17:00
（シーズン中は9:00〜）
休 不定
¥ くさ福餅6個750円

森野旧薬園周辺／和菓子

松月堂
しょうげつどう

地図p.138-B
大宇陀高校から 5分

長谷寺御用達の銘菓「きみごろも」を製造販売する和菓子処。きみごろもはメレンゲのように泡立てた卵白を蜜で固め、黄身を塗って鉄板で焼いたもの。口の中でふんわり溶ける微妙な食感は上品で繊細。緑茶にもコーヒーにも合う。草もちもおすすめ。

☎ 0745-83-0114
所 宇陀市大宇陀上1988
時 8:00〜17:00 休 水曜
¥ きみごろも1個154円

森野旧薬園周辺／吉野葛

黒川本家
くろかわほんけ

地図p.138-B
大宇陀から 5分

1615年創業、歴史がある吉野葛の製造元。本葛の濃密なまでの白さとなめらかさは、気の遠くなるような手作業の繰り返しから生まれるものだ。

☎ 0745-83-0025 所 宇陀市大宇陀上新1921 時 9:00〜17:00 休 日曜（祝日は営業）
¥ 吉野本葛130g 864円

室生寺

エリアの魅力

観光客の人気度
★★★★
町歩きの風情
★★

標準散策時間：3時間
（室生寺～室生龍穴神社～大野寺～滝谷花しょうぶ園）

国宝：●室生寺／本堂、金堂、五重塔、釈迦如来立像、釈迦如来座像、十一面観音菩薩像、伝帝釈天曼荼羅図

伊勢・伊賀と大和を結ぶ女人高野の里

「女人高野」室生寺は、春はシャクナゲ、秋は紅葉の彩りが美しい。建物、仏像など国宝を数多く有し、杉木立に囲まれた幽寂な静けさの中に点在する。とくに法隆寺五重塔に次ぐ古塔で奈良時代後期に建てられた日本最小の五重塔（国宝）は、優美なたたずまいを見せている。

HINT
まわる順のヒント

室生寺を中心とするポイントは近接していて、数時間あれば余裕を持って巡ることができるエリアだ。欲張って、長谷寺（p.138）を加えたルートも不可能ではない。ただし、1日はかかるので余裕をもったスケジュールをたてたい。長谷寺を含むルートは、バスを利用するなら室生寺を先に訪れる方が回りやすい。

行き方・帰り方のアドバイス

室生寺へのバスは1時間に1本程度の運行。待ち時間によっては駅から徒歩約5分の大野寺と磨崖仏を先に拝観し、バス停大野寺からバスに乗るのもいい。

イベント&祭り

4月21日：室生寺正御影供（室生寺奥院）
10月15日に近い日曜日：龍穴神社秋祭り

このエリアへの行き方

奈良駅から室生口大野駅へは、近鉄奈良線で5～7分の大和西大寺駅で近鉄橿原線に乗り換え、急行で20～24分の大和八木駅で近鉄大阪線に乗り換え、21～29分。京都・大阪方面からの行き方はp.108参照。

目的地	出発点	おもなバス・列車	下車バス停・駅
室生寺	バス停室生口大野駅	バス43（14分）	バス停室生寺
室生寺・龍穴神社	バス停室生口大野駅	バス43（14分）	バス停室生寺
大野寺	近鉄奈良駅	近鉄橿原線、近鉄大阪線(57～89分)	室生口大野駅
滝谷花しょうぶ園	室生口大野駅	近鉄大阪線（2分）	三本松駅

バス43：室生寺行き

室生龍穴神社はバス便がなく、室生寺から徒歩で行くことになる。
大野寺では午後の日差しの方が磨崖仏はよく見える。

花の見頃

4月中旬～5月上旬:シャクナゲ(室生寺)
6月上旬～7月上旬:ハナショウブ(滝谷花しょうぶ園) 11月中～下旬:紅葉(室生寺)

室生寺

むろうじ

地図p.142
室生寺から5分

8世紀末に興福寺の僧・賢璟(けんきょう)が建立したとも、天武天皇の勅願により役行者が開き、のちに空海が再興したともいわれている。高野山と並ぶ密教の道場として栄え、女人禁制の高野山に対して、女性の参拝を認めていたため「女人高野」と呼ばれた。五重塔や金堂など建造物は荘厳そのもの。鎧坂から続くシャクナゲの群生は3000株といわれ、初夏には薄桃色の花を咲かせる。

境内の見どころである金堂や本堂、五重塔などの建造物や仏像など、室生寺には国宝や重文に指定されている貴重なものが多い。金堂は平安初期の建立で国宝、寺院には珍しい柿(こけら)葺きの単層寄棟造り。本堂(国宝)の屋根は檜皮(ひわだ)葺きだ。金堂の内陣には、一木造りの本尊釈迦如来立像や十一面観音立像(いずれも国宝)をはじめ、地蔵菩薩、薬師如来などの数々の仏像が安置される。五重塔(国宝)は800年頃の建立、高さ16mは野外のものとしては国内最小。シャクナゲや深い緑を背景に、朱塗りの美しい姿を見せる。

鎧坂の上にある金堂

0745-93-2003 宇陀市室生78 9:00～16:00 600円

室生龍穴神社

むろうりゅうけつじんじゃ

地図p.179-L
室生寺から15分

室生は古くから水神の聖地として知られる土地。この社は室生寺よりも古く、水の神である竜神を祀り、雨乞いの神事が行われた。巨木が茂り、苔むした境内には静寂さが漂う。本殿から離れた奥宮(龍穴)は、一枚岩の上を流れる滝が圧巻だ。

☎0745-93-2177 📍宇陀市室生1297 🕒境内自由

大野寺
おおのでら

地図p.179-L
室生口大野駅から徒歩8分

681（白鳳9）年に役行者が開いたという古刹で、室生寺の西の大門とされている。宇陀川をはさんだ対岸の岩壁には、高さ13.8mもの弥勒磨崖仏が見える。この岩は室生火山群の特徴的な岩質である石英安山岩が露出したもので、白っぽい岩肌に、やや右下にうつむいたように弥勒仏が線刻されている。

☎0745-92-2220 📍宇陀市室生大野1680
🕒8:00～17:00（11～2月は～16:00） ¥300円

花の郷・滝谷花しょうぶ園
はなのさとたきだにはなしょうぶえん

地図p.179-L　三本松駅から徒歩25分、ショウブ開花時に三本松駅から臨時バス運行、所要5分

夏の訪れを告げる100万本のショウブは6月上旬～7月上旬にかけて、白、紫、ピンクの美しい花を咲かせる。その種類は約600種。優雅なその姿は来園者の目を楽しませる。園内は、ほかにも芝桜、テッセン、ツルバラ、アジサイなど、季節ごとに色とりどりの花で埋め尽くされる。咲き誇る花ショウブを一望できる食堂や喫茶、花苗販売所もある。

☎0745-92-3187 📍宇陀市室生滝谷348
🕒9:00～18:00 休無休 ¥900円

食べる＆買う

三本松駅周辺／和食

青葉の庄
あおばのしょう

地図p.179-L
三本松駅から徒歩5分

「道の駅宇陀路室生」内の和風レストラン。茶そば御膳、葛うどん御膳各1490円などの、地元産の食材を使った上品な味付けの和食が人気。元気玄米茶粥御膳1100円は、日常的に茶粥を食す習慣があったこの地の名物で、あっさりとスッキリ食べられるヘルシーな茶粥。宇陀川沿いの明るく眺めのいい店内で、気持ちよく食事ができる。

☎0745-97-2200
📍宇陀市室生三本松3176-1
🕒10:00～18:00（17:30LO）
休水曜
¥宇陀川御膳1490円

室生寺周辺／和菓子

室生よもぎ餅本舗 もりもと
むろうよもぎもちほんぽ もりもと

地図p.142
室生寺から徒歩1分

室生の天然よもぎは、香りが強くて素朴な味わい。店頭のせいろで餅を蒸し上げ、すばやく餡を包み込む。鮮やかな若緑色の餅が目にも美味。焼き餅もある。

☎0745-93-2026
📍宇陀市室生1702
🕒10:00～17:00
休不定休
¥よもぎ餅（6個入り）600円

古代文化に触れる基礎知識！

古墳・遺跡を探訪する

古代から国の中心として栄えていた大和地方は、長い歴史をもつ土地柄。それだけに、奈良県内は古墳や遺跡の宝庫としても知られている。当地では現在もなお、古代史の常識を覆すような発見が続いている。

発掘直後の小判型石槽（右）と亀形石槽（左）p.121参照

◆古墳の時代

古墳がよく造られたのは3世紀中頃から7世紀にかけての400年間で、考古学上の時代区分で「古墳時代」と呼ぶ。一般的にはさらに前期3～4世紀・中期5世紀・後期6～7世紀に分けられる。前期は自然地形を利用した古墳が多く、円墳や方墳、前方後円墳などが見られる。中期は前方後円墳の完成期ともいわれ、副葬品には武器や武具が目立つ。後期は前方後円墳が減少し、墓の規模が小さくなる。

やがて仏教の火葬の習慣などが影響し、古墳の時代は終わりを迎える。奈良では、前期の箸墓古墳p.135、中期の馬見古墳群p.181-G・H（地図）、後期の石舞台古墳p.120などが代表的。

◆エリアとポイント

県下で古墳・遺跡の多いエリアや注目の古墳・遺跡があるエリアは、斑鳩町、明日香村、天理市、桜井市など。著名な古墳としては藤ノ木古墳p.98、石舞台古墳、高松塚古墳p.118、キトラ古墳、黒塚古墳p.134、箸墓古墳などがある。また、著名な遺跡としては益田岩船p.113-G（地図）、酒船石遺跡p.120などがある。

◆Topic　News

昭和の大発見だった高松塚古墳は有名だが、それ以降も多くの発掘が奈良県内で続いている。2000（平成12）年には明日香村、酒船石遺跡近くの亀形石造物p.121。桜井市のホケノ山古墳p.135-C（地図）は、3世紀中頃のものとみられる前方後円墳。橿原市では推古天皇の墓と推測される植山古墳p.112-E（地図）などだ。

近年でも、2014（平成26）年に明日香村の都塚古墳p.111-F（地図）が、ピラミッドのように石を階段状に積み上げた大型方墳と判明した。墓の形式に類例がなく、天皇陵にも匹敵する規模で、蘇我稲目（そがのいなめ）ら蘇我一族の有力者の墓ではないかという見方も出ている。

また、2015（平成27）年1月には同じ明日香村の小山田遺跡p.115-G（地図）で、石材を50mにわたって貼り付けた巨大な掘割が発見された。これは石舞台古墳を上回る大きさの方形だったと推定され、舒明（じょめい）天皇の墓説、蘇我一族の墓説など、いろいろな意見が提示されている。

観光客に人気の石舞台古墳

◆用語の基礎知識

円墳：円形の古墳。平たい円筒形を段々に積み上げたもので、上に行くほど円は小さい。

方墳：円墳と同様の造りだが、形は四角。

前方後円墳：円墳と方墳を連結した古墳。

副葬品：被葬者のものとみられる衣服など、墳墓内に死者とともに納められている品。服飾類や装身具類、武具など。

邪馬台国：3世紀の日本に成立していた国家。卑弥呼を女王とし、7万戸があったという。位置は特定されていないが、九州説と畿内（大和）説が有力。

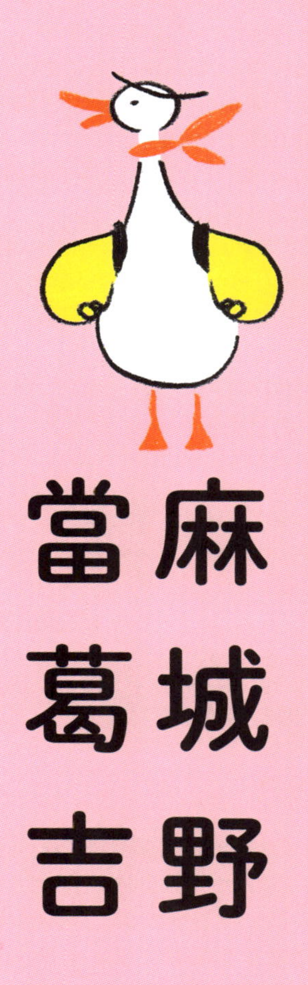
當麻
葛城
吉野

エリアをつかむヒント・特別編

當麻・葛城・吉野エリア

●どんな場所？･･･當麻・葛城は大和盆地の南西部に位置し、平地のはずれにあって二上山や葛城山などの名山を間近に望む。これらの山々は500～1000mほどの丘陵地帯で、大阪府との境をなしている。吉野は大和盆地の南部に位置する山里。

●自然や風景は？･･･いずれも山地か山地に近く、奈良市内のような賑わいとは遠く離れた、自然豊かな地だ。

●歴史は？･･･當麻や葛城は、大和朝廷以前に大和地方一帯を支配していた豪族・葛城氏の本拠地だったという、古い歴史をもつ場所。また、吉野は南北朝時代に後醍醐天皇の南朝（吉野朝）が置かれた地だったことから、ゆかりの寺社が多い。

●見る歩くポイントは？･･･歴史の古さのせいか、神話や伝説となじみ深いエリアだ。高天ヶ原をはじめ、中将姫、當麻蹶速、源義経らに関する伝説が伝えられている。それらをテーマに旅してみるのも面白い。

Ⓐ當麻

平安時代の三重塔がある當麻寺、珍しい相撲の博物館などがある。

Ⓑ御所・葛城

古代の官道・葛城の道に豪族の葛城氏、鴨氏ゆかりの神社が多い。

Ⓒ吉野

奈良きっての桜の名所。修験道の寺・金峯山寺の蔵王堂は国宝だ。南朝にゆかりの史跡も多い。

このエリアへの行き方

このエリアへの最寄り駅は近鉄南大阪線、近鉄御所線、近鉄吉野線の各路線上にある（各最寄り駅については各エリアガイドの先頭ページを参照）。おもな最寄り駅への行き方は以下のとおり。

京都駅から…当麻寺駅へは近鉄京都線・橿原線急行で1時間5～15分の橿原神宮前駅で近鉄南大阪線に乗り換え、14～23分。近鉄御所駅へは橿原神宮前駅から近鉄南大阪線で急行で7～8分の尺土駅乗り換え、近鉄御所線で8分。吉野駅へは近鉄特急を利用。京都から特急52～57分の橿原神宮前駅乗り換え、吉野線特急で38～43分。乗り換え時間を含め、吉野駅まで1時間41～46分。

奈良駅から…当麻寺駅・近鉄御所駅へは近鉄奈良線で5～7分の大和西大寺駅で近鉄橿原線に乗り換え、急行26～33分の橿原神宮前駅へ（以下京都駅から参照）。吉野駅へは大和西大寺駅から特急を乗りつぐのが最も早く、1時間9～19分。

大阪阿部野橋駅から…当麻寺駅へは近鉄南大阪線準急で36～44分。吉野駅へは近鉄南大阪線特急で1時間16～20分。

観光の問い合わせ先

葛城市商工観光課
☎0745-48-2811
御所市商工観光課
☎0745-62-3001
吉野町産業観光復興課
☎0746-32-3081

回り方のヒント

當麻、葛城、吉野で各1日として3日は欲しいところ。當麻はさほど広くないが、そのほかの葛城の道や吉野山をじっくり巡るとすればそれくらいの余裕があったほうがいい。當麻から近鉄線で葛城の最寄り駅・御所へ移動し、御所駅からJRで吉野口駅へ、近鉄吉野線に乗り換えて吉野駅へ、というコースをとれば比較的ムダがない。

葛城の古社

宿泊のヒント

いずれも都市化されていないエリアなので、最寄り駅の周辺にホテルや旅館は少ない。吉野山周辺には、風情のある和風旅館などそれなりの数の宿がある。また、大規模ホテルやビジネスホテルがそろっている橿原神宮前駅周辺を宿泊地とし、近鉄南大阪線や近鉄吉野線を利用して各エリアにアクセスする方法もある。

當麻

中将姫や蹶速(けはや)ゆかりの名所が随所に点在する

二上山(にじょうざん)の麓に広がる當麻の里は、その昔、大阪湾と飛鳥の都を結んだ要路・竹内街道の沿道にあたる場所。古くから人々が行き交った道沿いには、歴史のロマンを秘めた名所や旧跡が数多く点在している。狭いエリアながら、見どころはいっぱいある。

まわる順のヒント

二上山の山頂へは徒歩で1時間、登り坂だから体力のない人にはけっこう厳しい。最初にここをクリアしてから、残りのポイントをのんびりまわるというのもいい。当麻寺駅から當麻寺までの道沿いには飲食店も多く点在しているので、昼食はこのあたりですませたほうが無難だ。

エリアの魅力

観光客の人気度
★★
町歩きの風情
★★★

標準散策時間：3時間20分（葛城市相撲館けはや座～蹶速塚～竹内街道～當麻寺～石光寺～二上山）

行き方・帰り方のアドバイス

大阪方面からは、大阪阿部野橋駅から近鉄南大阪線で当麻寺駅まで準急で36～44分。二上山の山頂へはトレッキングの範疇に入る。靴などの準備がされていない人は麓の見どころを回るに留めたい。

イベント&祭り

4月14日：練供養会式（當麻寺）

花の見頃

11月下旬～1月下旬：寒ボタン（石光寺）
4月下旬～5月上旬：春ボタン（石光寺、當麻寺）
5月上旬～下旬：シャクヤク（石光寺）

HINT

このエリアの行き方

目的地	出発点	列車	下車駅
當麻寺・蹶速塚・竹内街道・けはや座	近鉄奈良駅	近鉄橿原線、近鉄南大阪線など（57～71分）	当麻寺駅
	橿原神宮前駅	近鉄南大阪線（14～23分）	当麻寺駅
	大阪阿部野橋駅	近鉄南大阪線（36～44分）	当麻寺駅
石光寺・二上山	近鉄奈良駅	近鉄橿原線、近鉄南大阪線など（61～73分）	二上神社口駅
	橿原神宮前駅	近鉄南大阪線（16～25分）	二上神社口駅
	大阪阿部野橋駅	近鉄南大阪線（34～42分）	二上神社口駅

葛城市相撲館けはや座

かつらぎしすもうかんけはやざ

地図p.148
当麻寺駅から👟5分

葛城市は、垂仁天皇の時代に日本ではじめて相撲をとったとされる當麻蹶速の出身地であると伝えられている。そんな神話の時代の英雄を偲んでつくられた相撲の資料館だ。館内には、江戸時代の番付表、化粧廻しを入れる明け荷など、相撲に関するさまざまな資料を展示。

☎0745-48-4611 📍葛城市當麻83-1
🕙10:00～16:00 休 火・水曜（祝日は開館）、12/28～1/4 ¥300円

當麻蹶速塚

たいまのけはやづか

地図p.148
けはや座から👟1分、当麻寺駅から👟5分

『日本書紀』によれば、ここ當麻出身の蹶速と出雲出身の野見宿禰が、日本最強をかけ天皇の前で力比べをしたと伝えられる。これが現在は国技ともなっている相撲の発祥なのだとか。

📍葛城市當麻83-1 🕙見学自由

竹内街道（竹内集落）

たけのうちかいどう（たけのうちしゅうらく）

地図p.148 蹶速塚から👟13分、JR磐城駅から竹内街道綿弓塚まで👟15分

613（推古21）年に、飛鳥の都と難波の港を結ぶために設けられた官道。『日本書紀』に記述が残っていることから、日本で最初の官道であったことがわかる。難波津から船出する遣隋使らも、この道を往還した。国道166号線と平行して走る街道沿いにある竹内集落には、大和棟の民家が並び風情がある。

☎0745-48-2811（葛城市商工観光課） 📍葛城市

POINT てくナビ／166号線からちょっとはずれた旧道は、車も少なく歩きやすい。

當麻寺

たいまでら

地図p.148
竹内街道から👟20分、当麻寺駅から👟15分

612（推古20）年に創建された古刹。中将姫が蓮糸を使って一晩のうちに當麻曼荼羅を織りあげたという伝説にちなんで、本堂（国宝）には當麻曼荼羅を模した文亀曼

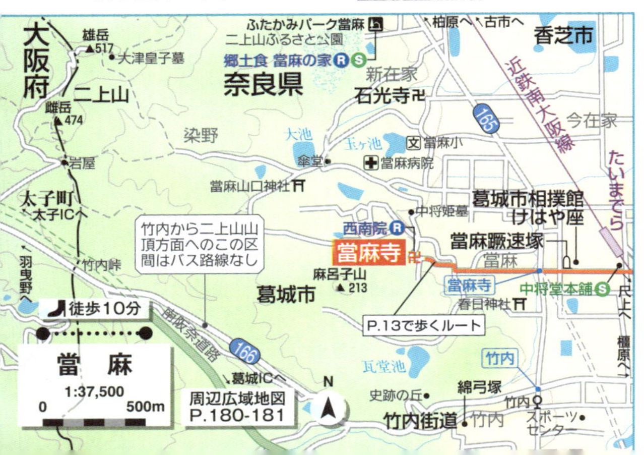

茶羅が納められている。また、金堂には日本最古の塑像とされる国宝の弥勒如来坐像（みろくにょらいざぞう）を安置。奈良時代から平安時代初期に建立された東西２つの三重塔（国宝）も現存する。

☎0745-48-2001（中之坊）、2002（西南院）、2004（護念院）、2008（奥院） 📍葛城市當麻1263 🕘9:00～17:00 ¥中之坊拝観（庭園・茶室・霊宝館など）500円　伽藍拝観（本堂・金堂・講堂）500円

石光寺
せっこうじ

地図p.148
當麻寺から👟15分、二上神社口駅から👟15分

花の寺として知られ、4月下旬～5月上旬、境内には420種2700株の春ボタンが咲き乱れる。冬の寒ボタンも有名。當麻寺にならぶ中将姫ゆかりの古刹で、中将姫が曼荼羅を織る蓮糸を染めたとされる「染の井」があり、「染め寺」とも呼ばれている。その糸を枝にかけて乾かした「糸かけ桜」などが残っている。

☎0745-48-2031 📍葛城市染野387
🕘8:30～17:00（11月～3月9:00～16:30）
¥400円

てくナビ／造り酒屋や古い民家などが沿道に点在し、風情がある。

二上山
にじょうざん

地図p.148　石光寺から雄岳まで👟約1時間、二上神社口駅から雄岳まで👟約1時間30分

標高517mの雄岳と474mの雌岳が寄りそうように並び、大和言葉で「ふたかみやま」と呼ばれた。古代には現世と来世の境界線がこの山のあたりにあると信じられ、神聖視された。

☎0745-48-2811（葛城市商工観光課）
📍葛城市新在家、加守

てくナビ／石光寺周辺からは二上山の眺めも最高、山頂への登山道は比較的よく整備してある。

買う＆食べる

石光寺周辺／地場産品

郷土食 當麻の家
きょうどしょくたいまのいえ

地図p.148
二上神社口駅から👟10分

道の駅ふたかみパーク當麻内で、郷土料理も味わえる。

☎0745-48-7000
📍葛城市新在家402-1
🕘9:00～15:00 休無休
¥ステーキ定食1200円

當麻寺周辺／精進料理

西南院
さいなんいん

地図p.148
当麻寺駅から👟15分

當麻寺境内にある塔頭（たっちゅう）で、優美な庭園と水琴窟の音で知られる。庭園を眺めながら味わう精進料理が人気。食事は2週間前までの完全予約制。予約なしなら抹茶（拝観込み700円）を。

☎0745-48-2202
📍葛城市當麻寺1263
🕘要予約
¥拝観300円

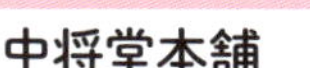
当麻寺駅周辺／和菓子

中将堂本舗
ちゅうじょうどうほんぽ

地図p.148
当麻寺駅から👟すぐ

名物の中将餅は地元産ヨモギをたっぷり使った草餅。店内でも味わえ、煎茶とセット400円。

0120-483-203 📍葛城市當麻55-1 🕘9:00～18:00（売り切れ次第閉店） 休7月、8月中旬～31日、12/31～1/上旬 ¥中将餅（8個入）800円

當麻

御所・葛城

古代史のロマンがあふれる葛城山麓の散歩道

ハイキングルートとしても人気の葛城の道のコースは、かつて精強を誇った豪族・葛城氏の本拠地に沿ってある。神話の時代のロマンを秘めた名所・旧跡がいっぱいだ。

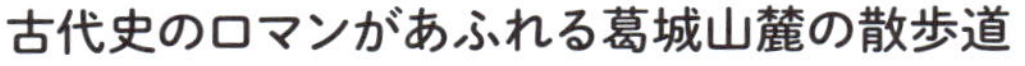

まわる順のヒント

ルートはほぼ平坦だが、唯一、金剛山腹にある高天彦神社だけは♀高天口付近からの上り坂を、20分以上歩かねばならない。道沿いには飲食店が少なく、食料や水の確保も大切。また、葛城山の山頂からは自然研究路を歩いて山麓へ降りることができる。

エリアの魅力

観光客の人気度
★★

町歩きの風情
★★★

標準散策時間：4時間30分（♀葛城ロープウェイ前～葛城山頂～九品寺～一言主神社～中村家住宅～高天彦神社～葛城の道歴史文化館～高鴨神社～船宿寺）

行き方・帰り方のアドバイス

大阪方面からの往復は近鉄御所線の利用が便利。帰りは、尺土駅で近鉄南大阪線に乗り換え、大阪阿部野橋駅まで急行で29～38分。

イベント&祭り

4月20日頃～GW頃：日本さくら草の展示（高鴨神社）

花の見頃

5月上旬～中旬：ツツジ（葛城山山頂付近、船宿寺）

このエリアへの行き方

目的地	出発点	おもなバス系統	下車バス停
葛城山	♀近鉄御所駅	🚌80・88（15～19分）	♀葛城ロープウェイ前
九品寺	♀近鉄御所駅	🚌コミ（19分）	♀楢原
一言主神社	♀近鉄御所駅	🚌コミ（20分）	♀森脇
中村家住宅	♀近鉄御所駅	🚌コミ（21分）	♀名柄
高天彦神社	♀近鉄御所駅	🚌コミ（25分）	♀高天口
葛城の道歴史文化館・高鴨神社	♀近鉄御所駅	🚌70・301（17分）	♀風の森
船宿寺	♀近鉄御所駅	🚌70・301（13分）	♀船路

🚌80・88：葛城ロープウェイ前行き　🚌70：五條バスセンター行き　🚌301：新宮行き　🚌コミ：御所市コミュニティバス西コース内回り

見る & 歩く

葛城山
かつらぎさん

地図 p.151-A／葛城山ロープウェイで6分の葛城山上駅から 15分で山頂

標高960m、大和三山や大和盆地を見渡す山頂からの眺望が素晴らしい。5月上旬のツツジや9月のススキが見ごと。山頂から山麓まで約2kmの自然研究路が整備してある。

📞0745-62-4341（葛城山ロープウェイ）
📍御所市葛城山

九品寺
くほんじ

地図 p.151-A
コミュニティバス 楢原から 5分

行基によって奈良時代に創建された古刹で、一時は荒廃したが、弘法大師によって再興。境内には、千体仏と呼ばれる石仏が約2000体ある。九品寺周辺は秋にはヒガンバナが美しい。

📞0745-62-3133　📍御所市楢原1188
¥境内拝観自由

一言主神社
ひとことぬしじんじゃ

地図 p.151-A／九品寺から 20分、コミュニティバス 森脇から すぐ

お願いを一言だけ聞いてくれる「一言(いちごん)さん」。古事記によれば、ここの祀神が雄略天皇に名を問われ「吾(あ)は悪事(まがごと)も一言、善事(よごと)も一言で言い放つ神、葛城の一言主大神なり」と答えたという。

📞0745-66-0178
📍御所市森脇432　¥境内拝観自由

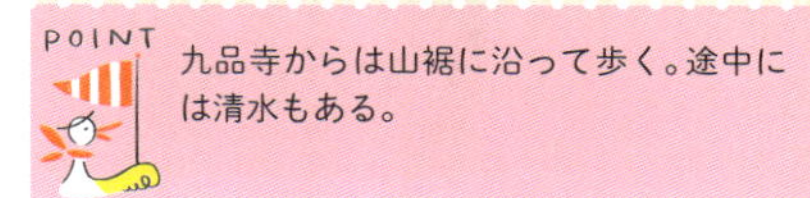

中村家住宅
なかむらけじゅうたく

地図 p.151-A／一言主神社から 15分、コミュニティバス 名柄から 5分

江戸時代初期に代官屋敷として建てられたもの。切妻段造り本瓦葺きの豪壮な外観。御所市内で最も古い建物で、国の重要文化財。

📞0745-44-3169（御所市地域活性推進室）
📍御所市名柄339　🕒外部のみ見学可

高天彦神社
たかまひこじんじゃ

地図p.151-B／中村家住宅から👟約1時間、コミュニティバス♀高天口から👟20分

小さな社殿ではあるが延喜式では最高の神格に位され、古代豪族・葛城氏の氏神が祀られる。また、かつてこのあたりは天照大神が統治した高天ケ原のあった所といわれ、大国主命はここから高千穂に降臨したと伝えられる。

📍御所市北窪158
🕒境内見学自由

てくナビ／急勾配の山道はきついが、木々がうっそうと繁る自然の景観が素晴らしい。神社のある高天の集落は神秘的な“隠れ里”の風情も濃厚。

葛城の道歴史文化館
かつらぎのみちれきしぶんかかん

地図p.151-B
高天彦神社から👟30分、♀風の森から👟15分

御所市内の遺跡、寺社などの観光情報を見学できる。床には約4m四方の御所市の航空写真がプリントされていて、葛城古道を歩く前に見ておくと、より楽しく散策できそう。

📞0745-66-1159 📍御所市鴨神1126
🕒10:00～16:00 休月曜 ¥入館無料

高鴨神社
たかかもじんじゃ

地図p.151-B
葛城の道歴史文化館から👟1分、♀風の森から👟15分

京都の上賀茂・下鴨両神社の本家筋にあたる古代豪族・鴨氏の氏神で、全国各地にある賀茂神社の総本社にあたる。1543（天文12）年に建立された三間社流造檜皮葺の本殿は国の重要文化財。4月下旬～5月上旬に展示されるニホンサクラソウの可憐な花も美しい。

📞0745-66-0609 📍御所市鴨神1110
🕒境内拝観自由

船宿寺
せんしゅくじ

地図p.151-B
高鴨神社から👟40分、♀船路から👟10分

行基が創建した古刹で、ツツジの名所としても有名だ。4月下旬～5月中旬は境内に植えられた1000株のツツジやサツキが咲き乱れ、林の奥にはシャクナゲ園もある。境内から望む金剛山や葛城山も素晴らしい。

📞0745-66-0036 📍御所市五百家484
🕒8:00～17:00 ¥拝観400円

TEKU TEKU COLUMN

葛城の道

地図p.151
♀猿目橋からすぐ

猿目橋バス停がスタート地。風の森周辺まで全長13㎞の葛城古道は、古代には官道として賑わった道。今はのどかな田園風景が広がる一帯も、かつては有力豪族・葛城氏の本拠として栄えた。葛城山と金剛山の麓に沿って延びる沿道には、数々の遺跡や寺社が点在し、それらを訪ね歩くのも楽しい。道沿いには案内板も整備され、春や秋の気候のよい時期にはハイキングコースとしても人気が高い。

買う＆食べる

御所駅周辺　パン・カフェ

カントリーロード
かんとりーろーど

地図 p.181-J
JR忍海駅から 25分

天然酵母を使った手ごね、手造りのパンが評判。焼きたてを店で味わうこともできる。人気のたまごサンドは378円。イートインのサラダ、ドリンク、スープバーがすべて330円で。ランチのスープカレーやカントリーバーガーも人気。

0745-60-5340
葛城市山田189-1
7:00～18:00　休 月曜、第2・4火曜（休日の場合は翌日）
¥ カントリーバーガー660円

御所駅周辺　食事処

大和鮨夢宗庵
やまとずしむそうあん

地図 p.181-J
近鉄御所駅から 3分

ジャズが流れる落ち着いた店内で、名物の柿の葉ずしやにぎりずしなどが気軽に味わえる。お昼の特別サービスにぎり1100円は吸い物・小鉢付きで、ネタも大きく満足感があると人気。柿の葉ずしは店頭販売も。

0745-62-8010
御所市東松本284-1
11:00～21:30（21:00LO）店頭販売は8:00～21:00（土・日曜、祝日7:00～）
休 無休
¥ 柿の葉ずしセット1650円

御所駅周辺　日本酒

千代酒造
ちよしゅぞう

地図 p.151-A
櫛羅から 2分

昭和初期創業の醸造元。葛城山の伏流水で醸造する酒は、爽やかな飲み口で日本酒党の間でもファンは多い。

0745-62-2301
御所市櫛羅621
8:00～17:00
休 日曜、祝日（5～9月は土曜も休）
¥ 櫛羅純米吟醸（720㎖）2200円

中村家住宅周辺　日本酒

葛城酒造
かつらぎしゅぞう

地図 p.151-A
寺田橋から 17分

幻の酒米として知られる「備前雄町（びぜんおまち）」を使う吟醸酒は、芳純な香り。数量も少ない貴重品だが、試飲も可。純米大吟醸百楽門720㎖1650円～。

0745-66-1141
御所市名柄347-2
8:30～17:00
休 日曜、祝日
¥ 純米大吟醸百楽門（720㎖）1620円～

御所駅周辺　和菓子

あけぼ乃
あけぼの

地図 p.151-A
近鉄御所駅から 3分

1885（明治18）年創業の老舗の和菓子店。『葛城路』は黄身餡の中に丸ごと大きな栗を入れて焼き上げたもので、山里の地を感じさせる風味があふれている。

0745-62-2071
御所市大広町328
7:30～19:30
休 1/1～4
¥ 葛城路（1個）216円

寺や神社だけではない！　ぜひ訪れたい

奈良の歴史の街

奈良には昔ながらの町並みが残る、3カ所の重要伝統的建造物群保存地区がある。橿原市今井町（p.127）、宇陀市松山地区、五條市新町通りだ。風情を残す古風な町並みを歩いてみたい。

宇陀市松山地区（大宇陀）

かつての宇陀千軒の名残り

奈良県のちょうど真ん中あたり、バスの終点・大宇陀の一帯が松山地区。近世は織田氏の城下町として栄え、江戸時代には幕府領、明治時代になると郡役所や裁判所が置かれるなど政治・経済の中心地であった。京都や奈良と伊勢をつなぐ要衝として繁栄。吉野葛の商店や料理旅館が軒を連ね「宇陀千軒」「松山千軒」と呼ばれるほど賑わっていたという。

歴史散歩のスタートは、旧内藤家住宅を利用した松山地区まちづくりセンター「千軒舎」から。松山通り沿いには江戸から昭和初期の商家が続き、間口の広い切妻造りの町家や立派な看板、凝ったデザインの袖うだつなどが目を引く。松山地区の町家の特徴は、平格子、出格子、駒寄せ格子、犬矢来などで、犬矢来は軒下への人馬の侵入を防ぐためのもの。

松山地区まちづくりセンター「千軒舎」

大宇陀歴史文化館「薬の館」と看板

町のシンボル的な存在が、大宇陀歴史文化館「薬の館」。唐破風付きの「天寿丸」の看板をはじめ、細部まで手の込んだ贅沢な造り。建物の前に作られた犬矢来は、造りが細かくて芸術的に見える。

宇陀の名産である吉野葛は全国的に有名で、森野吉野葛本舗や黒川本家が老舗として知られている。黒川本家は間口10間半もある実に堂々とした構え。作家の谷崎潤一郎も愛した店だ。

地図p.138-E
近鉄大阪線榛原駅から大宇陀行き🚌20分、終点下車

問い合わせ先
0745-82-2457　宇陀市商工観光課

松山地区まちづくりセンター「千軒舎」
0745-87-2274・2275
9:00～17:00
休 12/29～1/3（ほかに臨時休あり）
＊ 宇陀市歴史文化館「薬の館」・森野旧薬園p.139参照
＊ 黒川本家p.140参照

五條市新町通り

日本最古の民家も保存

風情ある鉄屋橋と餅商一ッ橋商店の眺め

「新町通り」と呼ばれる旧紀州街道沿いが、江戸時代の面影を残す町並み。1975年の調査では江戸時代の建物が77棟、明治時代の建物が19棟。その多くが木造の本瓦葺きで、漆喰塗りの壁や虫籠窓(むしこまど)、格子の家々が連なる長い街道は、かつて宿場、商業の町として発展した往時を偲ばせる貴重な歴史街道だ。

JR五条駅から新町通りへ向かう途中にあるのが重要文化財の「栗山邸」。棟札に1607(慶長12)年の銘があり建築年代のわかっているものでは日本最古の民家だという。内部は非公開なので見学は外観のみ。

珍しい鮎そばも

新町通りの「まちや館」は江戸時代の伝統的な町家建築の様式による家屋で、井戸やかまど、箱階段なども復元。

まちなみ伝承館

少し先の「まちなみ伝承館」は明治から大正にかけて建築された民家で、地域の歴史や文化などの資料展示、トイレなどの設備もある。散策の拠点として利用したい。映画のロケにも使われた鉄屋橋を眺め、吉野川(紀ノ川)へ。9月中旬から10月は鮎のやな漁が名物で、鮎料理が味わえる。

新町周辺には、明治維新の先駆けとなった天誅組の変で知られる五條代官所跡、その代官所の長屋門であった「民俗資料館」など、歴史的な見どころが数多い。

地図p.157
📍 JR和歌山線五条駅から徒歩13分(入口の新町口まで)

問い合わせ先
☎ 0747-22-4001 五條市企業観光戦略課、五條市観光協会

まちなみ伝承館
☎ 0747-26-1330 📍 五條市本町2-7-1
🕘 9:00～17:00(入館は～16:00) 休 水曜(祝日の場合は翌日)、12/25～1/5 ¥ 無料

まちや館
☎ 0747-23-2203
🕘 10:00～17:00(11～3月は～16:00)
休 月曜(祝日の場合は翌平日)、12/25～1/5
¥ 無料

吉野

エリアの魅力

観光客の人気度
★★★
町歩きの風情
★★

標準散策時間：4時間
（ロープウェイ吉野山駅〜金峯山寺〜吉野山ビジターセンター〜吉水神社〜如意輪寺〜竹林院〜花矢倉〜吉野水分神社）

行き方・帰り方のアドバイス

花矢倉とその奥の見どころ以外は、どのポイントも徒歩5〜10分の隣接した距離にある。ただ、山中のこと、夕方暗くなる時間帯に人里離れた場所を歩くのは考えもの。時間が遅い場合は、花矢倉や吉野水分神社からスタートした方がいい。

美しい桜の山中に、歴史の証が点在する

奈良盆地を過ぎて吉野川を渡ると、目の前には吉野山の険しい山容が姿を現わす。かつては豊臣秀吉が諸大名を招いて盛大な花見の宴を催したこともある、古来から関西有数の桜の名所だ。色鮮やかな桜の下には、古い歴史を秘めた寺社も数多く点在する。その昔、役行者（えんのぎょうじゃ）はこの山の桜を神の化身として、ここを修験道の聖地とした。また、源義経、後醍醐天皇、楠木正行といった非運の歴史上の人物たちも、この山に隠り、過ごしている。

このエリアへの行き方

奈良駅から吉野へは、近鉄奈良線の大和西大寺駅、近鉄橿原線の橿原神宮前で乗り換え特急で吉野駅まで1時間19〜32分。京都駅からは橿原神宮前駅乗り換えで特急で1時間41〜46分。大阪阿部野橋駅からは特急で1時間16〜20分。

目的地	出発点	バス系統など	下車バス停・駅
金峯山寺	吉野駅	吉野ロープウェイ（3分）	吉野山駅
吉水神社	♀吉野山	吉野山奥千本口ライン(5分)	♀勝手神社前
如意輪寺	♀吉野山	吉野山奥千本口ライン(6分)	♀如意輪寺口
竹林院・花矢倉・吉野水分神社	♀吉野山	吉野山奥千本口ライン(7分)	♀竹林院前
金峯神社・西行庵	♀吉野山	吉野山奥千本口ライン(20分)	♀奥千本口

※♀吉野山駅は、吉野ロープウェイ吉野山駅を出てすぐの所にある。桜のシーズンは♀吉野山周辺から♀竹林院前周辺までが歩行者天国となるため、バスの運行は竹林院前から奥千本口まで。また、近鉄吉野駅から如意輪寺経由で中千本までの別ルートの臨時バスが運行される。

金峯山寺

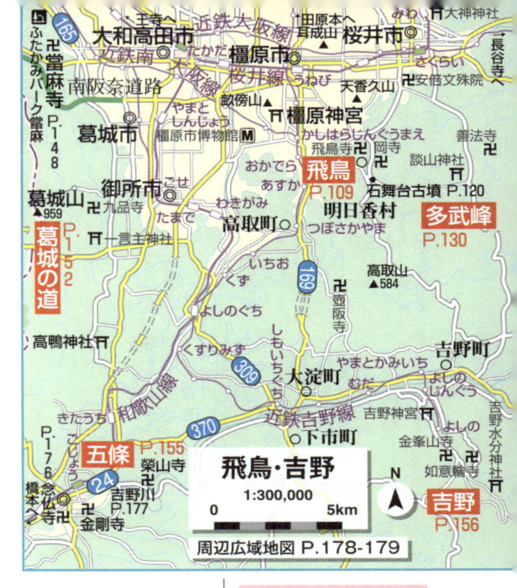

まわる順のヒント

下から順を追って吉野山の趣を感じながら歩くコースがおすすめだが、体力に自信がない人や時間がない人は、ロープウェイ吉野山駅の前から出ている吉野大峰ケーブル自動車（☎0746-39-0010。※ロープウェイは月・金・土・日曜運行。運休日は代行バスが運行）で♀奥千本口まで行き、山を下るコースをとるのも手だ。ただし、バスは11時台をのぞき1時間に1便で、最終便も16時台と早い。12月上旬～3月上旬路線バスは運休。オフシーズンや最終便のバスの運行については必ず確認を。また、徒歩のルートで気をつけたいのは食事の場所。竹林院を過ぎると吉野水分神社までの区間は飲食店はないので（花矢倉展望台に自動販売機がある程度）、昼食の時間帯に歩く人は弁当などを用意したい。

一般的なコースとしては吉野水分神社で戻る人が多いが、時間と体力があれば、さらに山頂方面に歩き、金峯神社や新古今和歌集の代表的歌人・西行が隠棲した西行庵に向かってみよう。吉野水分神社から金峯神社まで徒歩30分、そこから西行庵まではさらに20分ほど歩く。バスを使う場合は、♀奥千本口から金峯神社まで徒歩5分。

イベント&祭り

7月7日：吉野山蔵王堂蛙飛び（金峯山寺）

花の見頃

4月上旬～下旬：サクラ（吉野山）

11月上旬～下旬：紅葉（吉野山）

見る & 歩く

吉野山

よしのやま

地図p.158-C

ロープウェイ吉野山駅下車

役行者がここで修業した時に蔵王権現の姿を桜の木に刻み、修行者の守り本尊としたと伝えられる。以来、吉野山では桜を神木として保護してきた。その甲斐あってか、現在は奈良県でも随一の桜の名所。シロヤマザクラを中心に、全山で3～5万本もの木があるといわれている。4月上旬～下旬の花のシーズンともなれば、麓から花が咲きはじめ、山全体が徐々に桜色に染まっていく。吉野神宮付近の下千本、如意輪寺付近の中千本、吉野水分神社付近の上千本、西行庵一帯に広がる奥千本と、見どころも随所にある。紅葉、雪の吉野山も美しく、夏は緑が濃い。

吉野町吉野山

吉野

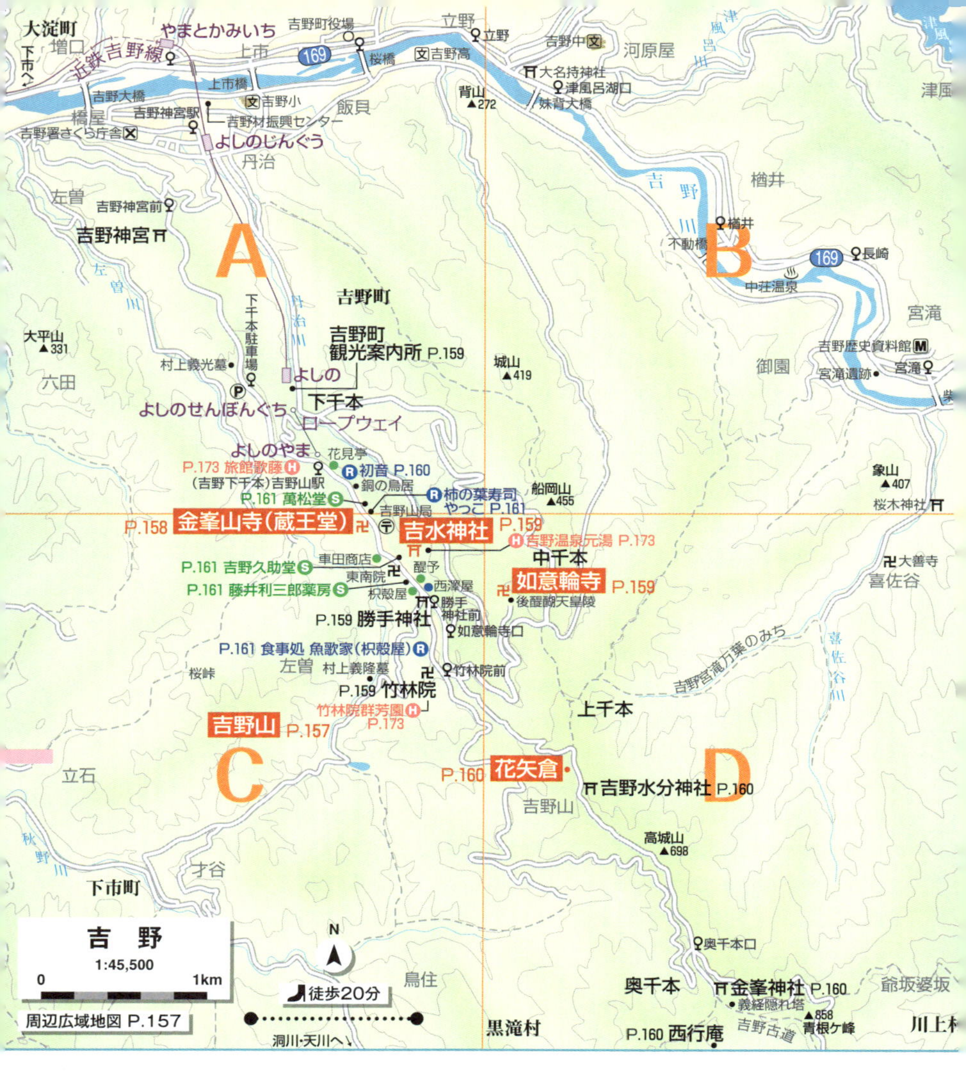

金峯山寺（蔵王堂）

きんぷせんじ（ざおうどう）

地図 p.158-C

ロープウェイ吉野山駅から 15分

役行者が奈良時代に開いた寺。修験道の中心寺院として、平安から鎌倉にかけて隆盛をきわめ、宇多上皇や白河上皇なども参詣したという。本堂の蔵王堂は室町時代の再建だが、高さは約30mの巨大な建造物。木造古建築では東大寺大仏殿に次ぐ大きさで、国宝に指定されている。

0746-32-8371　吉野町吉野山2498

8:30～16:00

境内拝観自由（蔵王堂は拝観料800円、御開帳期間は別料金）

吉野町観光案内所
よしのちょうかんこうあんないじょ

地図 p.158-A
近鉄吉野駅前

吉野駅の改札口前にあり、吉野観光の案内と物産の販売を行っている。

☎ 0746-39-9237
📍 吉野町吉野山41-3
🕘 9:00～17:00
休 毎週水曜
（水曜が祝日の場合木曜）

吉水神社
よしみずじんじゃ

地図 p.158-C
吉野山ビジターセンターから徒歩5分、バス停勝手神社前から徒歩5分

もともと金峯山寺の塔頭だったが、明治の神仏分離令で神社となる。かつて、頼朝に追われた源義経が静御前や弁慶らと一時身を隠し、また、後醍醐天皇の行在所にもなった場所として有名。現存する重文の書院には天皇の玉座が残る。

後醍醐天皇玉座

☎ 0746-32-3024
📍 吉野町吉野山579
🕘 9:00～17:00
¥ 書院拝観600円

勝手神社
かってじんじゃ

地図 p.158-C
吉水神社から徒歩5分、バス停勝手神社前から徒歩1分

別名、吉野山口神社。静御前が法楽の舞いを踊った場所として伝わる舞塚がある。2001年に社殿が不審火により焼失し、再建に向けて寄付を募っている。現在は吉水神社の境内に勝手神社を仮遷座している。

☎ 0746-32-3024
📍 吉野町吉野山2354。見学は門外からのみ

如意輪寺
にょいりんじ

地図 p.158-D
勝手神社から徒歩20分、バス停如意輪寺口から徒歩20分

後醍醐天皇の勅願寺。楠木正行が四條畷に出陣の時に辞世の句を書いた扉が宝物殿に保存されている。境内には後醍醐天皇の御陵もあり、その遺言によって慣例を破り京都を望む北向きに造られている。

☎ 0746-32-3008
📍 吉野町吉野山1024
🕘 9:00～16:00（4月の観桜期は8:30～17:00）
¥ 500円

POINT てくナビ／勝手神社から如意輪寺に抜ける近道はハイキングコースになっていて、木々の緑が美しい。

竹林院
ちくりんいん

地図 p.158-C
如意輪寺から徒歩30分、バス停竹林院前から徒歩1分

創建は聖徳太子とも、空海ともいわれる古刹。池泉回遊式庭園の群芳園は、豊臣秀吉が全国の大名を率いて盛大に催した吉野山の花見の時に、千利休に命じて改築させたという。大和三庭園の1つだ。

☎ 0746-32-8081
📍 吉野町吉野山2142
🕘 8:00～17:00 ¥ 400円

花矢倉
はなやぐら

地図p.158-D
竹林院から 25分、竹林院前から 20分

吉野山はもちろん、金剛山や葛城山、二上山のあたりまで一望のもとに見渡せる絶景の地。桜の季節はことに素晴らしい。歌舞伎「義経千本桜」で、佐藤忠信が奮戦した名場面の舞台としても有名である。

吉野町　＊見学自由

POINT てくナビ／急な坂道がつづくが、沿道には豊かな緑が広がる。また、吉野を一望する絶景も素晴らしい。

吉野水分神社
よしのみくまりじんじゃ

地図p.158-D
花矢倉から 5分、竹林院前から 25分

主神は、水の配分をつかさどる神様・天之水分大神。「みくまり」がなまって「みこもり」となり、子宝の神様としても信仰される。社殿は桃山時代に豊臣秀頼が再建。

0746-32-3012、0746-32-2717（17:30以降）
吉野町吉野山1612
7:00～17:00（冬期は8:00～16:00）
＊境内拝観自由

POINT てくナビ／花矢倉を過ぎると神社までは小さな集落があり、自動販売機で水分の補給もできる。

吉野水分神社

金峯神社
きんぷじんじゃ

地図p.158-D
吉野水分神社 30分、奥千本口から 5分

吉野山の地主神、金山毘古命（かなやまひこのみこと）を祀ってある、ひっそりとしたたたずまいの神社。中世以降は修験道の修行場の1つとなり、藤原道長も参詣したという。

090-3261-9968　吉野町吉野山1651　7:00～16:30　¥義経隠れ塔300円（不定休）

西行庵
さいぎょうあん

地図p.158-D
金峯神社 20分、奥千本口から 25分

新古今和歌集の代表的歌人である西行が、3年間わび住まいをした小さな庵。西行を師と仰ぐ芭蕉もここを訪れたという。庵の中には西行の像が安置されている。

吉野町吉野山　＊見学自由。

買う＆食べる

金峯山寺周辺／四季料理

初音
はつね

地図p.158-A
ロープウェイ吉野山駅から
5分

黒門の近く。ゆったりと落ち着く座敷があり、春の桜、秋の紅葉など吉野山の景色を眺めながら食事ができる。料理は四季折々の地元の食材、葛料理など吉野ならではの味。秋から冬にはかも鍋、ぼたん鍋も味わえる。葛のお菓子もあり、葛きり500円、葛もち600円。

0746-32-8455
吉野町吉野山2682
10:00～19:00
休 不定休（4・11月は無休）
¥ おすすめ膳「初音」2200円

竹林院周辺／和食

食事処　魚歌家（枳殻屋）

しょくじどころ　さかなかや（きこくや）

地図p.158-C
ロープウェイ吉野山駅から
徒歩25分

吉野の鮎寿司や、アマゴ寿司で知られる枳殻屋の食事処。吉野の鮎、アマゴ、山菜、鹿、猪、地鶏など、季節折々の野趣あふれる食材を使った創作料理を味わえる。ランチ2000円〜、コースのみ要予約5400円〜。

☎ 0746-39-9255
所在地 吉野町吉野山2296
時間 11:00〜18:00
（夜は2日前までに要予約）
休 水曜　¥ 昼2000円〜

金峯山寺周辺／和食

柿の葉寿司　やっこ

かきのはずし　やっこ

地図p.158-A
ロープウェイ吉野山駅から
徒歩10分

蔵王堂前にある柿の葉寿司の人気店。眺めのいい店内で、柿の葉寿司やうどんなどのセットを味わえる。柿の葉寿司（吸物付き）1200円、葛きり600円などの甘味もある。

☎ 0746-32-3117
所在地 吉野町吉野山543
時間 9:00〜17:00
休 水曜（4・11月は無休）
¥ 柿の葉寿司セット1450円〜

金峯山寺周辺／だんご

萬松堂

まんしょうどう

地図p.158-A
ロープウェイ吉野山駅から
徒歩10分

金峯山寺の仁王門前。昭和天皇の献上菓子にもなった草餅が有名で、天然のヨモギの芳香が口いっぱいに広がってきてあとをひく風味。さくら羊かん950円も名物。

☎ 0746-32-2834
所在地 吉野町吉野山448
時間 8:30〜17:00
（桜のシーズンは8:00〜19:00）
休 火曜・不定休
¥ 草餅1個140円

吉水神社周辺／吉野葛

吉野久助堂

よしのきゅうすけどう

地図p.158-C
勝手神社から徒歩5分

古風な店構えがひときわ目をひく、創業200年にもなる吉野葛専門店。もちろん、この界隈でも一番の老舗だ。店内には昔ながらの製法で造った葛菓子をはじめ、葛きり、葛そうめん、葛しるこなどなど、葛製品がズラリとならぶ。

☎ 0746-32-3067
所在地 吉野町吉野山554
時間 9:00〜17:00　休 不定休
¥ 葛菓子550円〜

吉水神社周辺／薬

藤井利三郎薬房

ふじいりさぶろうやくぼう

地図p.158-C
勝手神社から徒歩3分

昔から吉野山は薬草の宝庫だった。フジイ陀羅尼助丸（だらにすけがん）はこの山の薬草を調合して、1300年前からこの地で作られつづけてきた秘伝の漢方薬。胃腸病や二日酔いなどには素晴らしい効果を発揮するという。旅行の常備薬として購入する人も多い。

☎ 0746-32-3025
所在地 吉野町吉野山2413
時間 8:30〜17:00　休 不定
¥ フジイ陀羅尼助丸1650円〜

旅の準備のアドバイス

奈良への行き方

奈良へのアクセスは、新幹線をはじめ鉄道を利用する旅行者が多い。また各地と結ばれている高速バスを利用するのもリーズナブルな交通手段。飛行機を利用する場合は伊丹空港、関西国際空港の2空港から奈良行きのリムジンバスが出ている。

東京から

- **東京→近鉄奈良**
  交通機関:新幹線のぞみ+近鉄特急　3時間～3時間19分
  ¥1万5130円　JR東海050-3772-3910
  ●京都から近鉄急行を利用すると、3時間～3時間25分
- **羽田→近鉄奈良（大阪伊丹経由）**
  交通機関:JAL(日本空港)・ANA(全日空)+リムジンバス　2時間35分～4時間35分　¥2万6820円～　JAL(日本航空)0570-025-071、ANA(全日空)0570-029-222
- **羽田→近鉄奈良（関西国際空港経由）**
  交通機関:JAL・ANA+リムジンバス　3時間20分～4時間5分　¥2万7930円～　JAL 0570-025-071、ANA 0570-029-222、SFJ0570-07-3200
  ●飛行機のみ1時間5～30分、2万6430円～
- **バスタ新宿→JR奈良**
  交通機関:夜行高速バスやまと号／奈良-新宿線
  7時間20分　¥5980円～1万500円
  奈良交通0742-22-5110、関東バス03-3386-5489
- **上野ほか→奈良**
  交通機関:夜行高速バスやまと号／奈良・横浜・京成上野・「東京ディズニーリゾート」線　約10時間　¥6500円～1万円　奈良交通0742-22-5110、京成高速バス047-432-1891、神奈川中央交通バス0463-21-1212　●京成津田沼駅・西船橋駅・TDR・京成上野駅・横浜駅・本厚木駅などから発

京都から

- **京都→近鉄奈良**
  交通機関:近鉄線急行　43～54分
  ¥640円　近鉄050-3536-3957
  ●特急を利用すると約35分、1160円
- **京都→JR奈良**
  交通機関:JRみやこ路線(奈良線)快速
  43～53分　¥720円
  JR西日本0570-00-2486

名古屋から

- **名古屋→近鉄奈良（京都経由）**
  交通機関:新幹線のぞみ+近鉄特急　1時間18～39分
  ¥6870円　JR東海050-3772-3910　●新幹線ひかりの自由席と近鉄の急行を利用すると約1時間34分～2時間15分、5810円
- **名古屋→近鉄奈良（大和八木経由）**
  交通機関:近鉄大阪線特急
  2時間15～43分　¥3930円
  近鉄050-3536-3957
- **名古屋→近鉄奈良**
  交通機関:高速バス名古屋線
  2時間30分～50分　¥2700円
  奈良交通0742-22-5110、名鉄バス052-582-0489

大阪から

	区間	詳細
鉄道	大阪→JR奈良	交通機関:JR大和路線快速・区間快速 🕓50分～1時間2分 ¥810円 ☎JR西日本0570-00-2486
鉄道	大阪難波→近鉄奈良	交通機関:近鉄なんば線・奈良線快速急行・急行 🕓34～44分 ¥570円 ☎近鉄050-3536-3957
バス	大阪伊丹空港→近鉄奈良	交通機関:リムジンバス 🕓60分 ¥1510円 ☎奈良交通0742-22-5110、大阪空港交通06-6844-1124 ●奈良市庁前、新大宮駅、近鉄奈良駅、JR奈良駅、天理駅などに停車
バス	関西国際空港→近鉄奈良	交通機関:リムジンバス 🕓第1ターミナルから1時間30分 ¥2100円 ☎奈良交通0742-22-5110、関西国際空港072-461-1374 ●天理、奈良ホテル、近鉄奈良駅、JR奈良駅に停車

広島から

	区間	詳細
新幹線	広島→近鉄奈良（京都経由）	交通機関:新幹線のぞみ＋近鉄特急 🕓2時間18～39分 ¥1万2580円 ☎JR西日本0570-00-2486、近鉄050-3536-3957
新幹線	広島→JR奈良（大阪経由）	交通機関:新幹線のぞみ・みずほ＋JR東海道本線＋大阪環状線内回り＋JR大和路線快速 🕓2時間36分～3時間11分 ¥1万1640円 ☎JR西日本0570-00-2486

福岡から

	区間	詳細
新幹線	博多→近鉄奈良（京都経由）	交通機関:新幹線のぞみ＋近鉄特急 🕓3時間21～56分 ¥1万7320円 ☎JR西日本0570-00-2486 、近鉄050-3536-3957
飛行機	福岡→近鉄奈良（大阪伊丹経由）	交通機関:JAL・ANA・IBX＋リムジンバス 🕓2時間35分～4時間35分 ¥2万5160～7280円 ☎JAL0570-025-071、ANA0570-029-222、IBX0570-057-489 ●飛行機のみは1時間5～10分、2万3680～5800円

仙台から

	区間	詳細
新幹線	仙台→近鉄奈良	交通機関:東北新幹線はやぶさなど＋東海道新幹線のぞみ＋近鉄特急 🕓4時間48分～5時間26分 ¥2万3480円 ☎JR東日本050-2016-1600、JR東海050-3772-3910、近鉄050-3536-3957
飛行機	仙台→近鉄奈良（大阪伊丹経由）	交通機関:JAL・ANA・IBX＋リムジンバス 🕓2時間50分～4時間25分 ¥3万6740円～ ☎JAL0570-025-071、ANA0570-029-222、IBX0570-057-489 ●飛行機のみは1時間25～30分、3万4600円～

新潟から

	区間	詳細
新幹線	新潟→近鉄奈良	交通機関:上越新幹線とき＋東海道新幹線＋近鉄特急 🕓5時間15分～6時間6分 ¥2万2640円 ☎JR東日本050-2016-1600、JR東海050-3772-3910、近鉄050-3536-3957
飛行機	新潟→近鉄奈良（大阪伊丹経由）	交通機関:JAL・ANA・IBX＋リムジンバス 🕓2時間45分～3時間40分 ¥3万4640円～ ☎JAL0570-025-071、ANA0570-029-222、IBX0570-057-489 ●飛行機のみは1時間5～15分、3万600～2500円

札幌から

	区間	詳細
飛行機	新千歳→近鉄奈良（大阪伊丹経由）	交通機関:JAL・ANA＋リムジンバス 🕓3時間35分～4時間50分 ¥4万7520円～ ☎JAL0570-025-071、ANA0570-029-222 ●飛行機のみは2時間～2時間5分、4万7730円～
飛行機	新千歳→近鉄奈良（関西空港経由）	交通機関:JAL・ANA＋リムジンバス 🕓4時間20分～5時間10分 ¥5万10円～ ☎JAL0570-025-071、ANA0570-029-222、JJP0570-550-538、APJ0570-001-292 ●飛行機のみは2時間20～25分、4790円～4万7910円～

2022年2月現在。新幹線・特急は通常期の普通車指定席の料金、飛行機は普通運賃で羽田空港のみ国内線旅客施設使用料を含む。航空券の場合、LCC利用や購入時期などにより料金がかなり安くなる場合があります。また、所要時間はあくまでも目安です。お出かけ前に最新の情報を関係各社でご確認ください。

奈良エリア内の交通

奈良エリアの主要観光地間の公共交通は、近鉄線またはJR線の列車、または奈良交通の路線バスがメインとなる。

JR線は、奈良駅から郡山駅、法隆寺駅方面へ行く大和路線（関西本線）と、奈良駅から天理駅や桜井駅へ行く万葉まほろば線（桜井線）が利用に便利な路線となる。

近鉄奈良駅からは近鉄奈良線・京都線の大和西大寺駅経由で橿原線や吉野線に乗り継ぐと、西ノ京駅、近鉄郡山駅、橿原神宮前駅、飛鳥駅、吉野駅などへ行ける。

奈良交通の路線バスは、近鉄奈良駅とJR奈良駅を起点に奈良市内の主要観光地と斑鳩方面へ出ている。

なお、このエリアの各交通機関とも、IC運賃と現金運賃は同額になっている。

出発	行き先	区間	交通機関	問い合わせ	備考
奈良市中心部から	平城宮跡へ	JR・近鉄奈良駅→平城宮跡・遺構展示館	交通機関：路線バス 11～24分 ¥250円	奈良交通0742-20-3100	●大和西大寺駅行き、1時間に1～4本運行
奈良市中心部から	平城宮跡へ	近鉄奈良駅→大和西大寺駅	交通機関：近鉄奈良線・京都線 5～7分 ¥210円	近鉄050-3536-3957	●1時間に10～13本運行
奈良市中心部から	西ノ京へ	JR・近鉄奈良駅→薬師寺	交通機関：路線バス 17～22分 ¥270円	奈良交通0742-20-3100	●奈良県総合医療センター行き、1時間に1～2本運行
奈良市中心部から	西ノ京へ	近鉄奈良駅→西ノ京駅	交通機関：近鉄奈良線・橿原線 13～16分 ¥260円	近鉄050-3536-3957	●大和西大寺駅で乗り換え
奈良市中心部から	斑鳩へ	JR・近鉄奈良駅→法隆寺前	交通機関：路線バス 52分～1時間6分 ¥770円	奈良交通0742-20-3100	●法隆寺前行き、1時間に1本運行、1日7便
奈良市中心部から	斑鳩へ	JR奈良駅→JR法隆寺駅	交通機関：JR大和路線快速（関西本線） 11～12分 ¥220円	JR西日本0570-00-2486	●1時間に4～10本運行
奈良市中心部から	飛鳥へ	近鉄奈良駅→飛鳥駅	交通機関：近鉄橿原線特急・吉野線 42分～1時間7分 ¥1110円	近鉄050-3536-3957	●大和西大寺駅・橿原神宮駅で乗り換え。急行は590円
奈良市中心部から	山の辺の道へ	JR・近鉄奈良駅→天理	交通機関：路線バス 30～39分 ¥540円	奈良交通0742-20-3100	●天理駅行き、1時間に2～4本運行
奈良市中心部から	山の辺の道へ	JR奈良駅→天理駅	交通機関：JR万葉まほろば線（桜井線） 13～18分 ¥210円	JR西日本0570-00-2486	●1時間に1～4本運行
奈良市中心部から	吉野へ	近鉄奈良駅→吉野駅	交通機関：近鉄橿原線・吉野線特急 1時間19～43分 ¥1790円	近鉄050-3536-3957	●大和西大寺駅・橿原神宮駅で乗り換え
西ノ京から	奈良公園へ	薬師寺東口→県庁前など	交通機関：路線バス 22～24分 ¥270円	奈良交通0742-20-3100	●春日大社本殿、高畑町行き、1時間に1～3本運行

西ノ京から

奈良公園へ
西ノ京駅→近鉄奈良駅
交通機関:近鉄奈良線・橿原線 12〜31分 260円
近鉄 050-3536-3957
●大和西大寺駅で乗り換え、近鉄奈良駅からはバスまたは徒歩

平城宮跡へ
西ノ京駅→大和西大寺駅
交通機関:近鉄橿原線急行・普通 3〜6分 160円
近鉄 050-3536-3957
●日中1時間に5〜9本運行

斑鳩へ
薬師寺東口→法隆寺前
交通機関:路線バス 35〜45分 570円
奈良交通 0742-20-3100
●法隆寺前行き、日中1時間に1本運行

西ノ京駅→JR法隆寺駅
交通機関:近鉄橿原線＋JR大和路線 24〜50分 340円
近鉄 050-3536-3957、JR西日本 0570-00-2486
●近鉄郡山駅から徒歩15分JR郡山駅でJR大和路線に乗り換え

飛鳥へ
西ノ京駅→飛鳥駅
交通機関:近鉄橿原線・吉野線特急 29〜36分 990円
近鉄 050-3536-3957
●橿原神宮前駅で乗り換え

吉野へ
西ノ京駅→吉野駅
交通機関:近鉄橿原線・吉野線特急 1時間5〜12分 1720円
近鉄 050-3536-3957
●橿原神宮前駅で乗り換え

斑鳩から

奈良公園へ
法隆寺前→県庁前など
交通機関:路線バス 55分〜1時間7分 770円
奈良交通 0742-20-3100
●春日大社本殿、県庁前行き、1時間に1〜2本運行

西ノ京へ
法隆寺前→薬師寺東口
交通機関:路線バス 37〜42分 570円
奈良交通 0742-20-3100
●春日大社本殿、県庁前行き、1時間に1〜2本運行

平城宮跡へ
JR法隆寺駅→大和西大寺駅
交通機関:JR大和路線＋近鉄橿原線 28〜50分 390円
JR西日本 0570-00-2486、近鉄 050-3536-3957
●JR郡山駅から徒歩15分近鉄郡山駅で橿原線に乗り換え

飛鳥へ
JR法隆寺駅→飛鳥駅
交通機関:JR大和路線＋近鉄橿原線・吉野線急行 54分〜1時間29分 610円 近鉄 050-3536-3957、JR西日本 0570-00-2486
●JR郡山駅から徒歩15分近鉄郡山駅で橿原線に乗り換え

吉野へ
JR法隆寺駅→吉野駅
交通機関:JR大和路線＋近鉄橿原線急行・吉野線 1時間42分〜2時間10分 910円 近鉄 050-3536-3957、JR西日本 0570-00-2486 ●JR郡山駅から徒歩15分近鉄郡山駅で橿原線に乗り換え。吉野線は来た電車に乗る

飛鳥から

奈良公園へ
飛鳥駅→近鉄奈良駅
交通機関:近鉄吉野線・橿原線特急 39分〜1時間5分
1110円 近鉄 050-3536-3957
●途中乗り換え2回、近鉄奈良駅からJR奈良駅へはバスまたは徒歩

西ノ京へ
飛鳥駅→西ノ京駅
交通機関:近鉄吉野線特急・橿原線特急 33〜40分 990円
近鉄 050-3536-3957
●橿原神宮前駅で乗り換え、ただし10〜17時台のみ利用可

吉野へ
飛鳥駅→吉野駅
交通機関:近鉄吉野線特急 34〜40分 1210円
近鉄 050-3536-3957
●急行は38〜51分、480円

2022年2月現在。所要時間はあくまでも目安です。
お出かけ前に最新の情報を関係各社でご確認ください。

JRのトクトクきっぷ

ぷらっとこだま

きっぷではなくツアーの一種。東京や東海方面から新大阪まで、割安料金でこだまの指定席が片道から買える。利用できる列車は限られているが、ほぼ1時間に1本の設定。列車ごとの席数も限られているので早めに買っておきたい。普通車指定席用とグリーン車用があり、どちらも1ドリンク引換券付き。通年利用でき、通常期と繁忙期の料金が設定されているが、このエコノミープランの繁忙期はお盆と年末年始だけで、春・秋のゴールデンウィークやシーズンなどは通常期の料金が適応される。発売は乗車の前日まで。

出発地◆東京駅、品川駅、新横浜駅、静岡駅、浜松駅、名古屋駅、新大阪駅。

京都までの普通車往復料金◆
通常期と(繁忙期)、片道は半額

東京・品川 ……	2万1000円(2万3800円)
新横浜…………	2万600円(2万3000円)
静岡……………	1万5800円(1万8200円)
名古屋…………	8800円(1万200円)

注意点◆列車・座席とも指定され、自由席の利用不可。指定列車以外の自由席も利用できないので、乗り遅れに注意。また、最寄りの駅から新幹線に乗る駅までのJR運賃は別料金。

発売◆JR東海ツアーズと東海道新幹線沿線のJTBの各支店で販売、またはインターネットで購入する。みどりの窓口では扱っていない。

おトク度◆東京からの新幹線のぞみ往復との差は6940円。また、普通の買い方で新幹線こだまを往復買うより5640円もおトク。

九州インターネット列車予約

長崎・佐賀・大分など九州各地発着の「京都往復割引きっぷ」や「大阪往復割引きっぷ」はコロナ禍の利用客減少により、2021年3月に廃止された。これに代わるものとして、「九州ネットきっぷ」がある。ネット限定の商品で、パソコン、スマホから座席も選ぶことができる。JR九州インターネット列車予約(https://train.yoyaku.jrkyushu.co.jp/)。

乗車日や列車によって値段が変動するが、例として熊本・大阪間の料金をみると、普通運賃と指定席特急料金(のぞみまたはみずほ利用・通常期)が1万9200円のところ、JQ CARD(JR九州のクレジットカード)限定の「eきっぷ」1万7080円、JQ CARD限定で3日前までの予約「e早特」1万6170円、14日前までのインターネット予約限定の「スーパー早特きっぷ」1万3100円、21日前までの予約「スーパー早特21」1万2220円。このようにさまざまな割引制度があるので、自分の旅程と照らし合わせて検討したい。

ネット予約でおトクに

東海道・山陽新幹線の回数券で、のぞみからこだままで利用でき、6枚セットでグループや家族の旅行に便利で人気のあった新幹線回数券だが、コロナ禍による乗客の減少や、ネット予約サービスなどの進展に伴い、「東京都区内〜京都市内」など大半の区間の発売を終えた。今後は東海道・山陽新幹線ネット予約&チケットレス乗車サービス「スマートEX」や「EXPRESS予約」https://jr-central.co.jp/ex/や早めの予約で割引になる早特商品を利用することになる。

早特商品はゴールデンウイーク、お盆、年末年始は利用できないが、東京・新大阪が「EX早特21」で3520円おトク。このほかに多様な設定があるので、https://jr-central.co.jp/ex/hayatoku/を参照。

【交通機関問い合わせ先】
JR九州インターネット列車予約案内センター ☎0570-01-8814
JR東海ツアーズ ☎03-6865-5255
(ぷらっとこだまコールセンター)

HINT

近鉄のおトクなきっぷ

大阪、京都、名古屋などを起点に、奈良までの近鉄電車の往復と、奈良でのフリー乗車券を組み合わせたおトクなきっぷが発売されている。寺やレンタサイクルなどの割引特典も付いているので便利。

奈良世界遺産フリーきっぷ他

使えるエリアによって各種ある。選ぶポイントは、自由に乗り降りできるエリアと見どころ。各切符の有効期間は1日から4日で、出発駅からの近鉄電車往復＋エリア内の近鉄と奈良交通バスのフリー区間が乗り放題（一部除く）。切符により出発駅が異なるので、近鉄に乗る際に、目当ての切符を買おう。

各パスで行ける見どころ早わかり

**■世界遺産フリーきっぷ
奈良・斑鳩（1日・2日）コース**

世界遺産「古都奈良の文化財」「法隆寺地域の仏教建造物」のエリアで、定番観光地をほぼカバー。斑鳩へ行くならこれ。

このきっぷで行けるところ

◎東大寺◎興福寺◎春日大社◎奈良国立博物館◎奈良町◎元興寺◎新薬師寺◎白毫寺◎平城宮跡◎西大寺◎法華寺◎般若寺◎浄瑠璃寺◎秋篠寺◎法隆寺◎法起寺◎法輪寺◎薬師寺◎唐招提寺◎矢田寺◎慈光院

発駅：大阪難波～鶴橋、京都　、近鉄名古屋、桑名、近鉄四日市、白子、津　、伊勢中川、松阪、伊勢市・宇治山田、鳥羽、鵜方

有効期間：当日限り（2日券は2030円～）

おトク例／京都発料金は1530円。京都～近鉄奈良～法隆寺前往復の正規運賃は2820円で、それだけでも1290円おトク。

**■世界遺産フリーきっぷ
奈良・斑鳩・吉野コース**

「紀伊山地の霊場と参詣道」を加えた3つの世界遺産と、主要観光地を網羅。とくに吉野など遠方の交通費が抑えられる。

このきっぷで行けるところ

◎「奈良・斑鳩コース」の各所◎石舞台古墳◎岡寺◎飛鳥寺◎橿原神宮◎安倍文殊院◎談山神社◎長谷寺◎室生寺◎大神神社◎山の辺の道◎当麻寺◎金峯山寺

発駅：大阪難波～鶴橋、大阪阿部野橋、京都 、近鉄名古屋、桑名、近鉄四日市、白子、津 、伊勢中川、松阪、伊勢市・宇治山田、鳥羽、鵜方

有効期間：3日間

おトク例／京都発料金は3050円。京都～近鉄奈良～法隆寺前～近鉄奈良～吉野～京都の正規運賃は4300円で、1250円おトク。

■古代ロマン 飛鳥 日帰りきっぷ

飛鳥散策用の日帰りきっぷ。山陽電鉄沿線、阪神電鉄沿線、近鉄大阪線・南大阪線・京都線沿線から出発できる。現地では指定されたエリア（p.168の図参照）の近鉄線が乗り降り自由のほかに、山陽電鉄・阪神電鉄の場合、それぞれの路線で乗り降り自由となる。また、このきっぷには次の3つの特典が用意されている。①飛鳥エリアの奈良交通バス片道乗車券、②レンタサイクルの200円割引券、③飛鳥エリアの施設・店舗で使用できる100円割引券。このうち2つが選択できる。

このきっぷで行けるところ

◎橿原神宮◎高松塚古墳◎飛鳥大仏◎甘樫丘◎石舞台古墳◎飛鳥資料館◎橘寺◎キトラ古墳◎岡寺

料金：p.168の図参照

有効期間：当日限り

おトク例／京都発料金は2000円。京都～飛鳥間往復と飛鳥駅から石舞台までバス片道利用で2240円だから、それだけでも240円のおトク。

【交通機関問い合わせ先】

近鉄電車テレフォンセンター
☎050-3536-3957

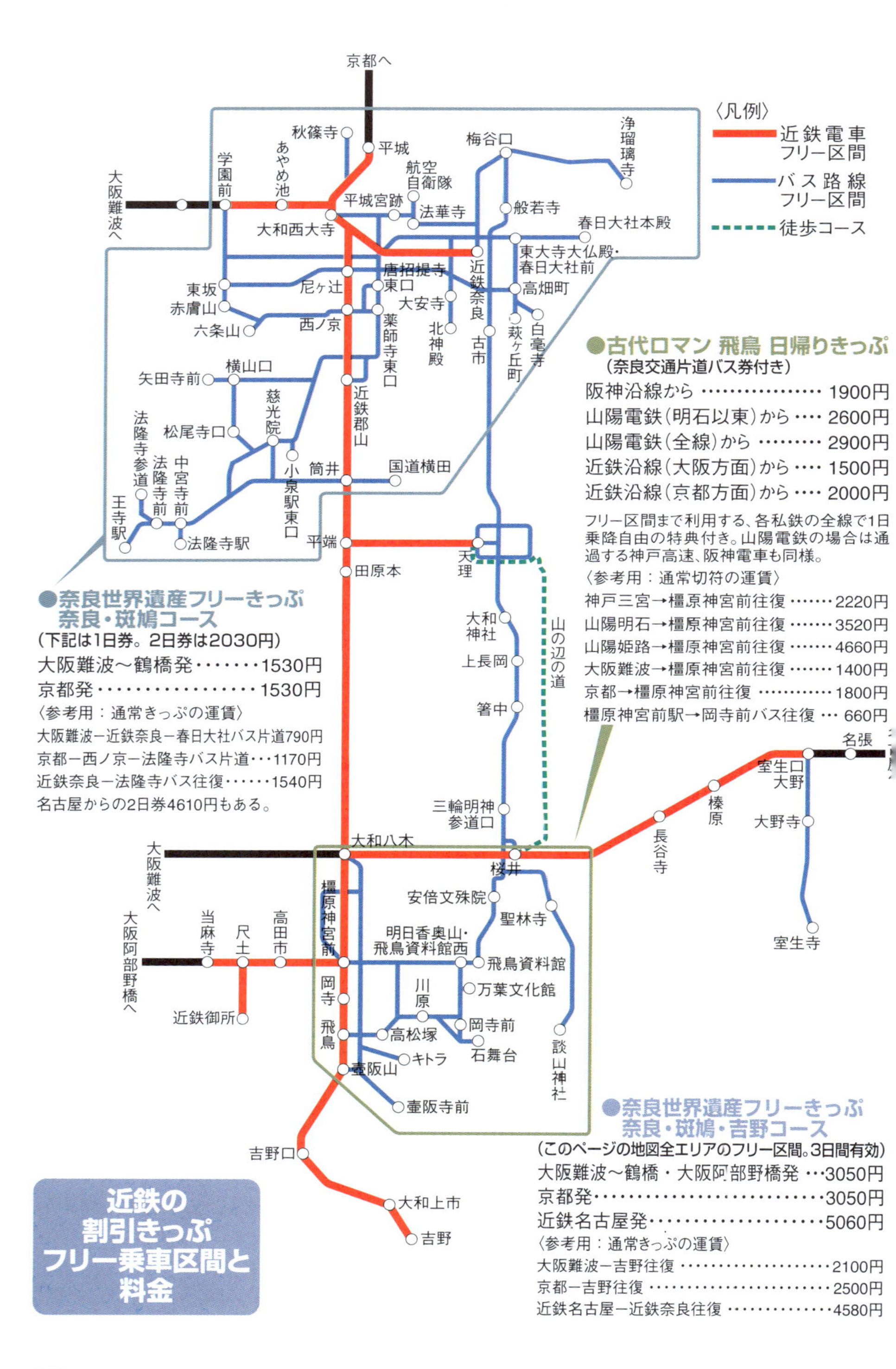
京都へ
〈凡例〉
近鉄電車フリー区間
バス路線フリー区間
徒歩コース
大阪難波へ
学園前
あやめ池
秋篠寺
平城
航空自衛隊
平城宮跡
法華寺
大和西大寺
梅谷口
浄瑠璃寺
般若寺
春日大社本殿
東大寺大仏殿・春日大社前
近鉄奈良
唐招提寺東口
尼ヶ辻
大安寺
高畑町
東坂
赤膚山
六条山
西ノ京
北神殿
古市
萩ヶ丘町
白毫寺
薬師寺東口
横山口
矢田寺前
近鉄郡山
慈光院
松尾寺口
法隆寺参道
法隆寺前
中宮寺前
小泉駅東口
筒井
国道横田
王寺駅
法隆寺駅
平端
天理
田原本
大和神社
上長岡
箸中
山の辺の道
三輪明神参道口
大和八木
桜井
長谷寺
榛原
室生口大野
名張
大野寺
室生寺
大阪難波へ
大阪阿部野橋へ
当麻寺
尺土
高田市
近鉄御所
橿原神宮前
安倍文殊院
聖林寺
明日香奥山・飛鳥資料館西
飛鳥資料館
万葉文化館
川原
岡寺
岡寺前
飛鳥
高松塚
石舞台
キトラ
壺阪山
壺阪寺前
談山神社
吉野口
大和上市
吉野
●古代ロマン 飛鳥 日帰りきっぷ
(奈良交通片道バス券付き)
阪神沿線から ……………… 1900円
山陽電鉄(明石以東)から …. 2600円
山陽電鉄(全線)から ……… 2900円
近鉄沿線(大阪方面)から …. 1500円
近鉄沿線(京都方面)から …. 2000円
フリー区間まで利用する、各私鉄の全線で1日乗降自由の特典付き。山陽電鉄の場合は通過する神戸高速、阪神電車も同様。
〈参考用：通常切符の運賃〉
神戸三宮→橿原神宮前往復 ……2220円
山陽明石→橿原神宮前往復 ……3520円
山陽姫路→橿原神宮前往復 ……4660円
大阪難波→橿原神宮前往復 ……1400円
京都→橿原神宮前往復 …………1800円
橿原神宮前駅→岡寺前バス往復 … 660円
●奈良世界遺産フリーきっぷ 奈良・斑鳩コース
(下記は1日券。2日券は2030円)
大阪難波～鶴橋発 ………1530円
京都発 ………………… 1530円
〈参考用：通常きっぷの運賃〉
大阪難波ー近鉄奈良ー春日大社バス片道790円
京都ー西ノ京ー法隆寺バス片道 …1170円
近鉄奈良ー法隆寺バス往復 ……1540円
名古屋からの2日券4610円もある。
●奈良世界遺産フリーきっぷ 奈良・斑鳩・吉野コース
(このページの地図全エリアのフリー区間。3日間有効)
大阪難波～鶴橋・大阪阿部野橋発 …3050円
京都発 ……………………………3050円
近鉄名古屋発 ……………………5060円
〈参考用：通常きっぷの運賃〉
大阪難波ー吉野往復 ……………………2100円
京都ー吉野往復 …………………………2500円
近鉄名古屋ー近鉄奈良往復 ……………4580円
近鉄の割引きっぷ フリー乗車区間と料金

奈良交通のバスで使えるおトクなきっぷ

奈良交通バスフリー乗車券

奈良交通のバスのみが、乗り降り自由となるフリー乗車券。エリアにあわせ4種類ある。近鉄やJRは利用できない。奈良の寺社巡りに便利なのが右下の3種類。このほかに、明日香周遊バス1日フリー乗車券（650円、1日有効）がある。

おトク度◆たとえば、近鉄奈良駅と薬師寺の往復だけでも520円で、右図の1-Day Passの方がおトク。

【交通機関問い合わせ先】
奈良交通お客様サービスセンター
☎0742-20-3100
http://www.narakotsu.co.jp/

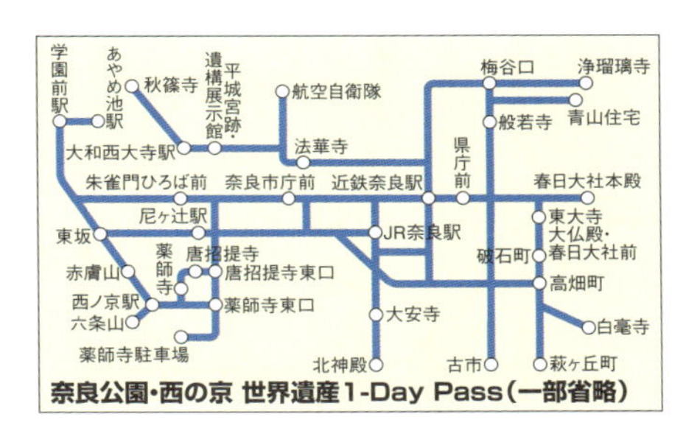

奈良公園・西の京 世界遺産1-Day Pass（一部省略）

奈良公園・西の京世界遺産 1-Day Pass 500円 ………………… 1日有効	
奈良公園・西の京・法隆寺世界遺産 1-Day Pass Wide 1000円………………… 1日有効	
奈良・大和路 2-Day Pass 1500円………………… 2日有効	

※フリー乗車券の有効エリアについてはp.32-33も参照

関西圏からのおトクなきっぷ

奈良・斑鳩1-dayチケット

関西の地下鉄、私鉄と、奈良・斑鳩の近鉄電車、奈良交通バスが1日乗り放題になる。フリーエリアはp.168「奈良世界遺産フリーきっぷ奈良・斑鳩コース」と同じで、生駒ケーブルも利用可。発売は各社線のおもな駅。ほかに、関西の私鉄と飛鳥エリアの近鉄電車が1日乗り放題の「古代ロマン飛鳥日帰りきっぷ」（p.167参照）もある。

【交通機関問い合わせ先】
各鉄道会社
https://www.kintetsu.co.jp/senden/Railway/Ticket/ikaruga/

●起点となる路線と切符の料金　鉄道会社／乗り放題の対象となる路線（一部除外の路線や指定経由地あり）／料金

鉄道会社	乗り放題の対象となる路線	料金
阪急電鉄	阪急全線＋大阪市営地下鉄	2100円
阪神電車	阪神全線（神戸高速線を除く、阪神なんば線経由）	1900円
神戸高速線	神戸高速全線＋阪神全線（阪神なんば線経由）	2100円
大阪市交通局	Osaka Metro 全線	1850円
京都市営地下鉄	京都市営地下鉄全線	1700円
京阪電車	京阪電車全線（大津線、男山ケーブルは除く）	1800円
北大阪急行	北大阪急行全線＋大阪市営地下鉄	1870円
大阪モノレール	大阪モノレール全線＋北大阪急行全線＋大阪市営地下鉄	2430円
神戸市営地下鉄	神戸市営地下鉄全線＋阪神全線（阪神なんば線経由）	2500円
神戸電鉄	神戸電鉄全線＋神戸高速線＋阪神全線（阪神なんば線経由）	2700円
能勢電鉄	能勢全線＋阪急全線（神戸高速線を除く）＋大阪市営地下鉄	2400円
山陽電車（明石以東）	山陽電車＋神戸高速線（西代～阪神元町間）＋阪神全線（阪神なんば線経由）	2600円
山陽電車（全線）	山陽電車全線＋神戸高速線（西代～阪神元町間）＋阪神全線（阪神なんば線経由）	2900円

福知山へ
山陰本線（嵯峨野線）
亀岡
保津峡
嵯峨嵐山
鞍馬
叡山電鉄
八瀬比叡山口
北野白梅町
国際会館
出町柳
坂本比叡山口
湖西線
日生中央
妙見口
能勢電鉄
帷子ノ辻
嵐山
嵐電
嵐山
太秦天神川／嵐電天神川
二条
烏丸御池
烏丸
京都河原町
三条
石山坂本線
大津京
三井寺
びわ湖浜大津
宝塚へ
川西能勢口
四条大宮
嵐山線
桂
京都
御陵
山科
大津
宝塚へ
宝塚線
箕面
箕面線
彩都西
東海道本線
京津線
石山
北千里
東向日
東福寺
稲荷
石橋
蛍池
千里中央
山田
万博記念公園
伏見稲荷
福知山線
茨木
高槻
竹田
深草
六地蔵
大阪空港
茨木市
高槻市
伊丹
伊丹
北大阪急行
千里線
南茨木
丹波橋
宇治線
中書島
黄檗
稲野
新大阪
江坂
京都線
神戸三宮へ
伊丹線
淡路
大阪モノレール線
京阪本線
京阪宇治
宇治
京都線
枚方市
新田辺
神戸線
十三
塚口
大阪（梅田）
天神橋筋六丁目
門真市
交野線
（学研都市線）
芦屋へ
片町線
私市
尼崎
加島
大阪環状線
奈良線
芦屋へ
武庫川
大物
阪神本線
北新地
JR東西線
放出
関西本線
加茂
武庫川線
なんば線
中之島線
京橋
木津
武庫川団地前
中之島
淀屋橋
天満橋
大阪城公園
学研奈良登美ヶ丘
大和西大寺
新大宮
ユニバーサルシティ
西九条
けいはんな線
森ノ宮
長田
生駒
近鉄奈良
JRゆめ咲線
JR難波
大阪難波
大阪上本町
鶴橋
布施
奈良線
尼ケ辻
奈良
桜島
弁天町
汐見橋
恵美須町
西ノ京
天王寺
生駒線
近鉄郡山
郡山
新今宮
天王寺駅前
東線
おおさか
筒井
大和路線（関西本線）
大和小泉
天理線
汐見橋線
阪堺電軌
大阪阿部野橋
信貴山口
久宝寺
法隆寺
平端
天理
岸里玉出
柏原
王寺
万葉まほろば線（桜井線）
新王寺
田原本線
田原本
住吉公園
西田原本
大阪線
道明寺
堺東
古市
橿原線
堺
堺市
三国ケ丘
南大阪線
三輪
浜寺駅前
大和八木
百舌鳥
富田林
上ノ太子
八木西口
桜井
高師浜
羽衣
東羽衣
泉北高速鉄道
中百舌鳥
二上神社口
当麻寺
高田
畝傍
岸和田
関西空港
鳳
久米田
南海本線
長野線
尺土
橿原神宮前
貝塚
和泉中央
近鉄御所
御所
関西空港線
泉佐野
水間鉄道
河内長野
水間観音
多奈川
多奈川線
飛鳥
加太
日根野
吉野線
加太線
吉野口
高野線
紀ノ川
阪和線
和歌山
和歌山線
大和上市
和歌山市
粉河
橋本
五条
紀三井寺
和歌山電鐵
貴志
吉野
和歌山港
紀勢本線
御坊へ
極楽橋

関西主要鉄道路線図
各駅停車のみ停車の駅
JR
阪急・近鉄
京阪・南海・名鉄
阪神
その他の私鉄
主な地下鉄
モノレール
新幹線
敦賀へ
長浜
北陸本線
米原
彦根
多賀大社前
高宮
安土
近江八幡
近江鉄道
八日市
貴生川
草津線
信楽
大垣
東海道新幹線
名鉄岐阜
高山へ
岐阜
岐阜羽島
笠松
尾張一宮
玉ノ井
名鉄一宮
東海道本線
養老鉄道
湯の山温泉
西藤原
阿下喜
津島
須ヶ口
名鉄名古屋
西日野
あすなろう四日市
近鉄四日市
内部
日永
亀山
河原田
四日市
近鉄富田
桑名
西桑名
弥富
近鉄名古屋
名古屋
柘植
伊賀上野
伊勢鉄道
津
静岡・東京へ
西大手
上野市
伊勢中川
紀勢本線
名松線
松阪
多気
伊勢奥津
伊賀鉄道
伊賀神戸
伊勢市
鳥羽
賢島
志摩磯部
名張
大阪線
室生口大野
榛原
長谷寺
紀伊長島
尾鷲
紀伊勝浦へ

宿泊ガイド

※旅館の宿泊料金は、原則として平日・大人2名1室利用での1名の最安値料金を税・サービス料込みで表示。ホテルの室料はⓈ（シングル）、Ⓣ（ツイン、スタンダードツインはST）、Ⓦ（ダブル、スタンダードダブルはSD）。
施設によって休前日・特定日の場合や人数によって料金が異なる場合がありますので、予約時に必ず確認をしてください。

エリア	施設名	情報
近鉄・JR奈良駅周辺	ホテル日航奈良	0742-35-8831／奈良市三条本町8-1／地図：p.184-I／ⓈⓈ8400円～ JR奈良駅に直結したシティホテル。各種のレストラン、宿泊者専用の浴場など充実。
	ピアッツァホテル奈良	0742-30-2200／奈良市三条本町11-20／地図：p.183-G／Ⓢ1万300円～／シンプルな客室とスイートを備えたモダンなホテル。スタイリッシュなジャズバーと2軒のレストランがある。
	ホテルアジール・奈良	0742-22-2577／奈良市油阪町1-58／地図：p.184-E／Ⓢ6500円～ 貸切風呂、男女交代制の大浴場、直営の日本料理店がある。
	奈良ワシントンホテルプラザ	0742-27-0410／奈良市下三条町31-1／地図：p.184-F／Ⓢ8300円～ 近鉄・JR奈良駅ともに近くて観光に便利。全国チェーンのビジネスホテル。
	コンフォートホテル奈良	0742-25-3211／奈良市三条町321-3／地図：p.184-I／Ⓢ4500円～ JR奈良駅から徒歩3分。コーヒーなどの飲物や朝食バイキングは無料サービス。
	スーパーホテルLohas JR奈良駅	0742-27-9000／奈良市三条本町1-2／地図：p.184-I／Ⓢ5000円～ JR奈良駅とデッキで直結。天然温泉・飛鳥の湯が好評。朝食無料サービス。
	ホテル花小路	0742-26-2646／奈良市小西町23／地図：p.185-G／Ⓣ6000円～ 近鉄奈良駅のそば。洋・和・和洋室がそろい、食事処も併設している。
	春日ホテル	0742-22-4031／奈良市登大路町40／地図：p.185-G／1泊2食付1万6500円～ 近鉄奈良駅近くで奈良公園、興福寺に便利。開放感のある庭園露天風呂が好評。
	センチュリオンホテルクラシック奈良	0742-93-5066／奈良市油阪町1-51／地図：p.184-E／Ⓢ5050円～／JR奈良駅から徒歩5分のくつろげるホテル。ソファを設置した温かみのある内装の客室で、薄型テレビ、ミニ冷蔵庫、空気清浄機を完備。Wi-Fi無料。
	奈良白鹿荘	0742-22-5466／奈良市花芝町4／地図：p.185-G／1泊2食付1万4400円～ 近鉄奈良駅から徒歩3分の東向商店街にある。古代檜風呂が名物。
興福寺・奈良町周辺	ホテル尾花	0742-22-5151／奈良市高畑町1110／地図：p.189-C／Ⓢ6050円～ ならまちセンターの近く。奈良町や興福寺の観光に便利。おばんざいの朝食が人気。
	ホテル天平ならまち	0742-20-1477／奈良市樽井町1／地図：p.185-K／1万620円～ 猿沢池の西側に立ち、猿沢池や興福寺五重塔が眺められる。
	青葉茶屋	0742-22-2917／奈良市高畑町1169／地図：p.186-J／1泊2食付1万5180円～ 奈良公園内の趣のある料理旅館。青葉鍋、季節の会席料理に定評。
	料理旅館吉野	0742-22-3727／奈良市今御門町19／地図：p.188-B／1泊2食付2万3100円～ 猿沢池南畔、町家格子の小ぢんまりとした宿。貸切の展望風呂がある。
	四季亭	0742-22-5531／奈良市高畑町1163／地図：p.186-J／1泊2食付3万5000円～ 一之鳥居横。屈指の老舗料亭として知られる。社寺風建物で全10室が異なった造り。
	よしだや	0742-23-2225／奈良市高畑町246／地図：p.185-L／1泊朝食付1万7600円～ 猿沢池に面して建つ。興福寺五重塔を望む貸切風呂がある。
	プチホテル古っ都ん100％	0742-22-7117／奈良市高畑町1122-21／地図：p.185-L／Ⓢ5000円～ 洋9室・和3室ですべてバス・トイレ付。猿沢池そばで観光に便利。
	ホテル美松	0742-24-3636／奈良市小川町10／地図：p.184-J／1泊2食付1万2100円～ 興福寺五重塔や南円堂を望む宿で和室19、洋室5。冬の鑑真鍋が名物。
	飛鳥荘	0742-26-2538／奈良市高畑町1113-3／地図：p.189-C／1泊2食付1万9250円～ 猿沢池のそば。興福寺五重塔を望む露天風呂もあり旅の疲れを癒せる。

エリア	宿名	情報
奈良公園・東大寺・春日大社・高畑	古都の宿　むさし野	0742-22-2739／奈良市春日野町90／地図：p.187-H／1泊2食付1万9800円～ 若草山の麓、谷崎純一郎ら文人墨客に親しまれてきた。全12室は趣が異なる。
	月日亭	0742-26-2021／奈良市春日野町158／地図：p.183-H／1泊2食付4万1800円～ 春日原始林の中に立つ日本建築の料理旅館。全8室。
	ホテルニューわかさ	0742-23-5858／奈良市北半田東町1／地図：p.185-D／1泊2食付1万4850円～ 東大寺の近く。展望や露天ジャグジー付きの客室もある。
	KKR奈良みかさ荘	0742-22-5582／奈良市高畑大道町1224／地図：p.183-H／1泊2食付1万2300円～ 和風情緒あふれる公共の宿。奈良公園や高畑の散策に便利。
	MIROKU 奈良 by THE SHARE HOTELS	0742-93-8021／奈良市高畑町1116-6／地図：p.186-I／Ⓢ1万3000円～／「共生の奈良」をテーマとしたライフスタイルホテル。一部客室からは、隣接する荒池や春日山原始林、興福寺五重塔への眺めを堪能できる。
	ANDO HOTEL 奈良若草山	0742-23-5255／奈良市川上町728／地図：p.183-D／1泊2食付2万1100円～ 新若草山ドライブウェイ沿い。奈良市内の眺望が自慢で夜景も美しい。
	奈良万葉若草の宿 三笠	0120-77-5471／奈良市川上町728-10／地図：p.183-D／1泊2食付1万5000円～ 若草山の中腹にあり市内を一望。広々として気持ちのいい天平の湯がある。
佐保・佐紀路・西ノ京	奈良ロイヤルホテル	0742-34-1131／奈良市法華寺町254-1／地図：p.182-F／Ⓦ9160円～ 新大宮駅から徒歩10分で平城宮跡に近い。設備のいい天然温泉がある。
	奈良パークホテル	0742-44-5255／奈良市宝来4-18-1／地図：p.180-B／1泊2食付1万4300円～ 古代宮廷料理を再現した「天平の宴」や宝来温泉の露天風呂が自慢。
	かんぽの宿奈良	0742-33-2351／奈良市二条町3-9-1／地図：p.182-E／1泊2食付1万5000円～ 平城京跡の西に位置し、朱雀門や大極殿を一望。温泉の露天風呂がある。
	ホテル リガーレ春日野	0742-22-6021／奈良市法蓮町757-2／地図：p.183-G／1泊2食付1万1000円～ 公立学校共済組合の施設。洋室23、和室8の客室はすべてバス・トイレ付。
	ホテル葉風泰夢	0742-33-5656／奈良市芝辻町2-11-6／地図：p.182-F／6700円～ 新大宮駅に近く佐保・佐紀路などに便利。ケーキショップと中華料理店がある。
橿原神宮・飛鳥・多武峰	THE KASHIHARA	0744-28-6636／橿原市久米町652-2／地図：p.112-A／Ⓣ1万6500円～ 橿原神宮前駅前にあるシティホテル。和・洋・中レストラン、温泉大浴場がある。
	橿原オークホテル	0744-23-2525／橿原市久米町神宮前905-2／地図：p.112-A／Ⓢ7480円～ 橿原神宮前駅中央出口から徒歩1分。シングル、ツイン、和室の全36室。
	ペンション飛鳥	0744-54-3017／明日香村越17／地図：p113-K／1泊2食付1万円～ 3タイプの洋室11と和室1があり、全室バス・トイレ付。1階にカフェがある。
	祝戸荘	0744-54-3551／明日香村祝戸303／地図：p.115-K／暫時休業 歴史公園内の高台にある。追加料金で里山料理や古代食に変更できる。
	多武峰観光ホテル	0744-49-0111／桜井市多武峰432／地図：p.131-B／1泊2食付1万7600円～ 談山神社の前に立ち、桜や紅葉などの美しい眺めが楽しめる。和室が中心。
長谷・室生寺	井谷屋	0744-47-7012／桜井市初瀬828／地図：p.139-A／1泊2食付1万3200円～ 江戸末期創業で長谷寺温泉の湯元。千人風呂（男性）や牡丹風呂（女性）が好評。
	橋本屋	0745-93-2056／宇陀市室生800／地図：p.142／1泊2食付1万6500円～ 室生寺の太鼓橋のたもとにある老舗旅館。山菜や川魚の昼食2000円～も。
吉野山	旅館歌藤	0746-32-3177／吉野町吉野山3056／地図：p.158-A／宿泊受付一時休止 ロープウェイ駅から徒歩2分。和風の本館と吉野杉のログハウスの別館がある。
	吉野温泉元湯	0746-32-3061／吉野町吉野山902-2／地図：p.158-D／1泊2食付1万6500円～ 開湯300年あまり。島崎藤村ゆかりの老舗旅館で客室が残る。源泉掛け流し。
	竹林院群芳園	0746-32-8081／吉野町吉野山2142／地図：p.158-C／1泊2食付1万3200円～ 竹林院の境内。美しい庭園を眺める展望風呂や、利休鍋（要予約）が名物。

奈良の歴史・日本の歴史

時代	奈良の歴史		
飛鳥	588	崇峻1	法興寺（飛鳥寺）の建造が開始される
	592	崇峻5	推古天皇が即位し、飛鳥豊浦宮が置かれる
	593	推古1	厩戸皇子（聖徳太子）が推古天皇を助け、政務にあたる
	601	推古9	厩戸皇子（聖徳太子）が斑鳩宮を造営。宮はのちに焼失（643）
	603	推古11	飛鳥の地で初めての宮となる小墾田宮に宮室を移す
	607	推古15	法隆（斑鳩）寺創立。厩戸皇子（聖徳太子）の建立と伝えられ、太子信仰の中心となる
	613	推古21	難波の地と大和とを結ぶ大道が建設される
	642	皇極1	皇極天皇が即位し、宮室が再び小墾田宮に移る
	643	皇極2	飛鳥板蓋宮に遷都。宮はのちの645年、乙巳の変の舞台となる
	655	斉明1	かつての皇極天皇が斉明天皇に。飛鳥板蓋宮が焼失、川原宮に移る
	667	天智6	近江大津宮に遷都。天智天皇が造営し、この宮で正式に即位
	670	天智9	法隆（斑鳩）寺炎上
	672	天武1	皇位継承をめぐって壬申の乱勃発。飛鳥浄御原に遷都する
	680	天武9	天武天皇の后の病気平癒を祈念して薬師寺を建立
	694	持統8	大和三山の地に藤原京が築かれ、持統天皇が藤原宮に移る
奈良	710	和銅3	平城京に遷都。奈良時代を代表する都となる
	730	天平2	薬師寺東塔、および興福寺五重塔が建立される
	752	天平勝宝4	東大寺にて盧舎那仏（大仏）の開眼供養が行われる
	756	天平勝宝8	聖武上皇の遺品を東大寺に収める（正倉院の始まり）
	759	天平宝字3	唐から来た高僧・鑑真が唐招提寺を建立
	765	天平神護1	称徳天皇と、天皇に寵愛された弓削道鏡が西大寺を建立
	768	神護景雲2	春日大社を創建。タケミカヅチなど4座の神を祭る
	784	延暦3	人心の一新などをはかって桓武天皇が長岡京に遷都
平安	794	延暦13	桓武天皇が平安京に遷都。奈良時代から平安時代となる

時代	日本の歴史		
飛鳥	593	推古1	厩戸皇子（聖徳太子）が四天王寺を建立する
	594	推古2	厩戸皇子（聖徳太子）と蘇我馬子が仏教を興隆させる
	600	推古8	隋の都に遣隋使が派遣される
	603	推古11	厩戸皇子（聖徳太子）が冠位十二階を制定する
	604	推古12	厩戸皇子（聖徳太子）が十七条憲法を作成する
	607	推古15	小野妹子を遣隋使として派遣する
	622	推古30	厩戸皇子（聖徳太子）が斑鳩宮で没する
	623	推古31	新羅に対して軍事行動を起こす
	630	舒明2	第1次遣唐使を唐に派遣する
	645	大化1	乙巳の変。初めて年号を定め、大化とする
	663	天智2	百済との連合軍が唐・新羅軍に大敗する
	664	天智3	筑紫の地に防人を置き、水城を築く
	669	天智8	中臣鎌足が内大臣となり、藤原姓を受ける
	708	和銅1	和同開珎発行
奈良	712	和銅5	『古事記』が元明天皇に献上される
	716	霊亀2	阿倍仲麻呂が唐に留学する
	718	養老2	藤原不比等らに律令撰定が命じられる
	720	養老4	『日本書紀』の撰上が行われる
	741	天平13	聖武天皇により国分寺建立の詔下る
	754	天平勝宝6	遣唐使が唐僧鑑真をともなって帰国
	764	天平宝字8	藤原仲麻呂の乱が起こる。弓削道鏡が権勢を得る
	766	天平神護2	弓削道鏡が法王の位につく
平安	823	弘仁14	嵯峨天皇が譲位し、大伴親王が即位する

時代	奈良の歴史			日本の歴史		
平安	810	弘仁1	薬子の乱勃発。藤原薬子が平城京に平城上皇を復位させようとする	866	貞観8	藤原良房が摂政となる。応天門の変が起きる
	1135	保延1	春日大社若宮を創建。翌年から春日大社若宮祭礼(おん祭)が始まる	1167	仁安2	平清盛が太政大臣となり平家全盛期を迎える
	1180	治承4	源氏と平氏の戦いが起こり、東大寺・興福寺が兵火に焼かれる	1185	文治1	壇ノ浦の戦いで平家が敗れ、滅亡する
鎌倉	1195	建久6	東大寺の再建供養が行われる。その後の仏像製作で運慶・快慶らが活躍	1192	建久3	源頼朝が征夷大将軍。鎌倉幕府が開かれる
	1203	建仁3	運慶・快慶により東大寺金剛力士像が製作される	1274	文永11	蒙古来襲(文永の役)。1281には弘安の役も
	1332	元弘2	後醍醐天皇の子・護良親王が、楠木正成らの動きに同調し吉野山で挙兵	1333	元弘3	北条高時が自刃し、鎌倉幕府が倒れる
室町	1336	延元1	足利尊氏が北朝をたて、敗れた後醍醐天皇が吉野に逃れて南朝(吉野朝)をたてる	1334	建武1	建武の新政
	1567	永禄10	松永久秀により東大寺大仏殿が焼かれる	1573	天正1	織田信長が足利義昭を追放。室町幕府倒れる
安土桃山	1576	天正4	筒井順慶が大和国の守護となる。順慶は翌年、信貴山城で松永久秀を討ち、大和一国を与えられる	1575	天正3	長篠の戦い。信長・家康軍が武田勢を破る
				1582	天正10	本能寺の変で織田信長が自刃
	1580	天正8	筒井順慶が郡山城を築く。1585年に豊臣秀吉の弟・秀長が郡山城に入城	1592	文禄1	豊臣秀吉が朝鮮出兵
	1595	文禄4	大和国で太閤検地(豊臣秀吉による土地調査)が行われる	1600	慶長5	関ヶ原の戦い。徳川家康が石田三成らを破る
江戸	1663	寛文3	茶道の石州流の祖・片桐貞昌が慈光院を開く	1603	慶長8	徳川家康が征夷大将軍に。徳川幕府開かれる
	1708	宝永5	東大寺大仏殿の再建供養大法会が行われる	1702	元禄15	赤穂浪士の仇討ち事件が起こる
	1724	享保9	柳沢吉保の子・吉里が郡山城に入城する	1853	嘉永6	ペリーが浦賀に来航
	1838	天保9	中山みきが天理教を創唱	1867	慶応3	大政奉還により江戸幕府が終焉を迎える
明治	1871	明治4	廃藩置県で大和国から奈良県に。5年後に堺県に合併。16年後に奈良県再設置が発令される	1868	明治1	明治維新
				1889	明治22	大日本帝国憲法が発令される
	1890	明治23	橿原神宮を創建。神武天皇とその皇后を祭る	1894	明治27	日清戦争開戦。1904年には日露戦争開戦
昭和	1944	昭和19	法輪寺に落雷。飛鳥様式の三重塔が焼失する	1937	昭和12	盧溝橋事件により日中戦争が勃発
	1972	昭和47	高松塚古墳から飛鳥時代の壁画が発見される	1941	昭和16	真珠湾攻撃で太平洋戦争に突入
	1984	昭和59	キトラ古墳内でファイバースコープにより壁画を確認	1945	昭和20	広島・長崎に原爆が投下され、敗戦
	1985	昭和60	藤ノ木古墳が開かれ、馬具類を発掘。3年後には、金銅製品などが出土	1976	昭和51	ロッキード事件で田中前首相逮捕される
平成	1993 〜	平成5 〜	法隆寺などが世界遺産に登録。1998年には東大寺や興福寺など、2004年には吉野山が登録される	1995	平成7	阪神・淡路大震災
				2011	平成23	東日本大震災起こる
	2010	平成22	平城遷都1300年祭開催	2016	平成28	熊本地震起こる
	2012	平成24	古事記編纂1300周年、記紀万葉プロジェクト始まる	2016	平成28	天皇、生前退位を表明

奈良の祭り・行事

開催日	名　称	内　容	会場／問合せ先
1月1日	繞道祭 (ご神火まつり)	大和の正月は、このご神火祭で明けるといわれる壮大な火祭。午前1時〜。p.136	大神神社●桜井市 ☎0744·42·6633
1月初寅の日	初寅大法要	信貴山に毘沙門天王が降臨したという言い伝えをもとに行われる行事。地図p.180-D	信貴山朝護孫子寺●平群町 ☎0745·72·2277
1月14日	念仏寺 陀々堂の鬼はしり	500年の伝統を誇る火祭事。鬼が持つ松明の火の粉が福を呼ぶといわれる。地図p.157	念仏寺●五條市 ☎0747-22-4001(五條市企業観光戦略課)
1月14日	吉祥草寺 茅原大とんど	正月のしめ縄などを燃やすのが「とんど」。茅原のものは大がかりで有名。地図p.181-K	吉祥草寺●御所市 ☎0745·62·3472
1月第4土曜	若草山焼	標高約350mの若草山に火を放ち、山肌の芝を焼く「火の祭典」。p.46	若草山●奈良市 ☎0742·27·8677(奈良県奈良公園室)
2月節分の日 ／8月14、15日	万燈籠	春日大社の境内、ずらりと並ぶ約3000の灯篭に火が入れられ、幻想的な光景。p.50	春日大社●奈良市 ☎0742·22·7788
2月節分の日	追儺会	暴れ回る6匹の鬼を毘沙門天が退治し、そのあと豆まきが行われる。p.47	興福寺●奈良市 ☎0742·22·7755
2月第1日曜	おんだ祭	古い伝統をもつ神事で奇祭。五穀豊穣や子孫繁栄を祈って行われる。地図p.114-E	飛鳥坐神社●明日香村 ☎0744·54·2071
2月14日	だだおし	松明を手に鬼が暴れ、それを「だんだの印」の霊験で追い払い、無病息災を祈願。p.138	長谷寺●桜井市 ☎0744·47·7001
3月1〜14日	修二会本行 (お水取り)	東大寺の法要で、大松明の乱舞や水くみの儀式が行われる。p.42	東大寺●奈良市 ☎0742·22·5511
3月13日	春日祭(申祭)	春日大社の例祭。昔のままの儀式が平安王朝の絵巻物のように展開される。p.50	春日大社●奈良市 ☎0742·22·7788
3月15日	御田植祭	田植えの仕草をし、豊作を祈る、平安時代末期からの由緒正しい農耕祭。p.50	春日大社●奈良市 ☎0742·22·7788
3月21日	筆まつり	毛筆の祖・菅原道真に感謝し、書道の発展を祈念する。地図p.182-E	菅原天満宮●奈良市 ☎0742·45·3576
3月22〜24日	法隆寺お会式	聖徳太子の精霊祭。太子の像を祭る聖霊院で法要が営まれる。p.96	法隆寺●斑鳩町 ☎0745·75·2555
3月25〜31日	花会式(修二会)	境内には季節の花が咲き、金堂の薬師如来は梅や桃などの献花で飾られる。p.84	薬師寺●奈良市 ☎0742·33·6001
4月1日	大和神社ちゃんちゃん祭り	大和神社の大祭。宮司や氏子が数百mの行列を作り、鉦を鳴らしながら進む。地図p.135-B	大和神社●天理市 ☎0743·66·0044
4月3日	神武天皇祭	地元では「神武さん」と親しまれる神武天皇を祭る、橿原神宮の春の祭典。p.125	橿原神宮●橿原市 ☎0744·22·3271
4月8日	修二会 (おたいまつ)	本尊の薬師如来を讃え、厄除けなどを祈願する。夜は大松明が灯される。p.57	新薬師寺●奈良市 ☎0742·22·3736
4月10〜12日	吉野山蔵王堂 花供会式	吉野山は桜のまっさかり。山伏の行列が竹林院から下千本まで進む。p.158	金峯山寺●吉野町 ☎0746·32·8371
4月14日	當麻寺 練供養会式	浄瑠璃などにも登場する中将姫が、観音菩薩に救われる様子を再現する儀式。p.148	當麻寺●葛城市 ☎0745·48·2001
4月第2日曜とその前日／10月第2日曜	大茶盛式	鎌倉時代からの歴史をもつ大茶会。直径約30cmの大茶碗で茶を喫する。p.87	西大寺●奈良市 ☎0742·45·4700
5月4日	すすつけ祭	豊作や無病息災を祈る伝統行事で、裸になり煤をつけあう。地図p.111-A	人麿神社●橿原市 ☎0744·20·1123(橿原市観光協会)

p.○○は参照記事ページもしくは地図ページを示しています。

開催日	名　称	内　容	会場／問合せ先
5月5日	菖蒲祭・子供の日萬葉雅楽会	春日大社神苑内の池の中にある島に舞台が組まれ、雅楽や舞いが演じられる。p.50	春日大社●奈良市 ♪0742・22・7788
5月19日	うちわまき	鎌倉時代の高僧の徳を偲ぶ中興忌梵網会のあとに、参拝者に向けてうちわがまかれる。p.85	唐招提寺●奈良市 ♪0742・33・7900
5月第3金・土曜	薪御能	薪能の原型ともいわれ、篝火のもとで4座参加による能と狂言が演じられる。p.47、50	興福寺、春日大社●奈良市 ♪0742・22・3900(奈良市観光センター)
6月5、6日	開山忌	鑑真和上の命日(6日)に、和上の徳を讃え、冥福を祈る。p.85	唐招提寺●奈良市 ♪0742・33・7900
6月17日	三枝祭(ゆり祭)	ユリを酒罇に入れて供え、ユリを手にした巫女が舞いを奉納する。地図p.184-J	率川神社●奈良市 ♪0742・22・0832
6月23日	竹供養	竹に感謝し、竹の霊をなぐさめる法要。参拝者に笹娘による「笹酒」のふるまいも。地図p.182-J	大安寺●奈良市 ♪0742・61・6312
7月3日	毘沙門天王御出現大祭	毘沙門天が降臨したことを記念する大祭。徹夜詣りが行われる。地図p.180-D	信貴山朝護孫子寺●平群町 ♪0745・72・2277
7月7日	吉野山蔵王堂蛙飛び(蓮華会)	カエルにされた男を法力で人間に戻すというユニークな儀式。p.158	金峯山寺●吉野町 ♪0746・32・8371
8月5～14日	なら燈花会	東大寺、春日大社、猿沢池などを会場にろうそくを灯す。地図p.183-G・H	なら燈花会の会●奈良市 ♪0742・21・7515
8月7日	大仏さまお身拭い	白装束の僧侶たちが大仏さまの身を清める、年に一度の儀式。p.42	東大寺●奈良市 ♪0742・22・5511
8月15日	大仏殿万灯供養会	大仏に灯火を供え、諸霊の供養を行う。大仏殿の中門が開かれ、無料拝観できる。p.42	東大寺●奈良市 ♪0742・22・5511
8月15日	奈良大文字送り火	宇宙を意味する「大」の火は、数々の煩悩を焼き尽くしてくれるという。地図p.180-C	高円山●奈良市 ♪0742・22・3900(奈良市観光センター)
8月15日	吉野川祭り	灯篭流しや花火が行われ、吉野川の川原が見物人でにぎわう。地図p.157	吉野川の川原●五條市 ♪0747-22-4001(五條市企業観光戦略課)
中秋の名月の日	采女祭	帝の寵愛を失って猿沢池に入水したという采女の霊をなぐさめるための祭事。地図p.185-K	采女神社●奈良市 ♪0742・22・3900(奈良市観光センター)
中秋の名月の日	観月讃仏会	鑑真和上を奉安する御影堂の庭園を開放。名月を愛でる法要が行われる。p.85	唐招提寺●奈良市 ♪0742・33・7900
10月第1土曜	塔影能	ライトアップされた興福寺五重塔を背景に、東金堂に能狂言が奉納される。p.49	興福寺東金堂●奈良市 ♪0742・22・7755
10月8日	翁舞	能狂言の歴史を探る鍵ともいわれる伝統の舞いは見ごたえ十分。地図p.183-C	奈良豆比古神社●奈良市 ♪0742・23・1025
10月体育の日の前日の日曜	往馬大社火祭り	古くからの火の神様。松明を手に石段を下り、広場を駆けめぐる勇壮な祭事。地図p.180-A	往馬大社●生駒市 ♪0743・77・8001
10月体育の日の3連休	鹿の角きり	奈良の秋を代表する風物詩。奈良公園の雄鹿を集めてのこぎりで角を切る。地図p.187-K	奈良公園鹿苑●奈良市 ♪0742・22・2388(奈良の鹿愛護会)
11月3日、4月29日	談山神社けまり祭	藤原鎌足と中大兄皇子が蹴鞠をした故事にちなみ、烏帽子姿の演者が鞠を蹴る。p.131	談山神社●桜井市 ♪0744・49・0001
11月14日	醸造安全祈願祭(酒まつり)	酒の神でもある大物主神や少彦名神を讃え、酒造りに感謝する祭事。p.136	大神神社●桜井市 ♪0744・42・6633
12月15～18日	春日若宮おん祭	時代行列が練り歩き、神楽や田楽などが奉納される。国の重要無形民俗文化財。p.50	春日大社●奈良市 ♪0742・22・7788
12月29日	お身拭い	餅つきに使用した湯を使って、薬師如来などを拭き清める。p.84	薬師寺●奈良市 ♪0742・33・6001

祭り・行事の日程は年によって変更の場合もあるので事前に確認してください。

兵庫県
三田市
能勢町
亀岡市
京都縦貫自動車道
沓掛IC
大原野IC
向日市
長岡京市
大山崎町
猪名川町
豊能町
大阪府
新名神高速道路
茨木千提寺IC
高槻IC
島本町
名神高速道路
川西IC
川西市
宝塚市
池田市
箕面市
明治の森箕面国定公園
高槻市
枚方市
中国自動車道
阪急宝塚線
中国池田IC
万国博記念公園
茨木市
大阪モノレール
摂津市
交野市
伊丹市
豊中市
吹田市
寝屋川市
西宮市
山陽新幹線
阪急神戸線
尼崎IC
豊中IC
摂津南IC
守口市
四條畷市
芦屋市
阪神電鉄
尼崎市
門真市
大東市
西淀川区
北区
都島区
旭区
福島区
大阪城
西区
中央区
東成区
東大阪市
東大阪JCT
ユニバーサル・スタジオ・ジャパン
大阪市
港区
大正区
西成区
阿倍野区
生野区
近鉄奈良線
八尾市
住之江区
平野区
信貴山
松原市
松原JCT
藤井寺市
堺市
羽曳野市
美原JCT
南阪奈道路
高石市
泉大津市
忠岡町
和泉市
大阪狭山市
富田林市
河南町
千早赤阪村
岸和田市
貝塚市
大阪府
河内長野市
岸和田和泉IC
阪和自動車道
阪神高速湾岸線
大阪湾
阪九フェリー
関西空港
A
B
E
F
I
J

京都駅
京都市
京都南IC
京都東IC
膳所焼美術館
音羽山
593
東福寺
伏見稲荷
随心院
醍醐寺
日野薬師
岩間寺
石山寺
石山IC
瀬田東IC
瀬田西IC
大津市
草津JCT
草津田上IC
草津PA
栗東市
長寿寺
常楽寺
こんぜの里りっとう
森遊館
阿星山
693
金勝寺
アセボ峠
湖南市
飯道山
664
信楽高原鐵道
新名神高速道路
信楽IC
紫香楽宮跡
太神山
600
京滋バイパス
南郷IC
笠取IC
宇治西IC
宇治東IC
宇治
宇治市
平等院
万福寺
巨椋池IC
巨椋IC
久御山町
久御山淀IC
禅定寺
422
D
陶芸の森
甲賀市
しがらき
307
宇治田原町
鷲峰山
682
笹ケ岳
739
滋賀県
城陽市
城陽IC
田辺北IC
城陽JCT
京田辺市
枚方東IC
田辺西IC
井手町
24
京都府
三ケ岳
618
和束町
422
南山城村
お茶の京都 みなみやましろ村
笠置町
笠置温泉
163
笠置山
288
関西本線
伊賀市
三重県
上野IC
大内IC
精華下狛IC
精華町
精華学研IC
奈良線
木津川市
山田川IC
180-181
柳生
P.88
名張川
月ケ瀬温泉
白樫IC
治田IC
五月橋IC
H
山添村
山添IC
368
佐保・佐紀路
木津IC
浄瑠璃寺
岩船寺
東大寺
若草山
342
奈良
春日大社
平城宮跡歴史公園
興福寺
西ノ京
薬師寺
第二阪奈道路
大和郡山
矢田丘陵
北山の辺の道
帯解寺
円照寺
正暦寺
369
神野山自然公園
八柱神社
神野口IC
名阪国道
小倉IC
165
法隆寺
法輪寺
弘仁寺
和爾下神社
五ケ谷IC
一本松IC
名張市
西名阪自動車道
斑鳩
郡山IC
天理IC
天理PA
天理東IC
福住IC
都祁
針IC
針テラス
石上神宮
天理市
なら歴史芸術文化村
25
大和まほろばSIC
法隆寺IC
近鉄大阪線
青葉の庄
P.143
宇陀路室生
大野寺
P.143
磨崖仏
室生湖
赤目四十八滝
川西町
三宅町
河合町
田原本町
大和青垣国定公園
山の辺の道
奈良県
長岳寺
龍王山
586
広陵町
三輪山
467
長谷寺
P.141
室生寺
花の郷・滝谷花しょうぶ園 P.143
室生龍穴神社 P.142
曽爾村
157
橿原市
耳成山
桜井市
はいばら
宇陀市
はせでら
室生赤目青山国定公園
I
三郎岳
879
住塚山
1009
大和高田市
安倍文殊院
天香久山
大和・あさくら 花山塚古墳
166
K
畝傍山
橿原神宮
飛鳥
岡寺
談山神社
音羽山
851
石舞台古墳
宇陀
森野旧薬園
宇陀路大宇陀
369
御杖村
東吉野村
葛城市
御所市
明日香村
飛鳥
多武峰
高取町
大蔵寺
関戸峠
138
葛城の道
竜門岳
904
壺阪寺
高取山
584
169
370
166
奈良・京都・大阪
1:300,000
0
5km

京都府
木津川市
大阪府
奈良県
奈良市
大和郡山市
天理市
生駒市
東大阪市
八尾市
柏原市
大東市
四條畷市
平群町
斑鳩町
安堵町
三郷町
182-183
95
135
P.12で歩くルート
佐保・佐紀路 P.78
東大寺 P.42
平城宮跡歴史公園 P.79
奈良公園 P.37
奈良町 P.58
高畑 P.56
唐招提寺 P.85
西ノ京 P.83
薬師寺 P.84
白毫寺 P.57
大和郡山 P.102
矢田 P.104
矢田寺 P.105
法隆寺 P.96
斑鳩 P.93
信貴山
信貴山朝護孫子寺 P.176-177
石上神宮 P.133
P.99 慈光院
法起寺
法輪寺
西大寺
秋篠寺
P.90 円成寺
高円山 P.177
P.178 奈良パークホテル
生駒山
信貴生駒スカイライン
奈良奥山ドライブウェイ
京奈和自動車道
西名阪自動車道
木津IC
天理IC
郡山IC
法隆寺IC
五ケ谷IC
福住IC
天理東IC
郡山下ツ道JCT
大和まほろばスマートIC
天理PA
近鉄奈良線
近鉄京都線
近鉄天理線
近鉄生駒線
関西本線
大和路線
万葉まほろば線（桜井線）

奈良・大和路
1:118,000
0
2km
周辺広域地図 P.178-179
N
宇陀市
長谷寺
P.138
139
山の辺の道
P.133
長岳寺
P.134
大神神社
P.136
桜井
P.130
安倍文殊院
P.132
桜井市
箸墓古墳
多武峰
P.130
談山神社
P.131
131
石舞台古墳
P.120
明日香村
111
飛鳥
P.109
高松塚古墳
P.118
橿原市
今井町
P.127
橿原神宮
P.125
橿原
P.124
耳成山
田原本町
広陵町
大和高田市
葛城市
御所
P.150
御所市
葛城の道
P.152
葛城
P.150
九品寺
葛城山ロープウェイ
葛城山
151
P.153 カントリーロード
當麻
P.147
當麻寺
P.148
石光寺
148
香芝市
上牧町
河合町
P.144 馬見丘陵
太子町
河南町
千早赤阪村
大阪府
近鉄大阪線
近鉄南大阪線
近鉄吉野線
近鉄御所線
近鉄田原本線
和歌山線
南阪奈道路

新田辺・京都へ
木津ICへ
木津へ
山陵町
奈良大附属高
近鉄京都線
左京(一)
佐保台(一)
平城大橋
佐保台西口
いもい池
神功皇后陵
(五社神古墳)
北秋篠
秋篠町
奈良西の京
斑鳩自転車道
秋篠寺
秋篠寺
奈良競輪場
P.79
歌姫町
塩塚古墳
24
大和路線(関西本線)
A
へいじょう
B
磐之媛命陵
歌姫町
ハジカミ池
航空自衛隊
奈良基地
秋篠新町
秋篠三和町
成務天皇陵
日葉酸媛命陵
瓢箪山古墳
上吉堂池
佐紀県営住宅
コナベ古墳
ウワナベ古墳・
佐紀盾列古墳群
水上池
孝謙天皇陵
西大寺北町
生駒・大阪難波へ
佐紀中町
平城天皇陵
航空自衛隊
コナベ池
ウワナベ池
御前池
西大寺
西大寺本町
ならファミリー
大和西大寺駅
佐紀池
佐紀駐在所
佐紀町・
大極殿
平城宮跡・
遺構展示館
北法華寺町
P.82 不退寺
法華寺町
やまとさいだいじ
西大寺
P.87
二条町
二条町
遺構展示館
法華寺北町
海龍王寺 P.81
P.81 法華寺
法華寺
一条高
一条高校前
西大寺芝町
平城宮跡
資料館
復元事業情報館
第一次
大極殿院
大極殿跡
奈良文化財研究所
二条町二
西大寺南町
西大寺国見町
青野町
平城宮跡歴史公園 P.79
奈良第三地方合同庁舎
東院庭園
24
二条町三
かんぽの宿 奈良
(平城宮温泉)
P.173
P.173 奈良ロイヤルホテル
(天平の湯)
P.173 ホテル葉風泰夢
芝辻町(四)
菅原町
平城宮
いざない館
朱雀門
天平つどい館
東横イン奈良新大宮駅前
スーパーホテル奈良・新大宮駅前
菅原天満宮 P.176
菅原神社
朱雀門ひろば
(二)
ミ・ナーラ
奈良市役所
E
F
(五)
(四)
二条大路南
喜光寺 P.87
宮跡庭園
しんおおみや
二条大路
南五
朱雀門
ひろば前
(三)
二条大路南二
ミ・ナーラ前
奈良市庁前
新大宮駅
阪奈菅原
308
尼ヶ辻橋
(四)
三条大路
二条大路南1
平城京三条二坊宮跡庭園
大宮
生駒へ
天平うまし館
(三)
(二)
JWマリオット・
ホテル奈良
宝来(二)
P.82 トキジクキッチン
三条大路(一)
大宮町(四)
NHK
宝来東口
308
尼ヶ辻駅
三条大路五
三条大路四
三条大路二
三条大路一
三条添川町
都橋
三笠中学校・
NHK前
北添川
あまがつじ
尼辻中町
(五) 四条大路 (四)
四条大路二
ホテルアジール
奈良アネックス
P.86 垂仁天皇陵
都跡小
都跡小学校
四条大路一
三笠中
三条栄町
四条大路
(三)
匹条大路
(二)
四条大路
(一)
南添
近鉄橿原線
平松(一)
南新地
四条大路一東
三条桧町
尼辻南町
86
四条大路
恋の窪町一
三条桧町
五条(一)
五条町
都跡中
大安寺町
恋の窪(一)
平松(二)
P.85
唐招提寺
唐招提寺東口
県立図書情報館
唐招提寺
県立図書情報館西口
恋の窪町二
秋篠川
柏木町
大安寺西小
五条(二)
四条大路南町
恋の窪町
五条(三)
24
恋の窪(二)
西ノ京
大安寺西
がんこ一徹長屋
西ノ京町
奈良パワーシティ
八条町
大安寺(三)
恋の窪町南口
にしのきょう
薬師寺
六条町
大安寺西口
六条(一)
薬師寺東口
柏木町南
大安寺西二
西ノ京駅
右京橋
奈良朱雀高
柏木校舎
済生会奈良病院
六条柳町
大安寺小
薬師寺
P.84
国際観光民宿
山代屋
柏木町
八条(五)
J
大安寺(二)
大安寺
西ノ京町
八条(二)
大池
柏木公園
佐保川
西の京病院
大和路線(関西本線)
奈良医療センター
六条町
西ノ京病院
薬師寺
駐車場
八条(一)
清水池
七条(一)
七条町
七条町
八条町四
八条町地蔵前
宮の森町西
七条東町
八条町一
岩井川
平宗別館 倭膳たまゆら P.87
奈良養護学校
杏中町
杏町
東九条町
近鉄郡山へ
郡山へ

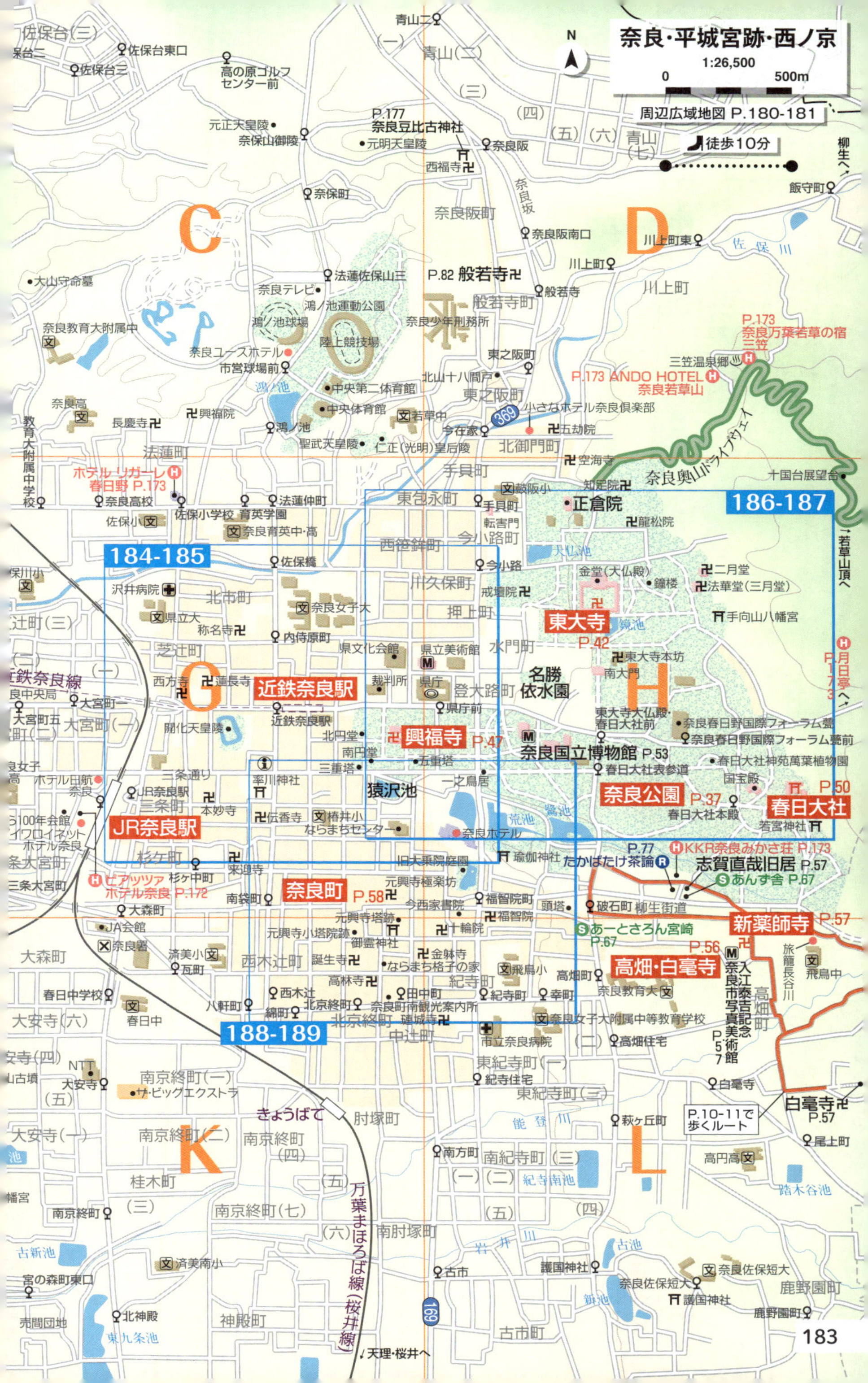

奈良・平城宮跡・西ノ京
1:26,500
0
500m
周辺広域地図 P.180-181
徒歩10分
N
柳生へ
飯守町
青山二
青山(二)
(一)
(三)
(四)
(五)
(六)
青山(七)
佐保台(三)
佐保台東口
佐保台三
高の原ゴルフセンター前
元正天皇陵
奈保山御陵
P.177 奈良豆比古神社
元明天皇陵
西福寺
奈良阪
奈良坂
奈保町
奈良阪町
奈良阪南口
C
D
川上町東
佐保川
川上町
大山守命墓
法蓮佐保山三
奈良テレビ
鴻ノ池運動公園
鴻ノ池球場
陸上競技場
P.82 般若寺
般若寺
般若寺町
奈良少年刑務所
奈良教育大附属中
奈良ユースホステル
市営球場前
鴻ノ池
中央第二体育館
中央体育館
東之阪町
北山十八間戸
東之阪町
P.173 奈良万葉若草の宿三笠
三笠温泉郷
P.173 ANDO HOTEL 奈良若草山
小さなホテル奈良倶楽部
奈良高
長慶寺
興福院
鴻ノ池
若草中
369
今在家
五劫院
聖武天皇陵
仁正(光明)皇后陵
北御門町
空海寺
奈良奥山ドライブウェイ
教育大附属中学校
法蓮町
手貝町
ホテル リガーレ春日野 P.173
知足院
十国台展望台
奈良高校
法蓮仲町
東包永町
手貝町
鼓阪小
正倉院
186-187
佐保小
佐保小学校 育英学園
奈良育英中・高
転害門
今小路町
龍松院
西笹鉾町
大仏池
若草山頂へ
184-185
佐保橋
今小路
金堂(大仏殿)
鐘楼
二月堂
法華堂(三月堂)
佐保川小
沢井病院
北市町
奈良女子大
川久保町
戒壇院
手向山八幡宮
県立大
押上町
東大寺
鏡池
辻町(三)
称名寺
内侍原町
P.42
芝辻町
県文化会館
県立美術館
水門町
東大寺本坊
月日亭 P.173へ
近鉄奈良線
西方寺
蓮長寺
近鉄奈良駅
裁判所
県庁
名勝 依水園
南大門
G
H
大宮町一
登大路町
県庁前
東大寺大仏殿・春日大社前
奈良春日野国際フォーラム甍
大宮町五
大宮町(一)
開化天皇陵
近鉄奈良駅
北円堂
興福寺
P.47
奈良国立博物館 P.53
奈良春日野国際フォーラム甍前
春日大社表参道
春日大社神苑萬葉植物園
ホテル日航奈良
南円堂
五重塔
三条通り
三重塔
一之鳥居
国宝殿
JR奈良駅
率川神社
猿沢池
奈良公園
P.37
P.50
三条町
本妙寺
荒池
鷺池
春日大社本殿
春日大社
100年会館
ワロイネット ホテル奈良
伝香寺
椿井小
ならまちセンター
奈良ホテル
若宮神社
JR奈良駅
三条大宮町
杉ケ町
来迎寺
旧大乗院庭園
瑜伽神社
たかばたけ茶論
P.77
KKR奈良みかさ荘 P.173
志賀直哉旧居 P.57
杉ケ町
あんず舎 P.67
ピアッツァホテル奈良 P.172
奈良町
P.58
元興寺極楽坊
南袋町
今西家書院
福智院町
頭塔
破石町
柳生街道
大森町
元興寺塔跡
福智院
新薬師寺
P.57
JA会館
元興寺小塔院跡
十輪院
あーとさろん宮崎 P.67
奈良署
御霊神社
P.56
大森町
済美小
西木辻町
誕生寺
金躰寺
ならまち格子の家
飛鳥小
高畑町
高畑・白毫寺
入江泰吉奈良市写真美術館 P.57
旅籠長谷川
飛鳥中
瓦町
高林寺
田中町
紀寺町
春日中学校
西木辻
北京終町
紀寺町
幸町
奈良教育大
高畑町
春日中
八軒町
綿町
奈良町南観光案内所
大安寺(六)
北京終町
璉城寺
奈良女子大附属中等教育学校
188-189
中辻町
市立奈良病院
(二)
高畑住宅
NTT
南京終町(一)
東紀寺町(一)
大安寺
サ・ビッグエクストラ
紀寺住宅
東紀寺町(三)
白毫寺
(五)
きょうばて
肘塚町
能登川
萩ケ丘町
P.10-11で歩くルート
白毫寺
P.57
大安寺(一)
南京終町(二)
南京終町(四)
尾上町
K
L
南方町
南紀寺町(三)
高円高
桂木町
(五)
(一)
(二)
紀寺南池
踏木谷池
(三)
南京終町(七)
南京終町
万葉まほろば線(桜井線)
(五)
(四)
(六)
南肘塚町
古新池
岩井川
古池
済美南小
古市
護国神社
奈良佐保短大
宮の森町東口
奈良佐保短大
鹿野園町
新池
護国神社
北神殿
169
売間団地
神殿町
鹿野園町
東九条池
古市町
天理・桜井へ

奈良駅～興福寺
1:5,700
0 200m
徒歩4分
周辺広域地図 P.182-183
184-185
186-187
188-189
卍東大寺
近鉄奈良駅
卍興福寺
猿沢池
春日大社
JR奈良駅
奈良町
0 1km
下長慶橋
八百又
佐保川
佐保橋
奈良育英小
体育館
佐保橋
西新在家町
小麦粉
B
慈眼寺
北市町
奈良女子大国際交流会館
内侍原町
卍称名寺
菖蒲池町
内侍原町
やすらぎの道
松林堂
内侍原町
卍明覚寺
木津・京都・名古屋へ
大和路線（関西本線）
奈良船橋局
奥芝町
芝辻町
芝辻町（一）
P.27 奈良レンタサイクル
高天市町
卍蓮長寺
こうじやいけも
卍西方寺
教行寺
平城宮跡、大和西大寺方面バス乗場
大和西大寺へ
明治安田生命ビル
東横イン近鉄奈良駅前
近鉄奈良線
油阪町
油阪船橋商店街
近鉄奈良駅
E
F
高天
ホテルアジール・奈良 P.172
近鉄高天ビル
海保ビル
西之阪町
児童遊園
P.172 奈良ワシントンホテルプラザ
漢国町
高天
念仏寺
変なホテル奈良
P.172 センチュリオンホテルクラシック奈良
油阪町
奈良交通
卍明光寺
開化天皇陵
漢國神社
なら・
今辻子町
卍霊巌院
林小路町
グレース大宮
卍西照寺
アパホテル近鉄奈良駅前
大宮町（一）
ニッポンレンタカー
旭水公園
浄教寺
中央公民館
奈良市観光センター（NARANICLE）
上三条町
和処よしの P.73
奈良漬朝日屋本家
奈良三条局
三条通り
ホテル日航奈良 P.172
奈良市総合観光案内所
奈良銘品館
スーパーホテルJR奈良駅前・三条通り
白玉屋榮壽 P.66
辨天堂
墨と筆墨 古都園
みずほ
P.64 白鹿園
池田含香堂 P.64
NTT奈良支店
卍専念寺
JR奈良駅
天極堂JR奈良駅店 P.66
P.177 率川神社
本子守町
下三条町
ビジネス旅館白鳳
JR奈良駅
奈良のうまいものプラザ（1F） P.71
卍本妙寺
卍常徳寺
三条町
北向町
I
J
JR奈良駅NKビル
三条会館
伝香寺
奈良小川町
駅レンタカー・レンタサイクル（駅リンくん） P.27
三条本町
奈良ハイタウン
梁山泊別館
アクアプリタ
小川町
旅館椿荘
児童公園
寺町
ABホテル奈良
ホテル美松 P.172
スマイルホテル奈良
梁山泊本館
西城戸町
三条川崎町
コンフォートホテル奈良 P.172
柳町
卍来迎寺
馬場町

グランドパレス奈良
奈良コーポラス
天理教会
今小路
天平橋
焼門跡
後藤町
念聲寺
焼門前
東大寺へ
祇園社
講堂
川久保町
今小路
半田突抜町
P.67 千壽庵吉宗奈良総本店
観光ホテルタマル
半田横町
北半田西町
吉城川
威徳井橋
大学会館
C
D
いちのき菓子店
北半田東町
記念資料館(旧本館)
奈良女子大
P.173 ホテルニューわかさ
押上町
奈良市きたまち
鍋屋観光案内所
南半田西町
大森杜壽園
南半田東町
図書館
初宮神社
鍋屋町
P.76 天極堂奈良本店
坊屋敷町
油留木町
花芝町
押上町
ベニヤ書店
奈良税務署
県文化会館
きくや本店
奈良白鹿荘 P.172
法務合同庁舎
教育会館
県立図書館
県立美術館
県警察本部
東向北通り
みどりいけ
ベーカリーホテル
シャトードール
奈良カトリック教会
奈良県庁
知事公舎
奈良東向局
裁判所
豊住書店
奈良公園
バスターミナル
中筋町
東向北町
AN-GRANDE
HOTEL奈良
トヨタレンタカー
関西みらい
商工観光館
きてみてならSHOP P.63
県庁前
369
県庁東
近鉄奈良駅
G
H
平宗柿の葉ずし
国立博物館へ
東向中町
和風レストラン春日 P.72
登大路町
春日ホテル P.172
近鉄奈良駅ビル
三菱UFJ
啓林堂書店
小西町
東向通り
天平旅館
仮講堂
北円堂 P.48
中金堂
国宝館 P.49
本坊
ホテル花小路 P.172
マクドナルド
小西さくら通り
千代の舎竹村 P.63
興福寺 P.47
東金堂 P.49
奈良基督教会
南都銀行本店
三井住友
県女性センター
南円堂 P.48
五重塔 P.49
大湯屋
三重塔 P.48
一之鳥居
トラットリア・ピアノ P.72
春日大社へ
旅館江泉
大仏館
橋本町
采女神社 P.177
アミューズメントデポ P.64
日本市 奈良三条店
P.64 ひより 総本店
P.63 萬々堂通則
ホテル天平ならまち P.172
菩提院
菊水楼 P.24・75
よしだや P.172
猿沢池
元林院町
プチホテル古っ都ん100% P.172
P.172 四季亭
P.60 中川政七商店 奈良本店
柿寿賀総本店
セトレならまち
P.65 canata conata
P.173
MIROKU 奈良 by THE SHARE HOTELS
古梅園 P.65
民宿さきがけ
料理旅館吉野 P.172
荒池
K
L
椿井町
メゾンドール奈良パークサイド
南市町
飛鳥荘 P.172
椿井小
恵比須神社
池之町
169
荒池
餅飯殿通り
P.73 酒肆春鹿
平宗奈良店 P.60
ならまちセンター
中央図書館
タイムズならまち駐車場
P.69 藤田芸香亭
奈良ホテル P.23
メインダイニングルーム「三笠」P.74
東寺林町
西寺林町
東城戸町
猿田彦神社
旅館松前
ホテル尾花 P.172
P.60 田村青芳園茶舗
下御門町
奈良下御門局
奈良ホテル

手貝町
奈良市きたまち転害門観光案内所
転害門街区公園
転害門 P.45
鼓阪小
I：一般者通行不可
正倉院
西包永町
東包永町
いとくみ餅
手貝町
西宝庫
東宝庫
今小路町
南都
正倉院(外構)一般公開入口
宮内庁正倉院事務所
東笹鉾町
天平倶楽部
西笹鉾町
浄国院
奈良今小路局
A
B
大仏池
奈良コーポラス
天理教会
今小路
芝辻町
東
焼門跡
後藤町
念聲寺
焼門前
祇園社
惣持院
指図堂
金堂(大仏殿)
川久保町
今小路
半田突抜町
P.67 千壽庵吉宗奈良総本店
戒壇院 P.46
東大寺 P.42
観光ホテルタマル
千手堂
威徳井橋
吉城川
北半田西町
いちのき菓子店
北半田東町
P.173 ホテルニューわかさ
押上町
西楽門
南半田西町
大森杜壽園
南半田東町
下水門橋
しろあむ
大仏殿拝観入口
西塔跡
鍋屋町
水門町
P.76 天極堂奈良本店
五風舎
油留木町
P.76 そば処 喜多原
真言院
勧学院
押上町
水門橋
P.45
東大寺ミュージアム
奈良税務署
北林院
県文化会館
地蔵院
県警察本部
みとりい池
寧楽美術館
正観院
東大寺総合文化センター
県立図書館
県立美術館
P.46
お茶処ときわ
依水園入口
氷心亭
名勝依水園 P.46
奈良県庁
知事公舎
吉城園 P.46
裁判所
奈良公園バスターミナル
大仏殿前駐車場
売店
氷室橋
氷室神社
P.66 森奈良漬店
P.66 幡・INOUE
夢風ひろば東大寺店
県庁前
県庁東
近鉄奈良駅へ
登大路町
県庁東
下下味亭 吉茶 P.75
P.24 観鹿荘
古美術抹茶 友明堂
東大寺門前市場 P.71
氷室神社・国立博物館(東行きのみ)
東大寺大仏殿・国立博物館(西行きのみ)
夢風ひろば
仮講堂
奈良国立博物館 P.53
タクシー乗場
国宝館 P.49
中金堂
本坊
大仏殿春日大社前バス案内所
かすが茶屋
P.76 葉風泰夢
奈良国立博物館新館
P.55 ミュージアム・ショップ
興福寺
東金堂 P.49
東大寺大仏殿・春日大社前(南行きのみ)
仏教美術資料研究センター
大湯屋
五重塔 P.49
一之鳥居
旅館江泉
大仏館
菊水楼 P.24・75
浅茅ヶ原
春日大社表参道
JR奈良駅へ
よしだや P.172
吉祥院
江戸三 P.22
猿沢池
プチホテル古っ都ん100% P.172
四季亭 P.172
青葉茶屋 P.172
柿寿賀総本店
セトレならまち
浅茅ヶ原 P.52
馬の目 P.77
P.172 MIROKU 奈良 by THE SHARE HOTELS
丸窓亭
飛鳥荘 P.172
荒池
荒池
池之町
浮見堂
鷺池
ならまちセンター
中央図書館
タイムズならまち駐車場
奈良ホテル P.23
メインダイニングルーム「三笠」P.74

東大寺・春日大社
1:6,300
0
100m
徒歩2分
周辺広域地図 P.182-183
N
184-185
186-187
188-189
近鉄奈良駅
JR奈良駅
東大寺
興福寺
猿沢池
春日大社
奈良町
0
1km
C
D
G
H
K
L
龍松院
持寶院
龍蔵院
寶厳院
裏参道
寶珠院
大湯屋
中性院
二月堂 P.45
上之坊
開山堂
辛国神社
俊乗堂
行基堂
龍美堂 P.76
鐘楼
P.44
念佛堂
三昧堂
(四月堂)
法華堂(三月堂)
P.44
観音院
手向山八幡宮
東楽門
鏡池
東塔跡
若草山 P.46
古梅園
今西杏林堂
三笠観光会館
若草山入口(北ゲート)
東大寺本坊
天皇殿
春日野
古都屋
東栄堂
宗近本店
包永本店
南大門 P.43
東大寺図書館
奈良春日野
国際フォーラム甍別館
松乃家旅館
白銀屋
三笠屋本店
若草山入口(南ゲート)
春日野橋
浄雲橋
P.173 古都の宿 むさし野
奈良公園 P.37
奈良春日野
国際フォーラム甍
東大寺大仏殿(東行きのみ)
水谷橋
P.77 水谷茶屋
水谷神社
吉城川
奈良春日野
国際フォーラム甍前
P.51 春日大社神苑萬葉植物園
P.77 春日荷茶屋
資料館
春日駐車場
春日大社 P.50
春日大社本殿
酒殿
本殿 P.51
春日野町
国宝殿
P.51
貴賓館
社務所
(景雲殿)
春日大社神域の道(表参道)
着到殿
二之鳥居
飛火野 P.52
鹿苑 P.40・177
飛火野
奈良の鹿愛護会
ささやきの小径
P.52 若宮神社
P.52 夫婦大國社
高畑・志賀直哉旧居へ

奈良市観光センター
(NARANICLE)
JR奈良駅へ
近鉄奈良駅へ
三井住友
南都銀行本店
三重塔 P.48
興福寺
三条通
上三条町
みずほ
P.64 白鹿園
専念寺
本子守町
率川神社
P.177
アパホテル近鉄奈良駅前
今西本店 P.64
一心堂 P.63
池田含香堂 P.64
笹川文林堂
ビジネス旅館白鳳
角振町
小西さくら通り
アミューズメントデプト
日本市 奈良三条店 P.64
ひより総本店 P.64
橋本町
萬々堂通則 P.63
P.60 中川政七商店 奈良本店
采女神社 P.177
ホテル天平ならまち P.172
猿沢池
元林院町
P.65 canata conata
北向町
A
P.65 古梅園
奈良小川町局
伝香寺
民宿さきがけ
B
料理旅館吉野 P.172
椿井町
椿井小
メゾンドール奈良パークサイド
南市町
恵毘須神社
小川町
旅館椿荘
池之
餅飯殿通り
P.73 酒肆春鹿
平宗奈良店 P.60
ならまちセンター
中央図書館
ホテル美松 P.172
P.69 藤田芸香亭
猿田彦神社
旅館松前
西寺林町
東寺林町
梁山泊本館
西城戸町
東城戸町
柳町
P.60 田村青芳園茶舗
奈良下御門局
下御門町
円 P.74
奈良
馬場町
馬場町
なら工藝館
楽
上ツ道
栗 ならまち店
鶴福院
江戸川
P.61 傳統菓子処おくた奈良町本店
P.60 奈良町情報館
奈良美術工芸 誠美堂 P.68
南魚屋町
十念寺
P.65 中西与三郎
正覚寺
まほろば
中院町
旬彩 ひより P.71
光伝寺
南風呂町
脇戸町
P.73 あしびの郷
奈良市杉岡華邨書道美術館 P.62
阿弥陀寺
P.66 奈良市立史料保存館
中新屋町
P.74 はり新
春日庵 P.60
E
F
元興寺(極楽坊)
P.59
奈良ルーテル教会
南袋町
やすらぎの道
高御門町
二塚 P.65
小子坊
宝物館
小太郎町
鎮宅霊符神社
吉野葛佐久良 P.75
P.68 菊岡漢方薬局
今昔工芸美術館
時の資料館
P.74 吟松
吉田蚊帳 P.69
塔の茶屋 P.75
奈良町物語館
奈良町資料館 P.62
南袋町
陰陽町
西新屋町
P.61 庚申堂
南新町
赤膚焼寧屋工房 P.69
元興寺塔跡
元興寺小塔院跡
のんのん
上ツ道
御霊神社 P.61
南城戸町
奈良市音声館
古美術 いにしへ
徳融寺
聖光寺
酒屋 京勘
鳴川町
元興寺局
砂糖傳 増尾商店 P.61
元興寺町
西木辻
誕生寺
藤岡家住宅
漆師屋樽井
ならまち格子の家 P.62
花園町
I
やすらぎ書店
高林寺
J
称念寺
ビッグナラ
木下照僊堂
あしゅーら
鹿の舟・繭 (奈良町南観光案内所)
松倉病院
北京終町
北京終町
田中町
綿町

奈良町
1:4,500
0
100m
周辺広域地図 P.182-183
徒歩2分
一之鳥居
浅茅ヶ原
旅館江泉
大仏館
菩提院
菊水楼 P.24・75
江戸三 P.22
四季亭 P.172
青葉茶屋 P.172
プチホテル古っ都ん100% P.172
柿寿賀総本店
P.173
MIROKU 奈良 by THE SHARE HOTELS
飛鳥荘 P.172
荒池
馬の目 P.77
浮見堂
鷺池
ボートのりば
奈良ホテル P.23
メインダイニングルーム「三笠」P.74
ホテル尾花 P.172
瑜伽山 ▲112
奈良ホテル
瑜伽神社
天理教
旧大乗院庭園
らふぁえろ
天明神社
温石
鵲町
なら和み館 P.67
高畑町
名勝大乗院庭園文化館 P.62
福智院町
喫茶去・庵 P.61
福智院町
新薬師寺へ
頭塔
P.68 今西清兵衛商店
P.59 今西家書院
蕎麦 玄
福智院
奈良屋
奈良高畑局
福智院町
興善寺
法徳寺
十輪院 P.59
八木酒造
十輪院町
Bon appetit めしあがれ P.73
飛鳥公民館
超願寺
金躰寺
ビジネス観光ホテルラクヨー
紀寺町
正覚寺
飛鳥小
184-185
186-187
188-189
東大寺
近鉄奈良駅
興福寺
猿沢池
春日大社
JR奈良駅
奈良町
0
1km
西紀寺町
紀寺町
紀寺町
紀寺町
ENEOS
紀寺町
崇道天皇社
東紀寺町(一)
奈良女子大附属中等教育学校
璉珹寺
天理へ
市立奈良病院
C
D
G
H
K
169

あ

・秋篠寺……79
・浅茅ヶ原……39・52
・飛鳥……16・109
・飛鳥寺……121
・飛鳥坐神社……176
・飛鳥歴史公園館……118
・安倍文殊院……132
・甘樫丘……16・121
・斑鳩……93
・往馬大社……177
・率川神社……177
・石位寺……132
・石舞台古墳……120
・依水園……46
・石上神宮……133
・一刀石……89
・犬養万葉記念館……120
・今井町……127
・今井まちなみ交流センター「華甍」……127
・今西家住宅……129
・今西家書院……59
・入江泰吉記念奈良市写真美術館……57
・植山古墳……144
・宇陀……137
・宇太水分神社……139
・采女神社……177
・馬見古墳群……144
・円成寺……90
・大宇陀……154
・大宇陀歴史文化館「薬の館」……139
・大野寺……143
・大神神社……136
・大美和の杜……136
・大和神社……176
・岡寺(龍蓋寺)……120
・音村家住宅……128
・鬼の雪隠……118
・鬼の俎……118
・小山田遺跡……144

か

・戒壇院(東大寺)……46
・海龍王寺……81
・橿原……124
・橿原考古学研究所……125
・橿原神宮……125
・春日大社……50
・春日大社神苑萬葉植物園……51
・談山……131
・勝手神社……159
・葛城……150
・葛城山……151
・葛城市相撲館けはや座……148
・葛城の道……17・152
・葛城の道歴史文化館……152
・亀石……119
・亀形石造物……121
・萱生環濠集落……133
・河合家住宅……127
・がんこ一徹長屋……87
・元興寺(極楽坊)……59
・岩船寺……13
・喜光寺……87
・喜多美術館……136
・吉祥草寺……176
・旧上田家住宅(丸田家)……128
・旧米谷家住宅……128
・旧柳生藩家老屋敷……89
・金峯神社……160
・金峯山寺(蔵王堂)……158
・百済観音堂(法隆寺)……97
・九品寺……151
・久米寺……125
・黒塚古墳……134
・景行天皇陵(渋谷向山古墳)……135
・けはや座(葛城市相撲館)……148
・庚申堂……61
・興福寺……47
・郡山金魚資料館……103
・郡山城跡……103
・国宝館(興福寺)……49
・五條……155
・御所……150
・御霊神社……61
・金堂(東大寺)……44

さ

・西行庵……160
・狭井神社……136
・西大寺……87
・蔵王堂(金峯山寺)……158
・酒船石遺跡……120
・佐紀路……78
・桜井……130
・桜井市立埋蔵文化財センター……136
・佐保路……78
・猿石……118
・三月堂(東大寺)……44
・志賀直哉旧居……57
・信貴山朝護孫子寺……176・177
・慈光院……99
・持統天皇陵……119
・十輪院……59
・春岳院……103
・正倉院(東大寺)……45
・称念寺……129
・聖林寺……131
・浄瑠璃寺……12
・鐘楼(東大寺)……44
・神苑(春日大社)……51
・新町通り(五條市)……155
・新薬師寺……57
・垂仁天皇陵(宝来山古墳)……86
・菅原天満宮……176
・朱雀門(平城宮跡)……79
・朱雀門ひろば……79
・崇神天皇陵(行燈山古墳)……134
・石光寺……149
・船宿寺……152

た

・大安寺……177
・第一次大極殿院(平城宮跡)……79
・大願寺……139
・大乗院庭園文化館……62
・大仏殿(東大寺)……44
・當麻……13・147
・當麻寺……148

・當麻蹶速塚……148
・高鴨神社……152
・高木家住宅……127
・高畑……10・56
・高松塚古墳……118
・高松塚壁画館……118
・高円山……177
・高天彦神社……17・152
・滝谷花しょうぶ園……143
・竹内街道(竹内集落)……148
・竹之内環濠集落……133
・橘寺……119
・談山神社……131
・竹林院……159
・中宮寺……98
・長岳寺……134
・転害門(東大寺)……45
・伝飛鳥板蓋宮跡……120
・天武天皇陵……119
・天理市トレイルセンター……134
・東院庭園(平城宮跡)……79
・唐招提寺……85
・東大寺……42
・東大寺ミュージアム……45
・多武峰……130
・飛火野……39・52
・豊田家住宅……129

な

・中橋家住宅……129
・中村家住宅……151
・奈良県立橿原考古学研究所附属博物館……125
・奈良県立万葉文化館……121
・奈良県立民俗博物館……105
・奈良公園……37
・奈良国立博物館……53
・奈良市杉岡華邨書道美術館……62
・奈良市立史料保存館……62
・奈良豆比古神社……177
・奈良文化財研究所飛鳥資料館……121
・奈良町……58
・ならまち格子の家……62
・奈良町資料館……62
・南大門(東大寺)……43
・南大門(法隆寺)……96
・南都明日香ふれあいセンター犬養万葉記念館……120
・二月堂(東大寺)……45
・西里……98
・西ノ京……83
・二上山……149
・如意輪寺……159
・寧楽美術館……46
・念仏寺……176

は

・箱本館「紺屋」……103
・箸墓古墳……135
・長谷寺……137・138
・花の郷・滝谷花しょうぶ園……143
・花矢倉……160
・般若寺……82
・一言主神社……17・151
・人麿神社……176
・檜原神社……135
・白毫寺……57
・藤ノ木古墳……98
・藤原宮跡……126
・藤原宮跡資料室……126
・衾田陵(西殿塚古墳)……133
・不退寺……82
・平城宮跡歴史公園……79
・平城宮跡・朱雀門……79
・平城宮跡・第一次大極殿院……79
・平城宮跡・東院庭園……79
・平城宮跡・平城宮跡資料館……79
・法起院……138
・法起寺……99
・芳徳禅寺……89
・法隆寺……96
・法輪寺……99
・ホケノ山古墳……144
・法華寺……81
・法華堂(東大寺・三月堂)……44

ま

・益田岩船……144
・松尾寺……105
・松山地区(宇陀市)……154
・万葉文化館(奈良県立)……121
・水落遺跡……121
・都塚古墳……144
・三輪山……135
・室生寺……141・142
・室生龍穴神社……142
・名勝依水園……46
・名勝大乗院庭園文化館……62
・夫婦大國社……52
・メスリ山古墳……132
・本薬師寺跡……125
・森野旧薬園……139

や

・柳生……88
・柳生街道……90
・柳生花しょうぶ園……89
・薬園八幡神社……103
・薬師寺……84
・矢田……104
・矢田寺(金剛山寺)……105
・矢田坐久志玉比古神社……105
・大和郡山……102
・大和民俗公園……105
・山の辺の道……15・133
・夢殿(法隆寺)……98
・吉城園……46
・吉野……156
・吉野水分神社……160
・吉野山……157
・吉野町観光案内所……159
・吉水神社……159

ら・わ

・鹿苑……40
・若草山……46
・若宮神社(春日大社)……52
・わらい仏……13

本書の各種データは2022年2月現在のものです。新型コロナウイルス感染症対応で、寺社・各店舗・交通機関等の営業形態や対応が大きく変わっている可能性があります。必ず事前にご確認の上、ご利用くださいますようお願いいたします。

制作スタッフ

取材・執筆・編集	菊地信行 (株式会社メディアエナジー) 藤谷美由子 伏見友文 大澤朋子 山崎　彩
編集協力	株式会社千秋社 舟橋新作 高砂雄吾(有限会社ハイフォン)
写真	藤井金治 長谷川勝一 辻野　済 首藤光一／アフロ(P.8-9) 宇陀市教育委員会(P.154) 奈良国立博物館 株式会社飛鳥園
カバーデザイン	寄藤文平＋鈴木千佳子(文平銀座)
イラスト (カバー＋てくちゃん)	鈴木千佳子
本文デザイン設計	浜名信次(BEACH)
地図制作	株式会社千秋社 オゾングラフィックス
バス路線早見MAP制作	株式会社チューブグラフィックス
Special Thanks to	奈良県ビジターズビューロー 奈良県地域振興部観光局 春日大社 近畿日本鉄道　奈良交通 奈良国立博物館 奈良市観光経済部 奈良市観光協会

ブルーガイド　てくてく歩き　13
奈良・大和路

2022年4月10日 第11版第1刷発行

編　集　ブルーガイド編集部
発行者　岩野裕一
印刷・製本所　大日本印刷株式会社
DTP　株式会社千秋社

発行所　株式会社実業之日本社
〒107-0062
東京都港区南青山5-4-30
emergence aoyama complex 2F
電話　編集・広告　03-6809-0452
販売　03-6809-0495
https://www.j-n.co.jp/

ISBN978-4-408-05764-4(第一BG)